МИРА

S0-BJY-432

ана Тонтори

материк Арварох

терик Уандук

W E

S

МАКС ФРАЙ

Тубурская игра

МОСКВА
Издательство АСТ

УДК 821.161.1-3
ББК 84(2Рос=Рус)6
Ф82

Книга публикуется в авторской редакции

Фрай, Макс

Ф82   Тубурская игра / Макс Фрай. — Москва: Издательство АСТ, 2016. — 416 с. — (Хроники Ехо).

ISBN 978-5-17-095197-0

Трактир «Кофейная гуща» стоит на границе между новорожденной реальностью и непознаваемым хаосом еще неосуществленных возможностей. Он стал центральным местом действия цикла «Хроники Ехо», в ходе которого старые друзья и коллеги встречаются, чтобы поговорить о прошлом и помолчать о будущем, которое уже почти наступило.

В восьмой книге цикла «Хроники Ехо» сэр Нумминорих Кута расскажет о тубурских Мастерах Снов, изамонских обычаях, Темной Стороне, Вечном Сне и других чудесах Мира. А заодно о том, как он нечаянно изменил Мир — раз и навсегда.

УДК 821.161.1-3
ББК 84(2Рос=Рус)6

ISBN 978-5-17-095197-0

...all these moments will be lost in time...

«Blade Runner» by Ridley Scott

Вечером Триша выходит на заднее крыльцо «Кофейной гущи», чтобы проверить, как дела у маленьких упрямых растений с прозрачными листьями, вдруг пробившихся сквозь трещины в ступенях и недавно начавших цвести. Из глубины сада, скорее всего от качелей, доносятся знакомые голоса.

— И чем ты намерен заняться потом?

— Никакого «потом» не бывает, ты же знаешь. Одно бесконечное «сейчас», настоящее время. Самое настоящее. Подлинное. Я проверял. На зуб.

— Могу вообразить, как оно при этом хрустело, — смеется Шурф Лонли-Локли.

А ведь каким серьезным казался поначалу. Всех провел.

Проходит ночь, а за ней — почти целый день, и Макс стоит на пороге «Кофейной гущи», нетерпеливо притоптывая ногой, как норовистый конь, которого раззадорили приготовлениями к прогулке, но так и не вывели из конюшни. Вокруг его головы сияет ореол предвечернего солнца, которое он так удачно заслонил.

— Не в моих правилах спрашивать, куда ты собрался, — говорит Франк. — Но всего за десять минут до обеда, когда мой огненный суп уже булькает на плите и пахнет на весь квартал?! Это на тебя совсем не похоже.

Триша ничего не говорит. Она мешает заправку для супа, томящуюся на медленном огне. Деревянная ложка должна совершить ровно семьдесят два оборота по часовой стрелке; сбиться со счета никак нельзя, тогда заправка будет испорчена, а запоздавший сегодня обед, соответственно, отложен еще на четверть часа. Поэтому Трише не до разговоров. Сейчас она может только слушать, да и то вполуха.

Слушает, конечно.

— Мое дело как раз на десять минут, не больше. У Старого Сайруса погас фонарь над входом, — скороговоркой объясняет Макс. — Как ответственный демиург, я сгораю от стыда, скорблю о несовершенстве миропорядка и считаю своим долгом лично исправить технический недочет. А как добрый сосед и здравомыслящий человек, думаю, что старику не следует самому лезть на стремянку. У этой его лестницы такой злокозненный вид, что я готов спорить, она попытается уронить всякого, кто на нее заберется.

— И ты решил упасть со стремянки вместо Сайруса?

— Не стоит преувеличивать мою жертвенность. Штука в том, что я могу заменить лампочку вообще без стремянки. Я довольно длинный.

— Ладно. Тогда у тебя есть шанс успеть к обеду. *Если, конечно, не полезешь чинить крышу тетушке Уши Ёши и красить забор вокруг огорода Мирки — как ответственный демиург.*

— Я все же не настолько ответственный, — смеется Макс. — Думаю, лампочка станет моим первым и последним рукотворным вкладом в здешнее мироустройство. Все-таки видеть сны, а потом по рассеянности путать их с явью у меня получается куда лучше, чем хозяйничать.

И он пулей вылетает на улицу.

— А кто такой этот Старый Сайрус? — спрашивает Триша, завершив последний, самый медленный оборот деревянной ложки и убрав огонь. — Что-то не припомню такого.

— Я тоже, — кивает Франк. — Хотя вроде знаком со всеми соседями. Подозреваю, старик специально возник из небытия только потому, что Максу приспичило немедленно вкрутить лампочку, а подходящих жертв поблизости не оказалось. Ничего, скоро угомонится.

— В каком смысле — угомонится?

Так испугалась почему-то, что даже ложку на пол уронила.

— В самом что ни на есть распрекрасном, — улыбается Франк. — Просто поймет наконец, что его дело сделано, и займется чем-нибудь другим.

«Это как? Какое дело? В каком смысле сделано? И что теперь будет?» — хочет спросить Триша. Но вместо этого она просто поднимает ложку и идет ее мыть.

Триша вовсе не уверена, что ей действительно хочется услышать ответ.

Не сегодня.

Поэтому Триша ни о чем не спрашивает. Триша только слушает.

В сумерках, когда огненный суп благополучно съеден, послеобеденный кофе выпит, вечерние пироги отправлены в печь, Макс снова куда-то убежал, а Франк удобно устроился за стойкой в ожидании первых желающих поужинать, можно выйти в сад, покачаться на качелях, которые в кои-то веки не заняты очередным любителем поболтаться между небом и землей.

Триша до сих пор не может решить, нравятся ли ей качели. С одной стороны, кататься на них приятно, а с другой — слишком ненадежная конструкция. Теоретически сколочены они на совесть и привязаны крепко, и дерево — толще не бывает, но знание этих обстоятельств мало помогает, когда ноги отрываются от земли и весь мир начинает качаться — сперва чуть-чуть, почти неощутимо, но постепенно набирает скорость, и в какой-то момент кажется, что он не остановится никогда. Хотя практика показывает, что рано или поздно все снова приходит в порядок. То есть до сих пор всегда так было, а как будет в следующий раз, неведомо.

Самое важное, что следует знать о качелях: остановить их сразу невозможно, как ни старайся.

Любые усилия дадут обратный результат, даже незаметное глазу напряжение заставит реальность кружиться еще быстрей; чтобы прекратить это немедленно, можно только спрыгнуть — с риском расквасить коленки, локти и хорошо если не нос. Даже при Тришиной ловкости шансов уцелеть немного. Но если расслабиться, замереть, сказать качелям: «Черт с вами, делайте что хотите», движение понемногу замедлится, небо перестанет кружиться, а земля вернется под ноги, как будто и не было лихой пляски, от которой сладкая тьма в голове и искры из глаз.

Вот ради этого блаженного мгновения Триша садится на качели при всяком удобном случае, снова и снова, как будто не она вчера ругала себя распоследними словами: «И зачем тебя сюда понесло?»

Ясно же зачем.

За полным покоем, который непременно наступает в финале.

Но на этот раз Триша даже оттолкнуться от земли не успела. Услышала поблизости голоса, обернулась и замерла — не то от удивления, не то от красоты открывшегося ей зрелища: Макс стоит на садовой лужайке, по колено в густой траве, целиком окутанный прозрачным, синим как сумерки облаком, которое не просто дрожит на ветру и переливается в лунном свете, как положено облакам, но и смеется, торжествующе и неудержимо, словно только что победило в дурацком споре и одновременно умирает от щекотки.

— Всю жизнь подозревал, что я очень смешной, — говорит Макс. — Но неужели настолько?

— Настолько, настолько, можешь мне поверить, — сквозь смех говорит облако.

Голос у него низкий, но скорее женский, с такой теплой бархатной хрипотцой, что у Триши замирает сердце. «Какое это, наверное, счастье — дружить с говорящими облаками, которые иногда приходят к тебе поболтать», — думает она.

Облако больше не смеется, теперь оно просто говорит — спокойно, рассудительно. И Триша слушает, затаив дыхание. Даже не потому, что интересней чужих секретов могут быть только чужие тайны. А просто ради этого голоса.

— Всегда знала, что ты — наваждение, такое же, как я, — говорит облако. — Ну, то есть понятно, не в точности такое же. Но — тоже наваждение. Так забавно было наблюдать, как ты стараешься казаться обыкновенным человеком. Самым обыкновенным из ряда вон выходящим гениальным, великим, прекрасным, убийственно обаятельным человеком — примерно такова была твоя роль. И ведь не только самого себя, а еще кучу народа провел. Молодец, что тут скажешь. А я порой по дюжине раз на дню прикусывала язык, чтобы не проговориться. Теперь можешь оценить мое чувство такта.

— Могла бы и проговориться, — вздыхает Макс. — Некоторые вещи о себе лучше узнавать загодя.

— В ту пору ты сказал бы: «Некоторые вещи о себе лучше не знать вовсе». И был бы по-своему прав.

*Всему свое время. Это сейчас ты понемногу начина-
ешь догадываться, как весело и азартно можно продолжать играть в человека, зная всю правду о себе.
Но сколько небосводов обрушилось на твою макушку
и сколько земель ушло из-под ног прежде, чем ты это
понял?*

— Семнадцать миллионов двести тридцать восемь тысяч семьсот пятьдесят четыре, — докла-
вает Макс. И серьезно добавляет: — Я их считал, как
некоторые считают овец, чтобы избавиться от бес-
сонницы.

— Старый добрый сэр Макс, — смеется облако.

— Говорят, меня легче убить, чем переделать. Притом что убить, как постепенно выясняется, практически невозможно. Вот и прикинь... Но слушай, как
же все-таки хорошо, что ты пришла! А почему только сейчас? Я тебя тут искал. С первого дня.

— Прости. Просто ты обрушился на Город совершенно внезапно, как штормовой юго-западный ветер
со стороны Лейна, а я не сижу тут безвылазно, —
объясняет облако. — Это я только в человеческой
шкуре была домоседкой. А теперь, по твоей милости,
хоть вовсе сбегай! Что ты натворил, сэр Макс? Как
тебе не стыдно? Все уже такое почти настоящее,
что еще немного, и местное население начнет шарахаться от меня, как положено нормальным живым
людям.

— Ну уж нет. Местное население было, есть и
останется самым бесстрашным и призраколюбивым
во Вселенной. Это я твердо обещаю. Иначе какой в
нем вообще смысл?.. А тебе правда не нравится, что
Город оживает? Или ты надо мной смеешься?

— Конечно, смеюсь. Я столько времени была лишена этого удовольствия, что нынче готова ухватиться за любой предлог, лишь бы наверстать упущенное. На самом деле мне нравится все, что тут происходит. Да настолько, что я сочинила Городу имя. От тебя-то не дождешься. Будь твоя воля, все на свете остались бы безымянными навек, лишь бы тебе не пришлось зубрить, кто как называется.

— Прекращай меня оклеветы... оклеветывать... нет — оклеветовывать! А что за имя? Мне-то скажешь?

— Обойдешься. Я Городу шепнула, и достаточно. Пусть сам решает, говорить ли тебе и всем остальным. И если да, то когда именно. И в какой форме. Он честно заслужил такой подарок. Если бы я была твоим сном, мне бы ужасно хотелось иметь от тебя секреты. Ну хоть один, если больше нельзя. Но тогда уж важный. Чтобы ты ночей не спал, мучаясь желанием его разгадать. И не потому что я такая вредная, а потому что ты сам любишь секреты больше всего на свете. А их в последнее время все меньше и меньше, бедный сэр Макс!

— Ничего, на мой век небось хватит.

— Только если об этом позаботятся добрые друзья вроде меня. Мы — твой единственный шанс хотя бы иногда ничего не понимать, попадать впросак и проявлять слабость.

— Ну, с этим у меня до сих пор все в порядке. Я великий мастер проявления слабости, метко попадающий впросак с первой попытки, из любого положения, даже с завязанными глазами и в полной темноте.

— Именно потому что мир не без добрых... ну, скажем так, людей.

— Да не то слово! — смеется Макс.

— Однако нынче я намерена стать исключением из этого золотого правила. Один раз можно. Даже нужно. Я разыскала тебя не только ради удовольствия обнять и посмеяться, а специально для того, чтобы прояснить некоторые важные вопросы. Кроме меня это, пожалуй, никто не сделает — просто потому что люди понятия не имеют, какие вещи следует знать о себе существам вроде нас с тобой. Разве что теоретически. Но это совсем не то. А прочие наваждения не испытывают к тебе чувств достаточно нежных, чтобы пересилить отвращение к чисто человеческой привычке говорить слова вместо того, чтобы целиком окунаться в знание. Да и чего от них требовать, когда даже ты сам до сих пор не потрудился дать соответствующие объяснения собственному уму? Так и живешь — наполовину мудрец, наполовину невежественный балбес, причем эти двое наловчились игнорировать друг друга, как старые придворные, рассорившиеся еще при покойном короле.

— Вот этого я, наверное, не пойму никогда, — вздыхает Макс. — Каким образом я умудряюсь не знать то, что на самом деле знаю? Как это технически возможно, я имею в виду?

— Да проще простого. Забываешь же ты некоторые свои сны.

— В последнее время вроде нет. Хотя, конечно, пока не вспомнишь внезапно что-нибудь новенькое, не узнаешь, что оно было забыто.

— *То-то и оно. Просто вообрази, что мудрец и балбес сидят на разных этажах большого дома. И не имеют пока приятной и полезной привычки вместе пить камру в гостиной.*

— *Это они зря.*

— *С другой стороны, их можно понять. В этом многоэтажном доме пока нет ни одной лестницы, а дикие прыжки в пропасть хороши только в самом крайнем случае. Это удовольствие не для повседневных нужд. Следовательно, надо строить лестницы, удобные переходы с этажа на этаж, мосты — называй как хочешь. Лишь бы самому было понятно. И запомни, этим строительством должны заниматься оба — и мудрец, и балбес. Иначе что толку было прикидываться человеком?*

— *А почему ты так ставишь вопрос?*

— *Да потому что подобная раздвоенность сознания — проклятие рода человеческого. И одновременно его величайшее достояние. Все зависит от того, как этим воспользоваться. Лично у меня — в ту пору, когда я сама прикидывалась человеком, — выходило, прямо скажем, не блестяще. Но я-то, в отличие от тебя, никогда не любила эту игру. И ужасно злилась на Лойсо за то, что он меня в нее втянул.*

Макс снова смеется.

— *Прости, — говорит он. — Просто звучит совершенно потрясающе: «Злилась за то, что втянул меня в игру», когда речь идет об отце.*

— *Это и правда была бы неплохая шутка, если бы речь шла о настоящих человеческих родителях и их не менее настоящих человеческих детях. А так — констатация факта. Когда маг считает, будто соз-*

дает человека, он просто отливает из подручного материала соответствующую форму и втягивает в свою игру кого-нибудь из нас. Самые мудрые из них об этом смутно догадываются, но даже они редко знают, как в точности обстоят дела. Имей в виду, Макс, все, что я говорю о себе, и тебя касается. Разница лишь в том, что я, как и прочие духи, по капризу Лойсо Пондохвы ставшие его детьми, попала в ловушку, а ты с радостью согласился играть в человека. Как будто всю жизнь ждал столь блестящего предложения. Впрочем, почему «как будто»? Готова спорить на что угодно, так оно и было — ждал.

— Очень на меня похоже, — вздыхает Макс. — Сидеть дома и ждать, пока позовут играть во двор, — одно из моих первых детских воспоминаний. Которые, ясное дело, фикция. Но все равно зачем-то есть.

Трише очень хочется соскочить с качелей и убежать, пока не выяснилось еще что-нибудь этакое. Пока эти двое не разболтали какую-нибудь совсем уж ужасную тайну, зная которую просто невозможно сохранять покой. Но призрачная женщина-облако снова говорит, и надо совсем с ума сойти, чтобы добровольно уйти туда, где не будет слышно ее голоса.

Поэтому Триша слушает.

— Эти твои воспоминания — вовсе не фикция. Они принадлежат твоей Тени. А Тени наваждений, как известно, живые люди... Погоди, чему ты так удивляешься? Неужели до сих пор не знал? Я была уверена, что уж кто-кто, а ты близко знаком с собственной Тенью.

— Вероятно, мы были представлены как раз в одном из тех снов, которые я благополучно забыл, — ухмыляется Макс. — Ну он и влип, бедняга. Или она?

— В данном случае именно «он». Когда речь идет о людях, сразу понятно, мальчик перед тобой или девочка, так что нечего мудрить. Но назвать его беднягой у меня язык не повернется. Стать Тенью овеществившегося наваждения — лучшее, что может случиться с человеком. Это дает великую власть над временем и над собой — как минимум. Впрочем, мало кому в подобных обстоятельствах требуется еще что-то. Такая участь даже мне кажется завидной — уж на что я сейчас довольна собственной, а все равно.

— Тебе виднее. Но интересно, как моя Тень живет без сердца? Сама помнишь, Джуффин говорил, что забрал его для меня, когда решил, будто мое больше ни на что не годится*. Объяснил, что Тень вполне может обойтись без потрохов и прочих излишеств. Мне было легко принять эту теорию — какая-то мистическая Тень без потрохов, ладно, прекрасно, все равно я не понимаю, о чем речь, в глаза эту фигню не видел и вообще не особо верю в ее существование, стало быть, прыгаем дальше с двумя сердцами и не паримся. Но о людях точно известно: без сердца они не жильцы. Разве что до полусмерти заколдованные, но такая жизнь даже в сказках добром не кончается.

---

* Речь о событиях, описанных в повести «Корабль из Арвароха и другие неприятности».

— Погоди, не тараторь. Младенцу же понятно, что Джуффин тогда тебя обманул. И не только потому что любит врать даже больше, чем лопать горячие пирожки. Просто не хотел, чтобы ты считал себя обязанным ему по гроб жизни. Ему с тобой и так было чрезвычайно непросто — в этом и во многих других смыслах... Конечно, Джуффин взял сердце у собственной Тени. Со своей-то всегда проще быстро договориться, а он, если помнишь, очень спешил, потому что думал — от этого зависит твоя жизнь. Твой бывший начальник большой молодец, ловко все тогда провернул, но ты имей в виду, сама по себе жертва не так уж велика. Тень такого могущественного колдуна не то что новое сердце — голову за полчаса отрастит, если понадобится. В общем, совершенно нет повода для беспокойства.

— Для беспокойства, может быть, и нет. Но это многое меняет.

— На самом деле это ничего не меняет — по большому счету. А малый не должен тебя заботить.

— Не должен, конечно. Но все равно заботит, ты же меня знаешь... Особенно прекрасно, что я, болван, его где-то здесь потерял. Причем сам не заметил, как это случилось.

— Что потерял? Свое второе сердце?! Здесь? В Городе? Ну ты даешь!

И женщина-облако снова начинает смеяться, да так сладкозвучно, что Трише становится все равно, о чем они говорят. Какое ей дело до чужих сердец, когда собственное стало мягче теплого воска и оказалось, что это — самый простой способ быть счастливой.

...— Это лучший подарок всем троим, — отсмеявшись, говорит облако. — Лишнее сердце ни одному юному Городу не помешает, не зря же когда-то в фундаменты первых городских стен замуровывали принесенных в жертву птиц и людей. А тут вдруг такой случай — у тебя их целых два, и оба без присмотра. С другой стороны, ни одна Тень в здравом уме не откажется установить столь близкую родственную связь с каким-нибудь новорожденным миром. Вот они и сговорились за твоей спиной, пока ты болтался по улицам, себя не помня, машинально развоплощаясь чуть ли не на каждом мосту. Что же касается твоего бывшего начальника, на такой приз за проявленную когда-то находчивость он и рассчитывать не мог. Побрататься с Неведомым, точнее, дожить до того дня, когда Неведомое само станет топтаться на пороге, смущенно бормоча, что они теперь одна семья... Всегда знала, что Джуффин Халли счастливчик, но даже не подозревала насколько.

— Ну, хорошо, если так, — вздыхает Макс. — Я-то, честно говоря, места себе не находил. Уж насколько всегда был рассеянный, а потроха все же до сих пор не терял. Утешался тем, что и с одним сердцем чувствую себя неплохо, но мучился от невозможности как-нибудь проверить наличие селезенки. И всего остального. Даже Франка хотел расспросить — как я там внутри, целый? Но почему-то стеснялся. Да и не был уверен, что готов услышать честный ответ.

— Все-таки ты — лучший в мире игрок в человека, — говорит облако. — Абсолютный победитель по очкам. Даже настоящих людей переиграл. Большинст-

ву из них в подобной ситуации в голову не пришло бы беспокоиться о таких пустяках.

— *Ну и зря. Чудеса чудесами, а потроха должны быть на месте — если, конечно, намереваешься и дальше наслаждаться слаженной работой организма, а не блуждать по долине смерти с печенью под мышкой по примеру древних египтян.*

— *По примеру кого?*

— *Ай, неважно. Ну был когда-то давно народ, именно так представлявший себе загробную жизнь. Поэтому своих покойников они потрошили, а внутренности аккуратно складывали в специальные красивые сосуды. Я в детстве чуть в штаны не наложил, когда об этом прочитал. Вернее, моя Тень чуть не наложила. Но я полностью разделяю ее, вернее, его тогдашние чувства... Все это ерунда. Но слушай, как же удивительно, что ты теперь знаешь такие вещи обо всех нас!*

— *Да я и раньше знала немало, — невозмутимо отвечает облако. — Просто помалкивала. И, кстати, сейчас вполне могла бы промолчать — так нет же! Взяла и выболтала чужой секрет. Все-таки Джуффин в свое время очень не хотел, чтобы ты узнал, чьей Тени принадлежит твое второе сердце. Ты, что ли, не выдавай меня. Просто забудь все, что я тебе тут наговорила. Если, конечно, получится.*

— *Ладно, будем считать, что последние десять минут ты увлеченно рассказывала мне о тайных любовниках тетушки Уши Ёши. А я демонстративно отказывался слушать, потому что нехорошо это — сплетничать о соседях. Со мной по-прежнему легко договориться, ты не находишь?*

— Да уж. Стоило несколько минут с тобой поболтать, и я стала легкомысленной дурочкой, хуже обычной девчонки, — смеется облако. — Ты всегда плохо влиял на меня, сэр Макс. Или, наоборот, слишком хорошо — это как посмотреть. Но злоупотреблять этим удовольствием все же не следует.

— Еще как следует. Но ты, конечно, все равно меня не послушаешь.

— Но не потому, что люблю делать наперекор. Просто я с самого начала не планировала затягивать свидание. Хорошего понемножку. Специально пришла, чтобы сказать тебе две очень важные вещи — и все! Но ты, как всегда, сбил меня с толку.

— Трудно тебе со мной? — понимающе кивает Макс.

— С тобой вообще всем трудно. Просто они, в отличие от меня, далеко не всегда это понимают. Но всем нам, бывшим и будущим жертвам твоего утомительного обаяния, честно говоря, грех жаловаться. Трудности идут нам на пользу и даже доставляют некоторое удовольствие.

— По твоим словам выходит — я просто спортивный снаряд.

— Вроде того. А теперь, пожалуйста, не перебивай. Слушай внимательно, пока меня не унес ночной ветер — к тому, по моим расчетам, идет. Есть одна правда, которую ты с упорством, достойным лучшего применения, не желаешь о себе знать: тебе жизненно необходимо быть нужным. Я помню, ты всегда считал это своей слабостью и даже пытался с нею бороться. Вернее, просто любил об этом поговорить, ничего не предпринимая. И хорошо, что так. Потреб-

ность быть нужным — не слабость, а просто твоя природа. Для тебя это топливо, источник силы и смысла, таков уж ты есть. Ты этим питаешься, дышишь, живешь. Как ветер живет, лишь пока дует, так и ты есть только в силу необходимости — чужой нужды в тебе. Когда ты ни для чего не нужен, ты попросту невозможен. Поэтому идешь, куда позовут, делаешь, что попросят, — вот, к примеру, даешь жизнь реальностям, которые хотят осуществиться. Впрочем, масштабы деяний не имеют для тебя никакого значения. Ты готов заниматься чем угодно: морочить головы, отпускать на свободу пленников, пугать привыкших бояться, не понимать желающих говорить загадками, учиться у тех, кто любит учить, и приносить знания тем, кто их жаждет, дразнить фонарем блуждающих в темноте, становиться приманкой для зачарованных мест, коллекционирующих диковины вроде тебя, раздражать сердитых, составлять компанию одиноким, сниться начинающим сновидцам, исцелять безумцев и сводить с ума зануд, затосковавших от собственной нормальности, или просто развлекать болтовней своих приятелей за очередной кружкой чего-нибудь способствующего созданию приятной атмосферы. А еще лучше — всем перечисленным одновременно. Чтобы уж наверняка не пропасть. Поэтому и впредь ни в чем себе не отказывай. Другим — тем более. Никому не говори «нет». В какие бы игры ты ни играл, в какие бы обличья ни рядился, эта правда о тебе всегда останется правдой.

— То есть, если никто не желает, чтобы я пугал его за утренним кофе, мне следует пойти и быстренько сотворить очередную Вселенную, которой позарез *приспичило осуществиться? Попутно нашептывая ей, что никто не сделал бы это лучше, чем я, и пусть, дескать, приводит подружек? Что ж, полезная инструкция!*

— *Хорошо, что ты смеешься. А ведь раньше взорвался бы, пожалуй.*

— *Просто с тех пор я уже вдоволь навзрывался. И решил, что пора завязывать. Как со всяким дурным пристрастием вроде пива и героина... Но ты говорила — «две очень важные вещи». Какая вторая?*

— *Просто хочу замолвить словечко за твою Тень. Мы немного знакомы, и этот Макс, чьи воспоминания ты до сих пор по привычке ощущаешь своими, нравится мне не меньше, чем ты. Что, сам понимаешь, неудивительно. Ясно, что вы связаны, как сообщающиеся сосуды, — тут уж ничего не поделаешь. Да и не надо с этим ничего делать. Поэтому чем дольше ты будешь увлеченно играть в настоящего живого человека, тем больше разных интересных вещей успеет случиться с твоей Тенью. А чем больше сумеет наворотить он, тем легче и радостней станет каждый твой шаг. Но если ты перестанешь быть человеком, он застрянет навек в какой-нибудь зачарованной щели, где есть место невозможному. Потому что именно невозможным он и станет. Тень может быть только у человека. Или у того, кто им кажется. Точнее, у того, кто заключен в человеческое тело. Просто имей это в виду. А то знаю я твое переменчивое настроение. На ногу кто-нибудь наступит этак с приподвывертом — и все, привет, желаю развоплотиться, пошли все вон, надоели!*

— *Как ты в свое время?*

*— Совершенно верно. Не бери с меня пример. По-
ложим, моей бывшей Тени даже понравилось быть
зачарованной принцессой в волшебном замке. Но твой
напарник быстро затоскует — на вечные времена.
Примерно как ты в Тихом Городе. Ясно тебе?*

*— Ясно, — говорит Макс. — Теперь вообще многое
стало ясно. Поставила ты мне голову на место. Спасибо тебе.*

*— Просто я наконец изобрела способ извиниться
за то, что так быстро перестала быть девушкой,
которую ты любил. Сама от себя не ожидала такого
вероломства. С другой стороны, потом было бы еще
труднее. И не только тебе... Всё, за мной пришли. До
встречи!*

— Хорошо хоть не «прощай».

*— Я не настолько глупа, чтобы говорить «про-
щай», имея в своем распоряжении вечность, — смеется женщина-облако.*

Она продолжает смеяться, пока внезапно подняв-
шийся ветер несет ее прочь вместе с сухими листьями, переполошившимися ночными мотыльками и шел-
ковым шарфом, сорванным с Тришиных плеч.

«До сих пор ветер никогда не уносил мои вещи, —
удивленно думает Триша. — Мы так не договаривались!
Но ладно, если считается, что это подарок, тогда я
согласна. Хотя совершенно не представляю, как облако может носить шарф? Вот бы посмотреть».

Триша слушает.
Не подслушивает специально, просто ветер по старой дружбе то и дело доносит до нее обрывки разгово-

ров — в саду, на кухне, у чердачного окна. Они тревожат ее, как тревожит все непонятное, и одновременно делают счастливой — как обещание праздника, как слухи о новой ярмарке с каруселями, внезапно открывшейся на противоположном конце Города, как разноцветные огни в ночном небе — не то появились светящиеся перелетные птицы, не то просто на соседней улице затеяли фейерверк, а грохот позвать забыли.

Вот и сейчас Триша сидит в своей комнате и слушает, как за стеной звучат голоса и гремит посуда — чашки переставляют с места на место, с веселым звоном и бульканьем льются напитки, ноздри щекочет запах кофе и подогретого вина. Все бы ничего, но Тришин флигель стоит в саду, за стеной — только заросли цветущего кустарника, грушевые деревья и тропинка, ведущая к задней двери «Кофейной гущи», где, судя по всему, засел Макс с поздно пришедшим, зато грозившим досидеть до утра гостем по имени Джуффин Халли.

Триша не смогла бы подслушать их разговор, даже если бы встала под самыми окнами, запертыми по случаю недавнего холодного дождя. Но слышит каждое слово — сидя в своем флигеле, построенном в доброй полусотне метров от главного здания.

— Я, конечно, дурак, что так нелепо тебе наврал, будто Мир теперь готов рухнуть от моего взгляда, — говорит Макс. — Я действительно был в Ехо — всего несколько секунд, но этого хватило, чтобы убедиться — вреда от меня никакого. Впрочем, ты и сам сразу понял. Спасибо, что на смех не подняли.

— Чего я до сих пор не понял, так это почему ты вообще стал что-то сочинять. Не хочешь возвращаться — не надо. Силой никто не потащит. Или ты думал, что все-таки потащу? Вроде не первый день меня знаешь. Я, конечно, сторонник мелкого бытового насилия, начальнику без этого никак нельзя. Но во всех более-менее важных вопросах я за полную свободу выбора.

— Штука в том, что я сам не смог там находиться, — вздыхает Макс. — Вот это чистая правда.

— Час от часу не легче. Как это — не смог? Что тебе там не так?

— Все не так. Пространство, не совместимое с жизнью. Не знаю, как еще объяснить.

— Ничего не понимаю.

— Да я и сам долго не понимал. Немудрено — перепугался до полной потери разума. А наврал, чтобы не выглядело, будто я прошу о помощи. Потому что никакой помощи я не хотел. Решил — нет так нет, проехали. Тем более я уже давно свыкся с мыслью, что возвращаться нельзя... Но слушай, буквально на днях я наконец-то понял, что случилось. Просто я сам себя заколдовал. Ну, или не себя, а все остальное... Ай, неважно!

— Не знаю, чем ты теперь планируешь заниматься, сэр Макс, но карьера преподавателя тебе точно не светит. Внятной твою манеру излагать не назовешь. Я уж на что всегда был сообразительный юноша, а все равно ни хрена не понял.

— Просто предполагается, что ты должен взорваться от любопытства, попутно сочинив штук восемьдесят блестящих версий произошедшего — все *как одна лучше оригинала. Но ты почему-то не взорвался и даже ничего не сочинил, злодей в моем лице посрамлен. На самом деле все очень просто. Когда ты сказал, что я не должен возвращаться в Ехо, даже если удеру из Тихого Города, меня перемкнуло. До этого, если помнишь, я держался более-менее стойко, а тут, не поверишь, обиделся. Не то чтобы на тебя, скорее на судьбу. И вообще на весь мир. И, конечно, подумал: «Ладно-ладно, в один прекрасный день сами будете звать обратно, умолять, рыдая, а я не вернусь!» Очень на меня похоже, да?*

— Разумеется. Обо всем, что делает человек, можно сказать: «Очень на него похоже». И оказаться правым — в той или иной степени... Ну да, теперь понимаю. Поскольку обижаться подолгу ты не способен — тем более на весь мир, — твоему организму пришлось дополнительно потрудиться, чтобы ты смог сдержать слово, когда придет время. Все получилось, прими мои поздравления. Теперь наш воздух не подходит для тебя. Или не воздух... Ладно, разберемся, что именно. Имей в виду, я не считаю ситуацию непоправимой. Но тащить тебя куда бы то ни было за ухо по-прежнему не намерен.

— Я даже не знаю, какая из новостей лучше, — говорит Макс. — Собственно, они прекрасны именно в паре. Очень удачно друг друга уравновешивают.

— Совершенно с тобой согласен. Потому и сообщаю обе сразу.

— Еще кофе? — спрашивает Макс. — Знаю, что ты не большой любитель, но у Франка он поразительный. Вкус — ладно, это штука субъективная. Но Франков кофе еще и голову проясняет лучше любого

волшебного зелья. По-моему, я заметно поумнел за то время, что тут гощу. И только потому, что ведрами пил этот грешный кофе на протяжении... Вот, кстати, интересно, сколько дней я уже здесь сижу? Очень трудно следить за ходом времени в еще не затвердевшей реальности. Я даже зарубки на дверном косяке стал делать, выяснив, что о календарях тут пока не слыхивали. Но когда начал ежедневно их пересчитывать, внезапно выяснил удивительные вещи из области арифметики. В частности, что сто двадцать четыре и один в сумме дают семьдесят семь, а семьдесят семь и один — двести восемнадцать. И так далее. Ну и плюнул, чтобы не доводить дело до Нобелевской премии за столь выдающееся открытие. Не до нее мне сейчас. А сколько лет прошло в Ехо с тех пор, как ты впервые пришел к нам в гости? Или не лет?

— Как раз что-то около года. Но это ничего не значит. Ход времени в разных Мирах обычно не согласован, как, скажем, скорость движения рек, текущих параллельно друг другу на разных концах земли.

— Да, я помню. Просто вдруг стало интересно, сколько времени прошло для тебя и всех остальных. А сэр Шурф здесь обычно пребывает в столь поэтическом настроении, что даже как-то неловко приставать к нему с подобными глупостями... Но, кстати, знаешь, по моим ощущениям, тоже прошло около года. Предлагаю считать это обычным совпадением, в противном случае Нобелевская премия снова угрожающе замаячит на моем горизонте.

— Я начинаю подозревать, что эта загадочная премия — самое ужасающее наваждение тво-

ей жизни. Хуже достопамятной Книги Огненных Страниц.

— Нет, просто очередная идиотская шутка из разряда особо непонятных окружающим. В этом смысле я совсем не изменился. Зато во многих других — пожалуй. Отчасти намеренно: не хочу сам себе надоесть. Я уже пробовал, у меня получилось. И не очень понравилось.

— Не сомневаюсь. Тебе нелегко пришлось.

— Иногда я понимаю, что больше всего на свете люблю глаголы прошедшего времени, — нежно говорит Макс. — Все пустяки по сравнению с ними. Чертовски приятно слышать: «Тебе нелегко пришлось» — и небрежно отмахиваться — мало ли что было. Было и прошло. Теперь даже можно сказать — да ничего страшного. И вообще все к лучшему. Вот что обыкновенная форма глагола с разумным существом делает. В настоящем, а тем более будущем времени эта фраза понравилась бы мне куда меньше.

— «Все к лучшему» — это, кстати, тоже правда.

— Кто бы спорил. Если уж я сижу здесь — дурацкое наваждение, которому нравится прикидываться человеком, совершенно довольное таким положением вещей и не готовое променять свою судьбу ни на какую иную. В такой ситуации было бы странно утверждать, что не к лучшему, правда?

— Правда. Однако ты совсем меня заболтал, сэр Макс. Я-то пришел к тебе по делу, и все из головы вон. Ворожишь ты, что ли, путая мысли всем, кто с тобой говорит?

— Да вроде нет... Погоди, серьезно по делу?

— Ну да.

Триша слышит негромкий хлопок, как будто на стол с размаху положили не слишком толстую книгу.

— *Ты принес с собой... Глазам своим не верю.*

— *Чему ты удивляешься, сэр Макс? А то до сих пор не знал, что мне всю жизнь не хватало хороших партнеров для крака. А лучше тебя вообще никогда не было. Ты под конец уже чуть ли не половину партий выигрывал. И меня разбирал самый настоящий азарт, а не жалкая пародия на легкое возбуждение, которой приходится довольствоваться, садясь за стол с кем попало.*

— *Мне давно следовало догадаться, что именно ради этого ты меня и придумал. А все эти разговоры о якобы неизбежном конце света и моей мистической помощи — специальная хитроумная брехня для ушей твоих могущественных приятелей. Чтобы уважали и делились плюшками.*

— *Ну наконец-то ты начал меня понимать. Видимо, этот хваленый кофе действительно магическая штука. Налей и мне, раз так.*

Триша слушает.

То есть вот прямо сейчас она сидит на своем высоком табурете за стойкой «Кофейной гущи», ждет, пока согреется вода, чтобы заварить чай для Алисы, которая твердо обещала прийти не позже полудня — значит, уже очень скоро. А Макс и его друг Шурф Лонли-Локли гуляют где-то в Городе. Скорее всего, за рекой, по крайней мере, именно туда они собирались отправиться. Но в распахнутое по случаю теплого дня окно все равно доносятся их голоса.

...— *Там, где я, условно говоря, вырос, есть пословица: «В одну реку дважды не вступают». И люди обычно трактуют ее так, что, дескать, не стоит возвращаться к тому, от чего однажды ушел. Чем бы оно ни было — надоевшей когда-то работой, страной, откуда уехал, брошенной женой или старой, по недоразумению прервавшейся дружбой.*

— *На мой взгляд, это довольно глупая пословица. Во всяком случае, описанное ею правило, мягко говоря, не универсально. Кому-то оно, возможно, подходит, но большинству — нет.*

— *В такой трактовке — безусловно. Но знаешь, я вдруг понял, что пословица совершенно о другом. Собственно, это вообще не пословица. Просто наблюдение за живой природой. Достаточно взглянуть на любую реку, чтобы увидеть, как она меняется — ежесекундно. Движется, течет, влачит за собой камни и листья, меняет ширину русла и цвет, остывает и нагревается, волнуется, когда к ней прикасается ветер, успокаивается, когда он стихает. И захочешь вступить в ту реку, из которой вылез на берег — минуту ли, год ли, столетие ли назад, — а не выйдет. Потому что река уже изменилась, только название осталось прежнее, а это ерунда.*

— *Следует ли понимать, что ты намерен снова войти в одну из тех рек, чьи названия тебе знакомы? И какую из них ты выберешь?*

— *Не знаю,* — говорит Макс. — *Впрочем, это совсем неважно. Спрашивать в любом случае надо не сегодняшнего меня. А того, кем я стану, когда этот Город и постепенно окруживший его большой Мир сделают первый самостоятельный вдох и заживут*

своей жизнью — как ни в чем не бывало. Вернее, как
будто всегда было так, потому что действительно —
всегда так и было. Ничего, скоро уже. Я точно знаю.
Даже немного жаль, я бы еще в это поиграл. Впрочем,
ладно. Будут в моей жизни еще и не такие игры.

— Мне нравится, что ты в этом не сомнева-
ешься.

— Только в этом я и не сомневаюсь. Но мне достаточно.

Триша слушает.

*Триша не знает, к чему приведут все эти разгово-
ры. Если бы из достигших ее слуха обрывков можно
было сшить лоскутное одеяло, укрыться им с головой
и уснуть, возможно, во сне картина наконец стала
бы полной. Но Триша не умеет шить одеяла из слов.*

*Поэтому ей начинает казаться, что лучше все-
таки спросить.*

— Макс, — говорит Триша, оставшись с ним наедине в кафе, благо Франк ушел не то за тысячу го-
ризонтов по своим загадочным делам, не то просто
за пряностями в лавку на улице Блеска, а посетите-
лей нет, как это обычно бывает около полудня, когда
завтракать закончили самые распоследние лежебоки,
а об обеде еще не начали задумываться даже любители вскакивать на рассвете. — Макс, что-то происходит?

— Что-то происходит, — соглашается он, недо-
верчиво оглядывая свою куртку. — Всегда что-нибудь

происходит, дружок. Например, вот прямо сейчас у меня оторвалась пуговица. И по-моему, это самое удивительное событие с момента моего появления здесь.

— Что может быть удивительного в оторванной пуговице? — изумляется Триша.

— Как правило, ничего. Но все зависит от контекста. То есть от сопутствующих обстоятельств. Вот скажи, ты заметила, что я уже очень долго хожу в одной и той же одежде?

Триша неуверенно кивает. Вообще-то она думала, у него просто несколько одинаковых комплектов — чтобы никогда не гадать, что надеть. А оно вон как.

— А ведь, по идее, вещи надо стирать, хотя бы иногда. Но они не пачкаются. И не пахнут потом — как будто я дух бесплотный, а вовсе не живой человек. Впрочем, я-то ладно, может, и бесплотный. С меня станется. Но знаешь, сколько раз я проливал кофе на эти горемычные штаны? Сперва нечаянно, а потом нарочно, в порядке эксперимента? И ни единого пятна. То есть сперва пятно есть, а потом оно высыхает и исчезает, как дождевая вода. И с любой грязью то же самое. Больше тебе скажу, однажды я зацепился рукавом за гвоздь — хорошо так, качественно зацепился, на полном скаку. А куртке все равно хоть бы хны. И вдруг от нее оторвалась пуговица! Мне кажется, это добрый знак. Возможно, завтра же придется заняться стиркой. В жизни не подумал бы, что однажды такая перспектива меня обрадует. Вот уж действительно, никогда заранее не знаешь, что сделает тебя счастливым... И, кстати, из этого следует, что мне придется прогуляться до какой-нибудь одеж-

ной лавки, купить запасные штаны и — что еще здесь носят в это удивительное время года, когда на всех улицах безраздельно владычествует туман? Ай, ладно, разберемся. Ужасно лень возиться еще и с тряпками, но вашим клиентам вряд ли понравится, если я начну разгуливать по залу «Кофейной гущи», завернувшись в простыню. Однако сперва я все-таки пришью пуговицу. Торжественный момент! У тебя нитки есть? И иголка? Давай их сюда.

— Я и пришить могу, — говорит Триша.

— Спасибо, друг. Но я хочу сам. Ты не сомневайся, я умею. В своей жизни я пришил великое множество пуговиц. Штук пять. Или даже шесть. Это был незабываемый опыт. Желаю его повторить.

Никогда не угадаешь, шутит Макс или говорит всерьез. Но, смотри-ка, принялся вдевать нитку в иголку. Похоже, и правда хочет все сделать сам.

— Я покажу тебе лавку, — говорит Триша. — А то до ночи будешь ее искать, по дороге, как всегда, забудешь, зачем шел, вернешься без покупок, зато с загорелым лицом, стопкой книг на чужих языках и букетом каких-то невиданных цветов. А назавтра окажется, что их теперь продают на всех углах, хотя я же точно помню, что прежде таких не видела... Поэтому лучше я сама тебя провожу. Штаны — дело серьезное. Хочешь пойти в ту лавку, где Франк покупает одежду? Тебе нравится, как он обычно одет? Или нет? Ты хочешь и дальше выглядеть примерно как сейчас или как-то иначе? Скажи, и я соображу, куда тебя вести... Эй, почему ты молчишь?

— В жизни каждого человека, — строго отвечает ей Макс, — однажды наступает ответственный мо-

мент, когда надо принять непростое решение. Или ты мелешь языком, или вдеваешь нитку в иголку. Я, как видишь, сделал выбор в пользу нитки. И она меня не подвела, вделась как миленькая. Я в восторге от собственного могущества. Если еще и пуговицу пришью, цены мне не будет, Триша. А потом мы пойдем в лавку. В какую скажешь. Ты начальник, я дурак. Зато очень мастеровитый. За это мы купим мне много штанов, хороших и разных. Я тут же пролью на них кофе, и, если к утру пятно останется на месте, счастливее меня будет разве только ветер с реки, разгоняющий ванильные облака на задворках пекарен. Да и то не факт.

— Макс, — говорит Триша. — Что-то происходит.

Она больше не спрашивает, она утверждает.

— Я то и дело слышу обрывки твоих разговоров с друзьями, — говорит она. — Не нарочно подслушиваю, даже рядом почти никогда не стою. То ветер донесет, то эхо прозвучит, то кажется, будто вы говорите за стеной, еще и кружками стучите. Хотя, ты знаешь, я ночую в своем флигеле, и за стеной там только сад.

— Ничего удивительного, — скороговоркой бормочет Макс, целиком поглощенный манипуляциями с пуговицей. — В этом деле ты у меня свидетель. Самый надежный свидетель, какой только может быть. Если я когда-нибудь забуду, как жил в эти дни, чем тут занимался, что говорил и о чем знал без тени сомнения, или, хуже того, сдуру перестану верить собственным воспоминаниям — ну вдруг, все бывает, чего угодно можно от меня ожидать, — достаточно будет спросить тебя. Или просто вспомнить, что где-то есть ты — девочка-оборотень, бывшая кошка, которую можно расспросить, а уж за тобой подтянутся все остальные воспоминания, они ребята компанейские, знаю я их повадки... Поэтому ты все слышишь. То есть не все, конечно. Кое-что. Необходимое и достаточное количество информации. Хотя сейчас тебе, конечно, кажется, что это не так.

— Конечно, не так! — горячо подхватывает Триша. — Ничего себе «достаточное»! Я вообще ничего не понимаю. И, самое главное, что теперь будет?

— Да все что угодно, — безмятежно отвечает Макс. — Узнаю больше — расскажу. Зато пуговицу я все-таки пришил. Сам. Смотри, по-моему, она отлично держится. Все бы так.

— Далась тебе эта пуговица, — вздыхает Триша.

— Еще как далась. Она, умница такая, наконец-то оторвалась. А я, гений и герой, ее пришил. Все это вместе означает, что я жив. Понимаю, что то же самое может сказать о себе практически кто угодно. Но я всегда был любителем шуметь по пустякам, ты уж меня прости. И отведи в какую-нибудь лавку, действительно. Прямо сейчас. Сердце подсказывает мне, что откладывать большую стирку на завтра неблагоразумно.

В полночь, после затянувшегося застолья, Макс, успевший порядком измочалить всех присутствующих своей сагой о пуговице, выходит в сад — в новеньких, с иголочки, штанах и белом свитере, явно предназначенном для человека гораздо более солидной комплекции, — и скрывается в густых зарослях кустов с серебристыми листьями и черными ягодами, которых прежде, до его появления в «Кофейной гуще», не было в этом саду и вообще нигде в городе. Хотя теперь всем кажется, что были, и только Триша точно помнит, что нет. И Франк, конечно. Но Франк не был бы Франком, если бы не называл правдивыми вообще все версии, включая еще невысказанные — авансом, наперед, — и не рассуждал о том, что истина — это просто сумма всех правд, мыслимых и немыслимых, и если число слагаемых не стремится к бесконечности, грош такой истине цена.

Триша смотрит в окно. Там, за окном, пасмурная безлунная ночь и такой густой туман, что невозможно разглядеть даже кончики пальцев собственной вытянутой руки. Но Триша все равно каким-то образом видит, как Макс почти на ощупь идет по тропинке, а навстречу ему летит огромная глазастая птица, похожая на сову из детской книжки с картинками, только гораздо больше.

— На самом деле ты можешь вернуться, — говорит птица, опустившись на его плечо. — Просто не хочешь. Твое право. Хотя, конечно, жаль.

— Немножко не так, — вздыхает Макс. — Я никак не могу захотеть. Но я уже почти хочу захотеть, прикинь.

— Ого! Это что-то новенькое, — говорит птица. И, взмахнув большими тяжелыми крыльями, улетает прочь.

А Макс смотрит ей вслед, потирая скулу.

— Иногда мне кажется, что она прилетает специально для того, чтобы в очередной раз безнаказанно *заехать мне крылом в рожу. Дескать, знать ничего не знаю, нам, птицам, время от времени требуется расправить крылья, а ваше дело маленькое — уворачиваться по мере сил, — говорит он Трише, которая сама не заметила, как выскочила в сад следом за ним.*

— Ты скоро уедешь? — спрашивает она. — В смысле уйдешь? Навсегда?

— Все может быть, — говорит Макс. — Но уходить навсегда, как показывает практика, не в моих обычаях. Что-что, а это искусство мне не дается, нечего и стараться. Обязательно возвращаюсь — рано или поздно, так или иначе, но возвращаюсь, откуда бы ни ушел. Оно и к лучшему. Выше нос, Триша. Сегодня — лучшая ночь в нашей с тобой жизни. То есть просто очередная самая лучшая ночь. Завтра непременно наступит еще одна самая лучшая, и послезавтра, и потом... Кстати, я же давно обещал тебе нового гостя. И до сих пор не сдержал слово. Надеюсь, очередная история отвлечет тебя от тревожных размышлений о будущем, которое, несомненно, прекрасно. Невзирая на то, что его нет.

— Гостя? — не веря своим ушам, переспрашивает Триша. — Нового гостя? С новой историей?

И, не в силах сдерживать охватившее ее ликование, взлетает на дерево — просто от полноты чувств.

— Если я все-таки когда-нибудь соберусь уезжать, — говорит Макс, — непременно позабочусь, чтобы ты не осталась без гостей и историй. И не раз в полторы вечности, как сейчас, а гораздо чаще. Это я тебе твердо обещаю.

Триша смотрит на него сверху вниз. Она знает, что в этом монологе есть только одно слово неправды: «если». Макс уже все решил. Но про гостей и истории он точно не врет. И, значит, неизбежная новая жизнь, наступление которой наверняка можно чуть-чуть отсрочить, но никак не отменить, действительно может оказаться ничуть не хуже нынешней.

— Мне бы теперь еще с дерева слезть, — *вздыхает Триша.* — Сама не понимаю, зачем так высоко забралась?

— Слушай, а когда открываются лавки? — *спрашивает Макс.*

Вот, казалось бы, знаешь уже, что от Макса можно ждать чего угодно, а он все равно находит способ удивить. Поднялся еще до рассвета, пришел на кухню и кофе сам сварил, да такой, что даже Франк, пожалуй, заинтересовался бы рецептом. А теперь про лавки спрашивает. Какой вдруг стал хозяйственный. С чего бы?

— Смотря какие и где, — *отвечает Триша.* — На нашей улице и по соседству — ближе к полудню, а на другом берегу гораздо раньше, уже через пару часов откроются. Тебе что именно нужно? Если еда или цветы, просто иди на рынок, он уже работает. И все пекарни тоже открыты. Или ты уже все новые штаны перепачкал и хочешь еще?

— Сам толком пока не знаю что, — *говорит Макс.* — Но совершенно точно не еда. И не штаны. С такой скоростью их даже я пачкать не умею. Скажем так, мне нужна всякая всячина. Игрушки? Свечи? Чашки? Ленты? Башмаки? Часы? Пуговицы? Еще что-нибудь? Пока своими глазами не увижу, не пойму.

— А тебе нужны новые вещи или старые тоже подойдут?

— Понятия не имею. Может быть, старые даже лучше. Или нет?.. А что?

— Если перейти Рыночный мост, а потом сразу свернуть налево, там на набережной с утра пораньше собираются старьевщики. Ты их сам издалека увидишь. Не знаю, найдется ли у них то, что тебе нужно, но пока будешь смотреть, как раз начнут открываться лавки. Их на том берегу возле рынка полно, самых разных. Я бы сама с тобой пошла и все показала, но «Кофейную гущу» оставить не на кого. Франк, сам видишь, гуляет где-то, а соседи любят у нас по утрам кофе пить.

— Ничего, — говорит Макс, — небось не потеряюсь.

И правда, не потерялся. Даже к обеду не опоздал. Явился с двумя тряпичными сумками, большими, туго набитыми, но, похоже, не слишком тяжелыми.

Спрашивать, что там, Триша постеснялась, а Макс не сказал. И сел за маленький стол у дальнего окна, как обычный посетитель. Значит, не до разговоров ему сейчас.

Впрочем, похоже, и не до еды. Почти не притронулся к салату, от пирога отгрыз поджаристую корочку, жестом отказался от супа, даже кофе не допил, впервые на Тришиной памяти. Зато «спасибо» сказал *раз десять, ослепительно улыбнулся, подхватил свои таинственные сумки и ушел в сад.*

Макс не говорил Трише, что ему нужно побыть одному. Не просил оставаться в доме, не запрещал за ним ходить. Но она все равно почувствовала: лучше не надо. И еще добрых три часа сидела за стойкой, хотя клиенты давным-давно пообедали и разошлись. И Франк сидел, вернее, возился на кухне, сочинял начинки для пирогов, придирчиво нюхал какие-то новые пряности, сортировал сухие травы, словом, развлекался от души и в Тришиной помощи пока не нуждался.

— Слушай, — наконец спросила Триша, — а как ты думаешь, что Макс так долго в саду делает?

— Понятия не имею. Пойди да и посмотри, — рассеянно ответствовал Франк, не отрываясь от миски, до краев переполненной каким-то разноцветным крошевом.

— Думаешь, можно?

— Если пойдешь, значит, можно. А если нельзя, то и не пойдешь.

— Это как?

— Ну, к примеру, обнаружишь, что дверь заклинило, и мы с тобой, от души выругавшись, начнем ее чинить. Или вот прямо сейчас заявится клиент и потребует старого черного чаю, который, сама знаешь, варят на таком мееееееедлееееееенном-мееееееееедлееееееееееенном огне. Или я попрошу тебя срочно наколоть орехов. Ну, или просто сама передумаешь. Скажешь себе — чего я в этом саду не видела? — и останешься сидеть, где сидела. Это если

нельзя. А если можно, возьмешь да и пойдешь, кто ж тебя держит?

Триша еще немного посидела, обдумывая услышанное. Подождала: вдруг и правда кто-нибудь зайдет? Но нет, никого. И на улице пусто, ни одного прохожего, как всегда в послеобеденное время. Спросила себя: а хочу ли я идти в сад? Ну да, еще как хочу! Сползла с табурета. Прошла мимо Франка. Адресовала ему вопросительный взгляд. Дескать, что там насчет орехов? Наколоть?

— Для этой начинки орехи не нужны, — усмехнулся Франк. — Все, что может мне понадобиться, уже под рукой. Иди уж.

И дверь открылась как миленькая. И сад оказался на месте. Только Макса там не было. Зато...

Зато в траве сидит толстый тряпичный заяц. Одно ухо у него желтое, второе красное, вместо левого глаза вязаный цветок, вместо правого — пуговица. А в полуметре от зайца стоит старый медный чайник с таким длинным носиком, что из него можно было бы, не выходя из-за стойки, налить чай человеку, сидящему у окна. На дереве висит марионетка — принцесса в серебряной короне на зеленых кудрях. Под деревом лежит перевязанная кожаной лентой стопка ветхих книг, чуть подальше — настольные часы в форме сердца, разукрашенная деревянная птица, одинокая туфля с загнутым носом и еще, и еще. В траве запуталась нитка стеклянных бус, под кустом сидит плюшевый енот, на садовой тропинке детские кубики с буквами расставлены так, чтобы сложилось слово «привет».

— Привет, — вежливо отвечает Триша. И идет дальше, разглядывая сокровища: бумажный фонарь, вилка с перламутровой ручкой, зеленая лейка в форме слона, пожелтевшая от времени открытка с веткой шиповника, белый воздушный шар, бисерная брошка-бабочка, мраморная солонка, обшитая блестками карнавальная маска-домино, синяя диванная подушка с парусником, связка ключей, компас.

— Ой, — говорит Триша, обнаружив, что уперлась в стену тумана, с которой граничит дальний конец их сада.

Дальше ей ходу нет.

Не то чтобы кто-то запрещал Трише заглядывать в туман. Ни единого предостережения на сей счет она за всю жизнь ни разу не слышала. Франк туда каждый день ходит, и Макс тоже, и некоторые гости оттуда появляются и уходят потом тоже через туман, и ничего им не делается. Но у Триши от этого тумана в глазах темно и шерсть на загривке дыбом, хотя, по идее, там давным-давно нет никакой шерсти, откуда, вы что? Франк ее очень качественно из кошки в девушку превратил, отлично постарался; он вообще все делает на совесть, если уж берется.

Однако, когда Триша подходит вплотную к стене тумана, ей кажется, что шерсть у нее на загривке все-таки есть. И стоит дыбом, что хочешь, то и делай.

Вот и сейчас.

Триша приветливо улыбается стене тумана — дескать, какая приятная встреча, как дела, спасибо, я тоже прекрасно, — а сама пятится, потому что поворачиваться спиной к собеседнику невежливо, а к неизвестности — еще и неосторожно, особенно когда она настолько рядом, что...

Уфф. Отошла всего на пару шагов, и все сразу же встало на свои места. Никакой шерсти на загривке, нигде ничего не стоит дыбом, и совершенно непонятно, почему только что было иначе, когда все хорошо, и вокруг наш сад, а туман — ну, подумаешь, у нас тут всегда туман, и его щенки каждый день прибегают в дом ластиться, славные, дружелюбные зверьки, чего это я, а?

Просто так близко к стене тумана лучше не подходить, Триша это давно знает. И сейчас не подошла бы, если бы не загляделась на расставленные в траве и развешанные на деревьях вещицы.

Триша снова вежливо улыбается туману; немного подумав, решает, что надо объясниться, раз и навсегда:

— Извини, пожалуйста. Почему-то я тебя немножко боюсь. И даже не немножко. Хотя верю, что ты хороший, а не жуть какая-нибудь. То есть я о тебе ничего плохого не выдумываю, вот правда! Может, просто кошкам не положено в тумане гулять?

— А кстати, вполне может быть, что не положено, — неожиданно соглашается Франк. — Кто вас разберет.

Он, оказывается, тоже вышел в сад. Стоит теперь перед выложенной из кубиков надписью «привет», озадаченно качает головой. Говорит:

— А ведь мог бы просто отправить открытку. Впрочем, ему виднее.

— Открытку, — задумчиво повторяет Триша. — Мог бы отправить открытку? Погоди. Ты хочешь сказать?..

— Я хочу сказать, что у нас с тобой куча дел. Если, конечно, мы намерены встретить гостя как следует. А не кормить его наспех разогретыми остатками вчерашнего обеда.

— Мы намерены, — твердо говорит Триша.

И идет в дом.

Время пролетело незаметно. Начинку для пирогов Франк доделал сам, а месить тесто выпало Трише. Вернее, целых три разных теста для разных пирогов. Франк только подсказывал и пряности подсыпал, а так все сама. Ничего, справилась. Поставила куриный пирог в духовку, яблочный — в печь, а третий, со сливами и перцем, который Франк окрестил злодейским, отнесла в погреб — ему, оказывается, надо сперва пару часов на холоде постоять. И только тогда перевела дух. Поглядела в окно, а Макс уже тут как тут. Сидит на крыльце, у входа в кафе, курит.

— А почему ты снаружи? — спросила Триша.

— А почему ты внутри? — откликнулся он. — Тут хорошо. И пахнет всем самым прекрасным на свете одновременно. Включая ваши пироги. Выходи. Или еще занята?

— Уже вроде нет.

Триша вышла на крыльцо, села рядом с ним на ступеньку. Принюхалась. «Все самое прекрасное на свете» — это у нас что?

— Похоже, дождь прошел, пока мы с пирогами возились, — сказала она. — То-то цветы так распахлись. И наши пироги благоухают не хуже цветов, ты прав. Ванилью, наверное, тянет из Птичьей кондитерской, больше неоткуда. А дымом из сада тетушки Уши Ёши, она любит чай на костре варить. И чем-то еще таким хорошим пахнет, не могу понять... Чем?

— Морем.

— Не может быть. Оно же очень далеко. Надо спуститься в долину, а потом еще ехать. Ты же вроде говорил, три дня?

— Три дня — это если пешком. Доехать-то за пару часов можно. В любом случае, морем пахнет, где ему заблагорассудится, такой уж у него нрав. Хочет — здесь, хочет — за тысячу миль. Плевать оно хотело на расстояния. Такое молодец. Надо бы его попросить пахнуть тут у нас почаще.

Улыбнулся, вздохнул, полез в карман за следующей сигаретой. Триша только теперь заметила, что он сидит как на иголках. Нервничает? Или просто чего-то ждет?

Спросила:

— Ты о чем-то тревожишься?

— Есть такое дело.

— Из-за гостя? Который сегодня придет?

— Ну да. Видела, что я в саду устроил?

— Ой, — спохватилась Триша, — с этими пирогами совершенно из головы вылетело. А там же такая

*красота! Столько всяких штук! Это просто так
сюрприз? Или для дела?*

— *Это просто так сюрприз для дела,* — подмигнул ей Макс. — *Для самого прекрасного из всех воз-
можных дел. Не то карта, не то магнит. Сам толком
не понимаю, как именно оно должно работать. Но
точно знаю, что работать — должно. И все равно
дергаюсь. Думаю: «А ведь мог бы просто отправить
открытку».*

— *Франк тоже так сказал,* — вспомнила Триша. —
Но потом добавил, что тебе виднее.

— *Вот именно,* — вздохнул Макс. — *Если бы еще я
сам так считал, цены бы мне не было. Никак не могу
привыкнуть к тому, что всегда все делаю правильно.
Даже когда ошибаюсь.*

— *Святые слова,* — подтвердил Франк.

*Он тоже вышел на крыльцо с трубкой и коробком
спичек. Подмигнул Максу:*

— *Подумал, надо тебе помочь курить и волноваться. А то что ж ты мучаешься в одиночку. От
Триши толку немного, где ты видел курящую кошку?
И нервничать из-за всякой ерунды она не умеет. Разве только перепугаться и на шкаф запрыгнуть, но
это совсем другой жанр.*

— *Можно подумать, ты у нас большой мастер
дергаться по пустякам,* — усмехнулся Макс.

— *Ну, не то чтобы мастер. Но еще помню, как это
делается. Примерно так,* — и Франк принялся нервно
чиркать по коробку. Пальцы его вполне правдоподобно дрожали, спички ломались, не загораясь, а брови
хмурились все сильнее.

Вроде бы ничего особенного, многие люди так же мучаются со спичками на ветру, особенно когда волнуются. Но в исполнении Франка — настоящая фантасмагория. При условии, что вы с ним хоть немного знакомы.

В конце концов очередная спичка вспыхнула, но тут же погасла, Франк вполне искренне чертыхнулся, рассмеялся, щелкнул пальцами, и трубка наконец-то разгорелась.

— Все-таки мелкое колдовство очень упрощает жизнь, — заключил Франк. — Без него все становится так сложно, что лучше вовсе не браться. А некоторые люди все равно берутся. И, что самое потрясающее, время от времени у них что-то получается. Преклоняюсь.

Макс только головой покачал.

— А все-таки почему ты не отправил открытку? — спросил Франк. — Эта... это... ну, то, что ты наворотил в саду и дальше, — слов нет. В своем роде произведение искусства. Прекрасное и не то чтобы вовсе бессмысленное, но избыточное, как и положено искусству. Зачем? Мне казалось, с открытками — это я идеально придумал. С таким проводником кто угодно доберется, не заплутав. Даже самый неопытный путешественник, уверенный, что с ним ничего подобного в жизни не случится.

— Открытки у тебя отличные, — согласился Макс. — Если сегодня ничего не выйдет, отправлю, куда я денусь. Просто решил сперва дать человеку шанс добраться сюда более-менее самостоятельно. Если получится, это будет бесценный опыт. А если не выйдет, он, скорее всего, просто ничего не поймет.

И уж точно не сочтет это неудачей. Идеальная ситуация, грех такую упускать.

— Твоя правда, — кивнул Франк.

И оба замолчали, совершенно довольные друг другом.

Триша насупилась. Как же иногда надоедает ничего не понимать!

Макс легонько толкнул ее локтем в бок:

— Иногда очень надоедает ничего не понимать, да?

— Ты что, мысли читаешь? — удивилась она.

— Нет, просто поставил себя на твое место. Знала бы ты, сколько раз я на нем стоял.

— В смысле тоже ничего не понимал? — невольно улыбнулась Триша.

— Меньше, гораздо меньше, чем ничего. И, как видишь, не пропал. Вырос большой-пребольшой, сам выучился говорить всякое непонятное. А вот объяснять так, чтобы стало понятно, пока не умею. Но попробую. Смотри, как обстоят дела: есть человек, который однажды совершил путешествие между Мирами. И сам толком не понял, как у него это получилось. Что неудивительно, никто поначалу не понимает. Поэтому наш человек сказал себе: «Я сам ничего не делал, это сэр Макс меня туда затащил. Было здорово, как жаль, что я так не умею». На том и успокоился. Хотя на самом деле никто его никуда не тащил. Я даже не сразу заметил, что он за мной увязался*. А все равно получилось. Потому что у челове-

---

* Речь о событиях, описанных в повести «Гугландские топи».

*ка не просто способности, а талант. Талантище!
Даже я по сравнению с ним тупица. И, надо думать,
вообще все. Но он об этом, увы, пока не знает. Поэтому сидит, сложа руки, ждет очередного счастливого
случая. И я решил такой случай ему организовать.
Давно было пора. Но если я просто пошлю ему Франкову открытку, он не поймет, как тут оказался.
И снова подумает, что все случилось само. И на сей
раз будет прав — а толку-то от такой правоты.
Поэтому я сделал хитрую штуку. Сам не знаю, что
на меня нашло, — положился на вдохновение, повторить, пожалуй, не возьмусь. Похоже, получилось что-то вроде магнита, который, по идее, должен притянуть нашего гостя не хуже Франковой открытки. Но
при этом он будет уверен, что идет сам. Разглядывает метки, принимает решения, гадает, правильно
ли свернул. И не подозревает, что тревожится напрасно, потому что не прийти к нам по этой тропе
совершенно невозможно. Небольшой фрагмент моего
хитроумного сооружения ты видела в саду. Выглядит,
как будто у нас полдюжины детишек в гостях побывало, да?*

— Ну уж нет, — вмешался Франк. — Слишком
аккуратно расставлено, дети так не играют. Скорее
как будто художник порезвился.

— Примерно так и есть, — согласился Макс. — Чем
я у нас не художник.

— Слушай, а он точно пойдет? — спросила Триша. — Неведомо куда, хватаясь за ленты, чайники и
связки бус? Я на его месте просто осталась бы дома.
Открытка, по-моему, гораздо надежнее. Раз — и тут.
Или нет?

— Где бы мы были, если бы всегда останавливались на более надежных вариантах, — улыбнулся Макс. — А человек, о котором речь, — совершенно особый случай. Он, вообрази себе, вообще ни черта не боится. И не потому, что такой уж храбрый. А просто искренне не понимает, чего бояться человеку во Вселенной. Которая, по его глубочайшему убеждению, существует исключительно для нашего удовольствия и развлечения.

— Ну, я вообще-то тоже так думаю, — без особой уверенности сказала Триша. И честно добавила: — Иногда. А иногда вспоминаю, что есть еще опасности, ошибки, огорчения и прочие неприятные вещи. В этом, наверное, разница.

— Конечно, — кивнул Макс. — Я и сам таков. О чем только порой не вспоминаю. Мог бы, честно говоря, и пореже.

— Мог бы, мог бы, — подхватил Франк. — Уже, на мой взгляд, пора. На то и дается нам прискорбный жизненный опыт, чтобы научиться жить так, словно его нет и никогда не было. Один из сложнейших уроков. Почти невыполнимая задача, которую тем не менее необходимо выполнить. Иначе дальше пути нет. Да ты и сам знаешь.

— Знаю, — согласился Макс. — Все-то я знаю, такой умный стал — страсть. Впору к собственному отражению на «вы» начинать обращаться. А все же иногда треклятый опыт кладет меня на лопатки, как встарь. Но нашему будущему гостю в этом смысле гораздо проще. Он, видишь ли, всегда умел договориться с жизнью, так что печального опыта у него, считай, нет вовсе.

— «*Договориться с жизнью*»? — *изумилась Триша*. — *Это как же?*

— *Я не знаком с человеком, о котором идет речь*, — *сказал Франк*. — *Но, похоже, он просто очень любит жизнь. И умеет ей доверять. Это, насколько мне известно, единственный надежный способ с нею договориться.*

— *Как я понимаю, у него было очень счастливое детство. Думаю, в первые годы жизни, когда закладывается фундамент будущего опыта, его никто ни разу не подвел, не обманул, не напугал. А к тому моменту, когда у всех нормальных людей начинаются серьезные неприятности, он уже привык быть счастливым и чувствовать себя в полной безопасности, что бы ни случилось. Привычка — страшная сила. И это тот самый редкий случай, когда она только на пользу... Слушайте! По-моему, все у меня получилось.*

Триша метнулась в кафе — неужели гость уже там? А она, выходит, не услышала, как он вошел? И Франк не услышал? Как такое может быть?!

— Да нет там никого, — *крикнул ей вслед Макс.*

— Но ты же сказал — получилось. — *Триша совсем растерялась.*

— *Это значит, что наш гость уже в пути. Я это твердо знаю, как будто сам вместе с ним иду. Даже не ожидал такого эффекта.*

— *И когда он придет?* — *деловито спросила Триша*. — *Мне надо понять, как быть с пирогами. Торопить их? Или, наоборот, убавить жару?*

— *Пироги сами разберутся*, — *успокоил ее Франк*. — *У нас с тобой обычно получаются очень сообрази-*

тельные пироги. Ты-то с какой стати не доверяешь жизни? Вроде бы я никогда тебя не подводил, не обманывал и не пугал.

— Ты — нет, — согласилась Триша. — Но не забывай, я же у тебя не с самого рождения живу. А быть котенком — довольно опасное занятие, что бы люди ни думали. Это только со стороны кажется, будто нам всегда весело и хорошо.

Франк и Макс озадаченно переглянулись. Похоже, им обоим до сих пор в голову не приходило, что у котят нелегкая жизнь.

— Предлагаю переместиться в сад, — наконец сказал Макс. — Трише будет интересно посмотреть, как придет наш гость. А ему, уверен, понравится, что его встречают.

— А мне все равно, где сидеть, — кивнул Франк. — Пошли.

Триша во все глаза смотрела в ту сторону, где туман. Так ждала гостя, что даже о пирогах забыла; впрочем, судя по долетавшим из кухни запахам, они и сами неплохо справлялись. «Франк совершенно прав, — думала она, — у нас действительно получаются очень сообразительные пироги. Иначе и быть не может».

Франк, впрочем, все-таки сходил на кухню поглядеть, не нужна ли помощь. Заодно и кофе принес. Не «Огненный рай», конечно, а самый обыкновенный. Но обыкновенный кофе от Франка — это тоже выдающееся событие. Сколько его ни пей, привыкнуть невозможно, потому что всякий раз у него немного иной вкус, и даже если очень захочешь, не скажешь, какой был лучше — вчерашний, сегодняшний или тот, что Франк варил год назад. Все лучше!

Так и сидели, потягивая кофе, глядели, как подкрадываются сумерки. Вроде солнце еще не собирается садиться, но тени растут, сгущаются, синеют, а птицы начинают галдеть, словно внезапно поняли, как много важных вещей надо успеть сказать друг другу перед сном.

Щенки тумана стали понемногу просыпаться и разбредаться по саду. Один забрался Трише на колени, явно намереваясь еще немного там подремать, но вдруг передумал, спрыгнул на землю и побежал обратно, к туманной стене. Остальные рванули за ним, а минуту спустя снова выскочили, счастливые, возбужденные, повизгивающие от восторга, и Триша сразу поняла, в чем дело. Это они встречают гостя, который, получается, уже пришел, и, значит... Ой!

— Ой, — выдохнула она вслух, когда из тумана вышел человек. То есть Трише сперва показалось, что оттуда вышла улыбка, а человек к ней просто прилагался, как раковина к улитке.

— Хорошо, что я пошел домой пешком, — сказал он. — Так и знал, что-то случится.

Поначалу гость был на редкость молчалив. Вежливо поздоровался с Франком и Тришей, выслушал их имена, назвал свое: «Нумминорих» — и снова притих. Даже по сторонам не особенно глазел. Смотрел на Макса, как ребенок на фокусника, но ни о чем не расспрашивал, только улыбался все шире, хотя с самого

*начала казалось — дальше некуда. На предложение
пойти в дом кивнул с таким энтузиазмом, что голова чуть не оторвалась. И только усевшись за стол,
сказал: «Извините, пожалуйста, на меня столько
всего сразу навалилось!» — и закрыл лицо руками.
Впрочем, улыбка все равно выглядывала из-под сом-
кнутых пальцев. Триша так и не поняла, как ему это
удалось.*

*— Слишком много новых запахов, — сказал Макс
Франку.*

*Тот кивнул, словно речь шла о чем-то само собой
разумеющемся, зато Триша окончательно перестала
понимать хоть что-то. С каких это пор кухонные
запахи стали проблемой? Если бы у нее все еще был
хвост, он бы сейчас изогнулся в форме вопроситель-
ного знака. Но Макс и сам сообразил, что Триша ло-
пается от любопытства.*

*— У Нумминориха такое острое обоняние, что по
сравнению с ним даже у твоих кошачьих собратьев
вечный насморк, о людях уже не говорю. Обычно чуткий нос ему только на пользу, поскольку становится
источником дополнительных удовольствий и чрезвычайно интересной информации. О любом новом зна-
комом Нумминорих может сказать не только где тот
бывал и чем питался последние несколько дней, но
даже откуда родом его далекие предки. Вернувшись
вечером домой, он точно знает, что там творилось
в его отсутствие: кто заходил в гости, какие покуп-
ки доставили, что, напротив, унесли и чем кормили
на завтрак детей. Даже у нас, в Тайном Сыске, где все
такие всеведущие, что хоть вовсе не на глаза им не по-
казывайся, он то и дело озадачивал коллег умением*

вынюхивать — в буквальном смысле слова — чужие секреты. Когда, скажем, наш всемогущий шеф начинал заливать, будто всю ночь просидел в засаде где-то в Речном Порту, мы все доверчиво выражали восхищение его стойкостью, и только сэр Нумминорих расспрашивал меня тайком: «Это он нарочно нас проверяет или действительно хочет скрыть, что сидел не в порту, а в «Лумукитанских ветрах»? То есть мне сейчас лучше промолчать?» Такой вот у него нос. А тут — иная реальность. Вообще все запахи непривычные. Представляешь, каково ему сейчас?

— Спасибо, Макс, — сказал гость. — Ты здорово объяснил. Ничего, я быстро приду в себя. В прошлый раз — помнишь, когда я увязался за тобой и Орденом Долгого Пути? — мне хватило буквально минуты; правда, там не было ни кафе, ни ресторанов, и даже в окрестных домах почти никто ничего не готовил. Запахи пряностей и еды — это как раз самое трудное. А здесь их несколько тысяч!

— Восемь с половиной, — гордо подтвердил Франк. — Наконец-то у нас объявился понимающий клиент. Очень интересно будет выслушать твои комментарии — позже, конечно, когда освоишься.

— Да какие уж тут комментарии, — не отнимая рук от лица, сказал Нумминорих. — Штука в том, что большая часть ароматов мне вообще незнакома. По их воздействию на организм я могу предположить, что это в основном пища, причем не просто съедобная, а вкусная и даже полезная для меня. И все! В этом, собственно, и трудность: я не могу опознать и хоть как-то классифицировать новые запахи, а значит — обработать информацию самым простым и привыч-

ным способом. В то же время некоторые ароматы все-таки вполне узнаваемы, и это окончательно сбивает с толку. Но не беда, я справлюсь.

— Не сомневаюсь, — улыбнулся Франк. — Ты справишься вообще с чем угодно.

Нумминорих снова молча кивнул — с таким же энтузиазмом, с каким принял приглашение войти в дом.

— Если хочешь, могу закурить, — предложил Макс. — Это перебьет большую часть новых запахов, и тебе станет легче.

— Не перебьет, — рассмеялся Нумминорих, отнимая руки от лица. — Только исказит. Что, кстати, само по себе неплохо — тогда я окончательно откажусь от бесплодных попыток разобраться. Впрочем, я и так уже почти отказался. Это, знаешь, такой прекрасный момент — когда организм окончательно понимает, что разобраться невозможно, и начинает спокойно жить дальше. Как ни в чем не бывало.

— Ты, главное, дай знать, когда тебя можно начинать кормить, — сказал Франк. — Чтобы до обморока от избытка впечатлений не дошло.

— Не дойдет, — успокоил его Нумминорих. — Не стану я падать в обморок и пропускать все самое интересное, ты что. А кормить меня можно прямо сейчас. Даже, наверное, нужно. Потому что сперва я не успел позавтракать, потом нам всем было не до обеда, только печенье на совещании погрызли. А ближе к вечеру меня так неожиданно отпустили домой, что я от удивления забыл поужинать. И пошел пешком, хотя живу очень далеко от Дома у Моста. Часа три надо идти, да и то быстрым шагом. Совершенно нелепый поступок, даже по моим меркам. Поэтому сказать, что я успел проголодаться, все равно что сообщить семье покойника, будто у их родича несколько понизилась температура. Непростительное преуменьшение, искажающее смысл события.

— Ясно, — обрадовался Франк. — Не зря, значит, мы с Тришей трудились.

И в центре стола воцарился куриный пирог.

— Кажется, у меня все-таки появился шанс упасть в обморок, — восхищенно вздохнул Нумминорих, попробовав первый кусок. — Но я ни о чем не жалею.

Все жуют, и только Максу явно не до еды. Он натурально подпрыгивает от любопытства, причем вместе со стулом. Таким его Триша никогда прежде не видела.

— Ужасно хочу узнать, как все это выглядело с твоей точки зрения, — наконец сказал он. — Я имею в виду, как ты сюда попал? Мне очень интересно.

— Правда? Ты не из вежливости спрашиваешь?

— От вежливости, насколько мне известно, не взрываются. А мне это, похоже, грозит.

— Тогда, конечно, расскажу. Только учти, я буду говорить с набитым ртом. Знаю, что некрасиво и, главное, очень невнятно, сам неоднократно объяснял это детям, но ваш пирог поработил мою волю, и тут ничего не поделаешь. Так вот, сперва я просто шел домой, в сторону Нового Города. И, надо сказать, подозрительно быстро добрался до улицы Стеклянных Птиц, даже немного удивился — как это я так? Вроде не бежал. Уже собрался сворачивать к Воротам Трех Мостов, когда заметил необычную куклу-марионетку, зеленоволосую девочку в короне. Она висела на дереве, причем довольно высоко, с земли не достать, но я подумал — будет здорово принести ее дочке. Благо что-что, а лазать по деревьям я умею. В детстве у меня даже домик на дереве был, почти на самой верхушке, мама его специально так высоко соорудила, чтобы каждый визит туда становился настоящим приключением, а не просто — вскарабкался, посидел, спрыгнул... В общем, я полез за этой куклой и, только когда подобрался поближе, понял, что на самом деле ее просто не может быть.

— Запах? — понимающе улыбнулся Франк.

— Ну да! У нас вообще ничего так не пахнет. То есть штука не в том, что это был просто незнакомый запах. Я, как все люди, постоянно сталкиваюсь с чем-то впервые, ничего необычного тут нет. Но запах, исходивший от марионетки, был не просто незнакомым, а невозможным. Как бы объяснить? Вот, например, ты родился и вырос в погребе, где хранятся фрукты. Ничего кроме фруктов там вообще никогда не было. Никто кроме тебя туда не заходит, а сам ты ни разу не высовывался наружу, даже не знаешь, что кроме погреба есть еще что-то — целый мир. И вдруг в один прекрасный день в твоем фруктовом погребе начинает пахнуть — ну например, диким лесным зверем. Легче предположить, что сошел с ума, чем вообразить, от чего может исходить этот новый запах, правда? Сказать себе: такое просто невозможно, а значит, мне мерещится. К счастью, я совершенно точно знаю, что возможно абсолютно все, в этом смысле мне гораздо легче, чем остальным людям. Но куклу брать я, конечно, не стал. Подумал — наверняка это кто-то колдует, а в чужое колдовство лезть не стоит. Тем более оно явно было не вредное, а совсем наоборот. Это я тоже сразу почуял. С магией дело обстоит ровно так же, как с едой: еще понятия не имеешь, что это так пахнет, но уже ясно, что источник аромата полезен или, напротив, ядовит, по крайней мере для тебя лично.

— Верно, — подтвердил Франк. — Приятно слышать разумные речи. Берегись, дружок! До сих пор я не занимался похищениями людей, но сейчас меня всерьез подмывает украсть тебя навек и запереть на этой кухне. Из тебя мог бы получиться отличный повар.

— А он из меня уже один раз получился, — смущенно признался Нумминорих. — В свое время я учился у Лаланусы Ужиурмаха. Макс, наверное, его не знает, а будь тут кто-нибудь еще из наших, очень удивился бы! Лалануса Ужиурмах был одним из самых знаменитых столичных поваров и, безусловно, старейшим из них; достоверно известно, что он родился еще при королеве Вельдхут, а умер буквально пару дюжин лет назад — говорят, просто от скуки, потому что исчерпал все возможные рецепты. Ну, или думал, будто исчерпал. Все знают, что учеников мастер Ужиурмах не брал, и это почти правда. Я — единственное исключение. Впрочем, моей заслуги тут нет, он согласился со мной возиться только потому, что когда-то дружил с моей мамой. Но потом был даже рад, что так сложилось, говорил, из меня выйдет толк. А однажды объявил, что толк уже вышел, и на этом мое обучение закончилось.

— Ничего себе, — изумился Макс. — Не знал, что ты еще и повар.

— А я и не повар. Хотя мог бы им стать, если бы пожелал, это правда. Но мне всегда было интересней учиться, чем работать, так уж я устроен.

— Ладно, тогда не буду тебя похищать, — решил Франк. — Раз так, продолжай рассказывать, мне тоже интересно, как ты сюда добирался.

— Я слез с дерева и пошел дальше. И почти сразу заблудился. Что вообще-то полная ерунда: я очень хорошо знаю весь Правый Берег, а уж этот край Старого Города возле Ворот Трех Мостов — и подавно. Я снимал квартиру как раз за пару кварталов от ворот, когда начинал учиться в Королевской Высокой Школе. И каждый день ходил на занятия пешком, то и дело изобретая новые маршруты, чтобы не затосковать. Когда новый маршрут не удавался, приходилось прогуливать лекции, но это случалось довольно редко. Сами понимаете, с тех пор мне в собственной спальне заблудиться проще, чем в тех переулках. Однако, свернув к Воротам Трех Мостов, я не увидел никаких ворот, а только короткую тупиковую улицу, упирающуюся в высокий каменный забор. Табличка на углу гласила, что я нахожусь в Северо-западном проходе — нечего и говорить, что такого названия я в жизни не слышал. И, помню, подумал, что называть тупик проходом — дурацкая шутка. Но хорошая.

На этом месте Макс рассмеялся, закрыв лицо руками, почти беззвучно, чтобы не помешать рас-

сказчику, но Триша все равно заметила. Хоть и не поняла причину его веселья*.

— Я решил осмотреться. Все-таки обнаружить незнакомую улицу у Ворот Трех Мостов — по-настоящему удивительное событие для меня. Глупо было бы сразу уйти. Ну и запахи, конечно. Ничего конкретного я в первый момент не учуял, но была какая-то странность в совокупности уличных ароматов, в целом похожей на привычный фон, характерный для этой части города. Позже до меня дошло, что среди прочих там присутствовал все тот же невозможный запах, вернее, запах невозможного, что исходил от марионетки на дереве, но поначалу я не сумел его выделить. Все к лучшему — тогда я бы вряд ли полез через забор в чужой двор. Я довольно осторожный человек, хотя обычно это не бросается в глаза.

— А ты полез? — обрадовался Макс.

— Ну да. Я подумал — если тупик назван проходом, логично предположить, что прежде здесь был именно проход. А потом его перегородили — может, выхлопотав разрешение, но, скорее всего, просто так, наудачу, вдруг никто не обратит внимания. Обычно так и бывает. А у меня в этом деле свой интерес.

— Какой? — изумился Макс.

— Ну как?.. А, я же еще не рассказывал тебе про Общество Открытых Дверей. Сперва стеснялся, потом как-то к слову не приходилось. Ну, неважно. Просто есть такое общество. Я сам его организовал — довольно давно, лет шестьдесят назад.

---

* Тем, кто причину веселья тоже не понял, имеет смысл прочитать (или перечитать) рассказ Герберта Уэллса «Дверь в стене». У Триши-то такой возможности не было.

— Ничего себе. Что за общество-то?

— Как было записано в нашем уставе, «доброволь-
ное сообщество охраны неприкосновенности городских путей». А если говорить человеческим языком,
небольшая, но дружная компания горожан, более-менее располагающих свободным временем и следящих,
чтобы никто без крайней необходимости не перего-
раживал улицы и не запирал проходные дворы. Дело
даже не в том, что подобные поступки лишают людей
возможности гулять любимыми маршрутами, а в
случае нужды сокращать дорогу чуть ли не вдвое.
Хотя это тоже важно. Но еще важнее интересы самого города. Его самочувствие. Если бы город был хоть
немного похож на человека, я бы сказал: важно, чтобы никто не перекрывал ему дыхание. Потому что
даже когда у тебя сотня тысяч голов, носов, шей и
пар легких, необходимо, чтобы дышали все. А не половина или, хуже того, треть.

— Какое точное наблюдение! — восхитился
Франк. — Готов спорить, о таких вещах почти никто
не задумывается. А ты даже специальное общество
организовать не поленился.

— Ну, однажды задумавшись о том, как живется
городу, в котором запирают проходные дворы, поневоле начинаешь прикидывать, что тут можно сделать, — смущенно объяснил Нумминорих. — Сострадание принуждает к деятельности даже лентяев
вроде меня. Поначалу я действовал сам — просто говорил с домовладельцами, старался объяснить, что к
чему. Некоторые со мной соглашались, некоторые нет.
И тут почти случайно выяснилось, что многие само-
управствуют, не потрудившись получить соответс-

твующее разрешение. Поэтому достаточно пожаловаться городским властям, чтобы очередной забор был снесен, а калитка, ведущая во двор, снова распахнута настежь. Естественно, я быстро понял, что мне нужны помощники — сам я успевал не слишком много. Так все и завертелось. Чем хорошо общество — ты можешь спокойно уехать на несколько лет или, скажем, с головой погрузиться в домашние хлопоты, а твое дело при этом совершенно не страдает. Еще ни разу не случалось, чтобы все наши вышли из строя одновременно. Честно говоря, поступая в Тайный Сыск, я думал, что ребятам теперь придется обходиться без меня, но оказалось, служба не только не мешает наблюдениям за городом, а напротив, им способствует — мотаться по Ехо и совать нос в незнакомые переулки я стал гораздо чаще, а мой новый статус способствовал успешному ведению переговоров с любителями ставить загородки. На самом деле все это сейчас совершенно неважно. Я просто объясняю, почему вообще полез в чужой двор — я регулярно так поступаю.

— Ну надо же, как все лихо закручено. — Макс озадаченно покачал головой. И с чувством повторил: — Ну надо же!

— Я, конечно, не сразу ринулся штурмовать забор. Сперва побродил там, осмотрелся — вдруг какая-нибудь общительная старушка как раз скучает дома и не откажется поболтать с любопытным прохожим? Но никого не было, только пестрая деревянная птица в одном окне и смешная тряпичная игрушка с цветком вместо глаза — в другом. Тогда я подумал-подумал и решил все же поглядеть, что творится за каменным *забором в конце улицы — глухим, без единой калитки. Прежде такие только вокруг Орденских резиденций возводили; впрочем, сравнение некорректное, у тех-то ворота все-таки были, просто невидимые. А здесь — ничего. К счастью, я еще в детстве выучился лазать даже по совершенно гладким стенам. Вообще сейчас, задним числом, я начинаю понимать, что провел детство, непрерывно обучаясь всяким полезным штукам. Но, к счастью, так этого и не заметил. Думал, мы с мамой просто играем.*

— А еще она научила тебя взламывать замки любой сложности, — вспомнил Макс.

— Ну да. И еще куче разных вещей, включая древний язык Хонхоны и хохенгрон — тайный язык чирухтских горцев, который сами они называют Ясной речью и используют, когда хотят побеседовать о самых важных вещах — смерти, снах и погоде. Правда, мы с мамой ограничивались снами — она объяснила мне, будто рассказывать друг другу, что приснилось, следует на специальном волшебном языке. Дескать, тогда наши сновидения не поймут, что мы о них сплетничаем, и не перестанут нас навещать. Я, кстати, долго думал, что хохенгрон — просто мамина выдумка, и только в Королевской Высокой Школе обнаружил, что это реальный, хоть и малоизвестный язык и я владею им настолько хорошо, что записываться на соответствующий курс нет никакого смысла... Мама как-то призналась, что постаралась незаметно научить меня всему, что ей самой давалось с наибольшим трудом — азам Черной магии, спорту и чужим языкам, с которыми чем раньше начнешь, тем лучше. А все остальное, полагала она, учить на-

столько приятно и интересно, что можно не спешить. Особенно с настоящей — ну, то есть выходящей за пределы повседневных хозяйственных нужд — магией. Ее, по мнению мамы, вообще следовало оставить на сладкое, обеспечив себе таким образом счастливую старость.

— *Очень разумный подход, — согласился Франк.*

— *Слов нет, как тебе с ней повезло, — улыбнулся Макс. — Но не отвлекайся, рассказывай дальше. Мы остановились на том, что ты перелез через каменную стену в конце улицы.*

— *Точнее, на том, что я собрался перелезть. Все оказалось не так просто. Ну, то есть наверх-то я, можно сказать, взлетел, не раздумывая. Но там притормозил. Потому что за забором не было ничего. Даже запахов, а это для меня примерно такой же шок, как для обычного человека внезапно ослепнуть. А может быть, наоборот — там было все сразу, слишком много всего, и от такого изобилия мое восприятие перестало работать? Не знаю, как объяснить.*

— *Да чего тут объяснять, — хмыкнул Макс.*

— *Мы примерно представляем, — добавил Франк.*

И только Триша подумала, что лучше бы он все-таки постарался. Но промолчала.

— *Я, конечно, сразу посмотрел назад. Улица была на месте. Дома, деревья, мостовая и табличка «Северо-западный проход» на углу. И запахи — листьев, ветра с реки, земли, уже основательно высохшей после позавчерашнего дождя, заморских пряностей и горячего масла из «Джуффиновой дюжины», соли и кожи из какой-то далекой, кварталах в трех отсюда расположенной лавки — словом, всего, что может и*

*должно пахнуть в этой части города в такое время
года и суток. Там, за моей спиной, все было абсолютно нормально, а впереди не было ничего, и это оказалось достаточно веской причиной, чтобы надолго
застрять на этой грешной стене.*

— *Я бы, наверное, сразу спрыгнул, не раздумывая, — признался Макс. — Только не знаю, вперед или
назад — это уж как повезет. Шансы, насколько я себя
изучил, примерно равны.*

— *Да я бы тоже сразу спрыгнул, — улыбнулся
Нумминорих. — Именно что не раздумывая и тоже
неизвестно куда, вперед или назад — как получится.
Но я слишком испугался. А когда мне по-настоящему
страшно, я становлюсь очень рассудительным.*

— *Вот это да! Обычно люди, перепугавшись, утрачивают способность рассуждать.*

— *Тоже мамина наука. Она считала, что ум —
отличная штука, но слишком утомительная. Поэтому включать его на полную мощность следует только в особых случаях — например, когда ситуация
опасна для жизни или просто стало очень страшно.
А пока все хорошо, можно оставаться наивным болваном, таким гораздо веселей живется.*

— *Потрясающий подход, — вздохнул Макс. — Похоже, твоя мама — самый мудрый человек за всю
историю обитаемых Миров.*

— *Ну, это трудно вот так навскидку определить, — серьезно возразил Нумминорих. — Соревно-
ваний-то не устраивают. Но у нее действительно
очень светлая голова — как, впрочем, у всех женщин
Ордена Часов Попятного Времени. Мама говорила,
что с таким Великим Магистром у них не было осо-*

бого выбора: или ты быстро-быстро станешь беспредельно мудрой, или попросту чокнешься уже на следующий день после поступления в Орден. Что, собственно, тоже неплохо для дела. Но безумие приедается гораздо быстрей, чем мудрость, поэтому всем чокнутым рано или поздно все равно приходится перестраиваться.

— Отлично сказано, — обрадовался Франк. — Хотел бы я познакомиться с твоей мамой!

— Да я бы и сам хотел с ней познакомиться.

— Это как? Неужели она — твоя выдумка?

— Нет, что ты. Самая настоящая. Я бы, пожалуй, не сумел сочинить такую отличную маму. Просто когда я более-менее вырос, она сказала, что хочет еще раз попробовать прожить юность, которой у нее толком не было. Мама очень рано поступила в Орден Часов Попятного Времени, в таком возрасте даже в начальную школу мало кого отдают. А вскоре после того, как Магистр Маба распустил Орден, она родила сына — то есть меня. И все это, по ее словам, вышло прекрасно, ей очень понравилось, но теперь неплохо бы еще побыть веселой юной девчонкой, живущей в свое удовольствие и совершающей как минимум дюжину безобидных девичьих глупостей в день. Просто чтобы на личном опыте, а не с чужих слов узнать, что при этом чувствуют, закрыть вопрос и больше к нему не возвращаться. Мама спросила, справлюсь ли я без нее и не обижусь ли. Я сказал, что все в порядке. Отговаривать ее было бы свинством, тем более что я понимал ее как никто. После этого разговора мама повернула свое личное Колесо Времени, благо для женщин их Ордена это довольно простое *дело, и была такова. Я, конечно, твердо обещал, что не стану ее искать или просто тайком вызнавать новости о ее жизни. А все-таки ужасно интересно, где она и как поживает. То есть по большому счету понятно, что хорошо, но хотелось бы подробностей. Впрочем, я уверен, что мама, сочувствуя моему любопытству, регулярно сообщает мне вожделенные подробности во сне, а я, верный данному слову, честно забываю их сразу после пробуждения. Очень похоже на нас обоих!*

— Зато ты не забываешь ее науку, — заметил Франк. — Это, поверь мне, не просто немало, а гораздо больше, чем можно себе пожелать — даже в хороший день, от чистого сердца.

— Это правда. Так вот, кроме прочего, мама научила меня противопоставлять страху рассудительность и здравый смысл. Поэтому я очень долго сидел на том грешном заборе, который вдруг оказался границей между привычной реальностью и чем-то совершенно на нее не похожим. Взвешивал все «за» и «против», старался принять разумное решение. Не могу сказать, будто это мне удалось. Просто пока думал, успел более-менее свыкнуться с ситуацией. Почти перестал бояться. А вместе со страхом прошло желание рассуждать. Тогда я просто взял да и спрыгнул. А прыгать гораздо удобней вперед, чем назад. Вот и все.

— Надо будет взять этот способ на вооружение, — сказал Макс. — Результат, конечно, примерно тот же, зато процесс, предваряющий совершение очередной глупости, внушает самоуважение. А куда

ты, собственно, спрыгнул? Если, как ты говоришь, там ничего не было?

— Это очень хороший вопрос. *Потому что сперва я действительно прыгнул в никуда. И какое-то время ничего не происходило — ну, кроме самого прыжка. Не знаю, как шло для меня время и шло ли оно хоть как-то, но, по моим ощущениям, прыжок длился четверть часа, не меньше. Так что я успел как следует испугаться и снова включить голову. А включив, понял, что поспешил. Прежде чем прыгать, надо было выбрать, куда я хочу приземлиться. Не факт, что мое решение непременно повлияло бы на результат, а все-таки любая фантазия гораздо лучше, чем вообще ничего — если уж выбирать приходится между этими двумя вариантами. По крайней мере, я мог бы вообразить какую-нибудь прекрасную цель и быть счастливым все время, пока тянется бесконечный прыжок, — думая, будто я к ней приближаюсь. Пришлось делать это прямо на ходу, вернее, в полете. В смысле фантазировать. Ничего оригинального мне в голову не пришло, поэтому я просто представил себе сад — почему-то не свой, а соседский. Может, потому, что регулярно подглядываю через щель в заборе, как там у них все устроено, а в гости до сих пор ни разу не заходил — соседи люди приветливые, но замкнутые, сами не зовут, а напрашиваться я стесняюсь. В общем, я во-образил, будто тайком проник в соседский сад, и тут же приземлился в центре свежевскопанной клумбы. К счастью, там еще ничего не успели высадить, а то натворил бы я бед. Ну, условно натворил бы, поскольку этот соседский сад все же был плодом моего воображения. Столь достоверным, что я бы поверил в него, не задумываясь, если бы не запахи. Вернее, полное их отсутствие. Причем решить, будто я просто напрочь лишился обоняния, как несколько раз уже случалось от всяких колдовских порошков, я при всем желании не смог бы: мои-то запахи были на месте, включая медовый аромат леденца, каким-то образом оказавшегося в кармане лоохи — дети, видимо, сунули. За что им большое спасибо — леденец я немедленно достал и сунул за щеку, хотя не люблю такие конфеты. Но в тот момент я грыз леденец, как принимают лекарство. Как будто еда из дома могла сделать меня более материальным. Я был уверен, что это мне сейчас не повредит.*

— Потрясающе, — вздохнул Макс. — Соседский сад. Вскопанная клумба. Леденец за щекой. Вот так у нас нынче выглядит путешествие через Коридор между Мирами. Таковы новейшие тенденции сезона. Мама дорогая. Я в сравнении с тобой скучный хмырь. Все остальные — тем более.

— Так это и был Коридор между Мирами? — обрадовался Нумминорих.

— По идее, да. Попал же ты в итоге сюда — каким-то непонятным мне образом.

— Наверное, штука в том, что я этого не знал. Поэтому все так по-дурацки получилось.

— Ничего себе — по-дурацки! По-моему, отлично вышло. Все лучше, чем зеленеть от ужаса, наслушавшись чужих мистических баек. Впрочем, меня-то, помню, никто особо не пугал, напротив, успокаивали. Но я все равно буйно зеленел — по крайней мере поначалу, потом-то освоился. А твоя версия мне нравится гораздо больше. Особенно леденец.

— Это потому, что ты ничего не ешь, — заметил Франк. — Завидовать чужому леденцу с таким куском пирога на тарелке по меньшей мере непрактично.

— Твоя правда. Сейчас исправлюсь. Только дослушаю и сразу за пирог.

— Тогда я постараюсь рассказать побыстрей, — пообещал Нумминорих. — Совсем чуть-чуть осталось. После того, как леденец оказался за щекой, мне здорово полегчало — если можно так выразиться. Потому что на самом деле наоборот — потяжелело. То есть я сам потяжелел. Почувствовал собственный вес — так, что ли? И землю под ногами. Вернее, под задницей — я же не стоял, а сидел там, где приземлился. И от этих простых и внятных ощущений я успокоился и собрался. И огляделся. Увидел, что рядом на земле лежат ключи — целая связка. И вот ключи, в отличие от воздуха, земли и садовых растений, пахли, да еще как! Я, конечно, имею в виду не интенсивность запаха, а его необычность. Потому что, с одной стороны, я различал запах металла, вернее, разных металлов. И масла, которым их смазывали — похоже, очень давно. И деревянного ящика, где они, как я понимаю, довольно долго пролежали. Я могу спорить, что кроме ключей в этом ящике хранили бумагу и еще орехи неизвестной мне разновидности. Вообще все было неизвестной мне разновидности — и бумага, и древесина, и масло, и металлы. Словно их привезли из далекой страны, где я никогда не бывал, ни одного тамошнего жителя в глаза не видел, и даже их товары ни разу не попадали мне в руки.

— Ну, собственно, примерно так и есть.

— Теперь это ясно. А тогда ясно не было ничего — ровно до того момента, когда среди всех этих незнакомых запахов я учуял твой. Совсем слабый, как будто ты держал эти ключи, надев чужие перчатки. Но какая разница. Главное, что я тебя наконец-то унюхал. И вот тогда все сразу встало на свои места. Я сунул ключи в карман, встал и пошел — неведомо куда, но определенно к тебе в гости. Нечего и говорить, что конечная цель путешествия меня устраивала. И больше ничего не могло испугать. Потому что если в этом деле хоть каким-то боком замешан ты, сэр Макс, значит, все в полном порядке... Ну чего ты смеешься? Да, мне сто раз говорили, что на самом деле ты совершенно ужасный. И даже сам не догадываешься насколько. Но мне так и не удалось в это поверить. Впрочем, не стану врать, будто я очень старался. Попробовал пару раз и бросил — бесполезное занятие.

— Ну и правильно, — сказал Макс. — Если однажды все-таки начну догадываться, насколько я ужасен, ты меня успокоишь. А теперь рассказывай, что было дальше.

— Да почти ничего. Я просто пересек соседский сад — то есть пространство, которое им казалось. Думал, что опять уткнусь в стену и через нее придется лезть, но вместо стены там был туман. Я вообще люблю туманы, а этот показался мне откровенно дружелюбным, как большая собака, хотя, по идее, что может быть общего у тумана с собакой? Тем не менее я чувствовал, что он буквально подпрыгнул от восторга, увидев меня. Да я и сам, честно говоря, подпрыгнул — просто от полноты чувств. И пошел дальше. Туман оказался очень густой, я собственных рук не видел. Зато в нем появились запахи. Очень много запахов, по большей части незнакомых. Поначалу они были совсем слабыми, но к тому моменту, как туман рассеялся и я вышел к вам, у меня уже голова кругом шла, а от способности соображать вообще ничего не осталось. С другой стороны, оно и неплохо, а то я бы взорвался от разных вопросов.

— Да, я думал, ты как минимум сутки меня расспрашивать будешь. И заранее сочинял ответы; впрочем, не могу сказать, что они кажутся удовлетворительными мне самому.

— Конечно, у меня были вопросы — целый миллион! Но оказалось, что твое присутствие само по себе ответ. Настолько полный, что даже как-то глупо начинать выяснять разные малозначительные подробности. А теперь ешь спокойно. Я уже все рассказал.

— Это тебе только кажется, — улыбнулся Франк. — Считай, что еще и не начинал. Будешь теперь рассказывать и рассказывать, всю ночь напролет. Такова ужасная участь всех гостей твоего друга Макса. Не зря тебя добрые люди предупреждали на его счет.

— Да я и не против. Я очень люблю поговорить. Только не знаю, о чем еще вам рассказать. Вроде больше ничего по дороге сюда не случилось.

— Да Магистры с ней, с дорогой. Рассказывать можно о чем угодно, — успокоил его Макс. — Священное правило этого дома: каждый новый гость платит за кофе какой-нибудь интересной историей. Правда, мы еще не выяснили, нравится ли тебе кофе. Но если *что, твою порцию выпью я. Так что все, можно сказать, улажено.*

— С чего вдруг такие предосторожности? — изумился Франк. — До сих пор мой кофе нравился всем.

— Ну как тебе сказать. Джуффин, к примеру, до сих пор вздрагивает при всякой моей попытке проявить гостеприимство. В жизни не подозревал, что он такой консерватор! Впрочем, сейчас я просто стараюсь облапошить нашего гостя и заблаговременно оттяпать честно оплаченную им порцию. Возможно, после этого Нумминорих все-таки поверит, что я действительно ужасен — как его с самого начала и предупреждали добрые люди. И наконец-то испугается.

— В любом случае пугаться уже поздно, — рассудительно заметил Нумминорих. — Влип я с тобой — дальше некуда. И хвала Магистрам, что так. А что за историю надо вам рассказать? Сказку? Легенду? Или просто о себе? Какой-нибудь интересный случай?

— Просто о себе, — сказал Франк. — Интересный случай — именно то, что надо. Хотя большинство рассказанных здесь историй тянут как минимум на легенду. Но это как раз нормально. Всякий человек — живой миф. Вопрос лишь в том, способен ли он внятно изложить собственное содержание. Но до сих пор наши гости отлично справлялись.

— Истории обо мне не очень-то похожи на легенды и тем более на мифы, — улыбнулся Нумминорих. — Но довольно часто напоминают волшебные сказки. Наверное, потому, что, когда мама рассказывала сказки мне на ночь, я был уверен, что именно такова

настоящая жизнь. Думал, и сам буду так жить, когда вырасту, — чем я хуже прочих взрослых? К счастью, я не ошибался. Ну, почти не.

— *Если тебе все равно, о чем рассказывать, пусть это будет какая-нибудь совсем свежая история, —* попросил Макс. — *Все-таки ужасно интересно, что там у вас без меня творится. Иногда вскрываются такие леденящие кровь подробности, что чокнуться можно. Один только сэр Шурф в роли нового Великого Магистра Семилистника чего стоит. Но я пережил даже это мистическое откровение. И хочу еще.*

— *А кстати, в последнее время случилось много интересного, —* оживился Нумминорих. — *Особенно когда я ездил в Тубур. Хотя об этом ты и сам знаешь.*

— *Я?! Понятия не имею.*

— *Правда? А я думал... Впрочем, ладно. Тем более, значит, надо об этом рассказать.*

Триша наконец опомнилась. Сейчас будет история! А меж тем яблочный пирог еще не на столе. А «злодейский» — который со сливами и с перцем — вообще томится в погребе, и если не поставить его в печь прямо сейчас, будет безвозвратно загублен. И потом кофе, ради которого, по идее, будет стараться гость. Его же еще надо сварить! «Самая бестолковая в мире хозяйка — я, — печально подумала Триша. — *Прежде такого не бывало».*

— *Ты просто заслушалась, —* утешил ее Франк. — *Да и я тоже. Спасай пироги, а я пока сварю кофе. У меня тут грушевые лепестки с весны в шкатулке лежат, все берег неизвестно для какого случая — вот и пущу их в дело. Самому интересно, что получится.*

...Полчаса спустя, когда с хлопотами было покончено, яблочный пирог разрезан и разложен по тарелкам, злодейский благополучно отправлен в печь, а огонь под кофе погашен, Франк поставил на стол свои песочные часы.

— Среди сказок, под которые я засыпал в детстве, как раз была одна о песочных часах, способных остановить время, — обрадовался Нумминорих. — Ну, то есть не то чтобы совсем остановить, просто для хозяина часов проходило несколько лет, а за порогом его дома — меньше секунды. Это, случайно, не они?

— Под хорошие сказки ты в детстве засыпал, — покачал головой Франк. — Поздравляю, дружок, вот и еще одна из них сбылась для тебя. Впрочем, несколько лет — это, на мой взгляд, чересчур. Думаю, нескольких часов вполне достаточно. Там, за порогом дома, тоже интересная жизнь. Было бы обидно остановить ее надолго.

— Несколько часов — именно то что надо, — согласился Нумминорих.

И принялся рассказывать.

ТУБУРСКАЯ ИГРА

История, рассказанная
сэром Нумминорихом Кутой

Как страстный читатель чужих дорожных дневников, исторических хроник и просто мемуаров, я знаю, что прежде, чем приступить к изложению событий, следует хоть немного рассказать о главном действующем лице — то есть о себе. Потому что одна и та же история может измениться до неузнаваемости, утратить или, наоборот, обрести дополнительный смысл — в зависимости от того, с кем именно произошла.

В детстве, решая знакомые всем постигающим основы арифметики задачки о человеке, который добирается из одного города в другой, то и дело меняя транспорт, а значит, и скорость передвижения, я всегда расспрашивал учителя о характере вымышленного путешественника, его возрасте, склонностях, привычках и цели поездки. Бедняге приходилось импровизировать на ходу; в зависимости от сочиненных им подробностей менялся мой ответ, потому что в одних случаях я делал поправки на задержки в трактирах и болтовню с друзьями, в других, напротив, увеличивал скорость, указанную в условиях, — ясно же, что, когда человек по-настоящему спешит, его желанию успеть повинуются не только собственные ноги и кони, но даже амобилеры и корабли. Если учитель говорил, что наш герой неудачлив, я сразу умножал полученный результат на два или даже пять — поправка на непредвиденные задержки и прочие неприятности. Если же выяснялось, что герой задачи — ссыльный Магистр или просто опытный колдун, результат долгих подсчетов немедленно аннулировался — понятно, что он просто пойдет Темным Путем, наплевав на то, что случайно стал главным действующим лицом дурацкой детской задачки по арифметике. Могущественного человека такой ерундой не проймешь, он все повернет по-своему.

Сейчас я сам — кто-то вроде такого героя. Тем более что речь пойдет именно о путешествии. Разнообразных способов передвижения, задержек в трактирах, а также поправок на удачу и прочие обстоятельства будет предостаточно.

Впрочем, самое важное обо мне вы уже знаете: я — нюхач, то есть человек с чутким носом. Принято говорить: «с обостренным обонянием», но, на мой-то взгляд, оно у меня нормальное, а у остальных людей обоняния нет вовсе.

Это, как я обнаружил, прожив на свете полторы сотни лет, гораздо более важное отличие, чем может показаться. Я сам довольно долго не понимал, сколь велика разница между мной и прочими людьми. С вашей точки зрения, я — что-то вроде укрощенного демона Красной Пустыни, которые по прихоти своих хозяев живут среди людей, выглядят как люди, ведут разумные речи, совершают понятные поступки и даже с удовольствием едят человеческую пищу, но, побеседовав с таким по душам, вдруг выясняешь, что вместо твоего лица он видит перед собой сноп зеленого огня. И вместо других людей, зверей, домов, деревьев, земли, неба и полноводных рек — только живое пламя, цвет и яркость которого дают ему столько информации об объектах, что нам и не снилось. И вот поди с таким договорись!

В юности я любил развлекаться, с ходу выдавая новым знакомым информацию о них. Не исчерпывающую, конечно, но им хватало. Даже вы, наверное, не представляете, как много можно узнать о человеке по запаху. Происхождение, например, выяснить проще простого, а семейную историю многие предпочитают скрывать — не знаю почему. Люди от меня в ту пору шарахались, мало кому нравится ощущать себя открытой книгой. И только мне, дураку, казалось, это очень весело — сам-то я не имел ни тайн, ни секретов, ни даже теоретического понимания, зачем что-то скрывать. Понадобилось несколько лет, ряд озадачивших меня ссор и одно в высшей степени откровенное объяснение, чтобы я осознал собственную бестактность и навсегда зарекся приставать к окружающим с подобными фокусами. И заодно окончательно уяснил, что другие люди ничего не узнают обо мне в первую же минуту, принюхавшись, поэтому все, что я хочу о себе сообщить, надо излагать внятно и последовательно, не рассчитывая на то, что собеседник самостоятельно заполнит лакуны.

К счастью, я уже успел научиться более-менее связно рассказывать, хотя мне по-прежнему кажется, что это странная и причудливая идея — описывать самого себя при помощи слов. Вот он я, здесь, перед вами, весь, целиком, — вдыхайте и знайте, чего ж еще.

Штука, конечно, в том, что язык запахов для меня родной, а язык слов — что-то вроде иностранного, выученного в детстве, но не в самом младенчестве, а чуть позже, когда мама спохватилась, сообразив, что все нормальные дети в этом возрасте уже не только говорят, но и понемногу начинают читать. И нашего с ней внутреннего языка, больше похожего на понимающее молчание, чем на Безмолвную речь, совершенно недостаточно для полноценной коммуникации с прочим миром. Который объективно существует, а потому лучше с ним ладить.

Что-что, а ладить с миром мама умела и меня научила. Мне с ней вообще очень повезло.

Если бы я взялся рассказывать о маме нюхачу вроде меня самого, я сказал бы только, что от нее пахло свежим травяным хлебом, горячим песком, первым часом зимнего карнавала и еще морем, как от всех потомков прибрежных жителей. А чужие запахи к ней почти не приставали. Даже проведя несколько часов на Сумеречном Рынке, мама пахла только собой и совсем чуть-чуть заморскими пряностями — ровно настолько, чтобы не требовалось объяснять, где была.

В переводе на человеческий язык все вышесказанное означает, что мама была надежной, непоседливой, умной и очень веселой. А фирменная орденская отрешенность, временами доходившая до чудачества, не мешала ей твердо, обеими ногами стоять на земле и даже заставлять реальность плясать под ее дудку. По крайней мере, ту малую часть реальности, которая отвечала за наше с ней благополучие и безопасность.

Мама еще в детстве вступила в Орден Часов Попятного Времени. Если бы среди женщин этого Ордена существовало хоть какое-то подобие иерархии, можно было бы сказать, что мама занимала в ней очень высокое место. Она, несмотря на молодость, была настолько могущественной ведьмой, что Великий Магистр Маба Калох регулярно приглашал ее потанцевать на Мосту Времени, а этим мало кто мог похвастать. Но все это я узнал гораздо позже, из бесед с людьми, знавшими ее в ту пору, когда меня еще не было на свете. А в детстве мама была для меня просто мамой. Я думал, у всех примерно такие.

Когда в начале Смутных Времен Маба Калох распустил Орден Часов Попятного Времени, он великодушно поделил орденское имущество между беднейшими адептами — теми, кто не имел ни собственных средств, ни обеспеченной родни и, покинув орденскую резиденцию, остался бы даже без крыши над головой. Так маме достался просторный двухэтажный дом на улице Светлой Ночи, в котором прошло мое детство. Тогда этот район считался пригородом, да и сейчас он — отдаленная окраина, где, при желании и определенном везении, все еще можно поселиться бесплатно, просто изъявив согласие присматривать за домом, владелец которого и рад бы продать свою недвижимость, да покупателей не находится. Я, кстати, не знаю почему. Тихий, приятный, пропахший сыростью, цветами и рыбой квартал за Речным Портом, где как попало проложены кривые дорожки, а за всяким кустом может скрываться сколоченная на скорую руку хибарка или обветшавший особняк времен династии вурдалаков Клакков, никогда заранее не угадаешь. И, вопреки распространенным представлениям об опасных городских окраинах, у нас даже в Смутные Времена, на самый конец которых пришлось мое детство, было так спокойно, что мама с легким сердцем отпускала меня гулять, где душа пожелает, и играть с кем угодно, заручившись лишь обещанием вернуться к обеду, которое я, конечно, вечно нарушал, а она и не думала беспокоиться.

Сейчас я догадываюсь, что столь мирная обстановка, скорее всего, была маминой заслугой. Причем она могла даже не читать никаких заклинаний, просто сказать: «Дорогая улица, ты мне очень нравишься, давай мы с сыном будем тут хорошо жить, пусть нас никто не трогает» — и дело в шляпе. Что-что, а договариваться с окружающим миром умели даже послушники Ордена Часов Попятного Времени. А кто не умел, надолго там не задерживался.

Мне долго казалось, что детство у меня было очень хорошее, но вполне обыкновенное, как у всех. Однако когда я рассказывал о нем будущей жене, Хенна то и дело перебивала меня восклицаниями: «Не может быть!» Только тогда я начал понимать, что наша с мамой жизнь была не совсем похожа на обычную. Точнее, совсем не похожа. Но главное, что нам она нравилась.

Моим отцом был Карвен Кута, один из Младших Магистров Ордена Водяной Вороны, единственный сын знаменитой в то время знахарки Ти Учиё, маминой ближайшей подруги. Самое примечательное, что можно сказать об отце, — он так и не узнал маминого имени, а погиб за пять с лишним дюжин лет до моего рождения. Впрочем, все это говорит не столько о нем, сколько о маминой манере устраивать дела.

Мама, как я понимаю, очень любила свою подругу. А та много лет безутешно горевала, что единственный сын погиб, не оставив ей внуков. Хотя, казалось бы, чего проще! В те времена столичные красавицы сами вешались на шею мальчикам из Ордена Водяной Вороны, мечтая родить ребенка от любого из них. Это почему-то считалось большой удачей и выдающимся деянием, хотя никто не мог толком объяснить, в чем, собственно, заключается доблесть и какого рода выгоду можно получить от младенца, ничем не отличающегося от прочих детей. Однако Карвен Кута почему-то не воспользовался благоприятными обстоятельствами и не оставил своей матери ни единого внука. Что приводило старую знахарку в полное отчаяние, а при ее профессии это совершенно недопустимо — если слишком долго горевать, можно утратить целительский дар, и тогда жизнь окончательно лишится смысла.

Дело кончилось тем, что мама, движимая состраданием и отчасти азартом, разбирающим обычно всякого человека, вознамерившегося совершить нечто невозможное, сказала подруге: «Будет тебе внук». Перешла Мост Времени, и для нее снова наступил давным-давно прошедший год, когда Младший Магистр Карвен Кута был еще жив, здоров и исполнен великих планов. В такую возможность, я знаю, мало кто верит; большинство сведущих людей скажут вам, что прошлого, как и будущего, вообще не существует, следовательно, идти по Мосту Времени попросту некуда. Там можно только стоять и смотреть, как сменяют друг друга иллюзорные картины, одна другой слаще, все до единой — несбыточные. Звучит чрезвычайно убедительно. Но факт остается фактом: некоторым ученикам Магистра Мабы Калоха изредка удается пересекать Мост Времени, по крайней мере в том направлении, которое называется «прошлым», а потом благополучно возвращаться в свое «сегодня». И мама из их числа.

По маминым словам, соблазнить моего отца оказалось трудней, чем иную юную девицу, воспитанную строгими опекунами и полагающую Квартал Свиданий самым страшным местом в городе. Однако она всегда умела добиваться своего. А добившись, вернулась домой и тут же отправилась к подруге, чтобы сообщить ей добрую весть. Сказала: «Дело сделано», — и счастливее Ти Учиё не было человека в Соединенном Королевстве.

Мама предполагала, что отдаст ребенка бабке и все пойдет по-прежнему, но жизнь рассудила иначе. Незадолго до моего рождения старая знахарка погибла, возвращаясь от пациента, — случайно оказалась в эпицентре драки разбушевавшихся молодых Магистров не знаю уж каких Орденов. Так что маме пришлось еще на сорок с лишним лет отложить свои дела и заняться моим воспитанием.

Эту историю я узнал, когда стал достаточно взрослым, чтобы вступить в права на наследство. И, честно говоря, ужасно зазнался — часа на полтора. Выяснить, что еще до рождения совершил путешествие по Мосту Времени, — от такого у кого хочешь голова кругом пойдет. Потом я все-таки опомнился, сообразил, что моей заслуги тут нет, и снова стал нормальным человеком — чрезвычайно довольным, что бабкино наследство позволит жить, как мне нравится, и одновременно донельзя опечаленным невозможностью ее за это отблагодарить.

Вскоре после откровенного разговора о моем происхождении и прочих интересных вещах мама покинула меня, намереваясь повернуть вспять свое личное Колесо Времени и еще раз прожить молодость, почти целиком потраченную на учебу в Ордене и возню со мной. Я согласился с ее решением, хотя, конечно, было досадно расставаться именно сейчас, когда я наконец-то вырос и мы, как мне казалось, могли бы стать настоящими друзьями.

Напоследок мама попросила прощения за то, что никогда не учила меня магии. «Дело, — сказала она, — даже не в Кодексе Хрембера, который, помяни мое слово, и двух столетий в таком нелепом виде не продержится. Но, стань я твоей учительницей, мне еще очень долго пришлось бы неотлучно при тебе находиться. А это неправильно: дети и родители не должны всю жизнь путаться друг у друга под ногами, даже такие любящие, как мы с тобой».

Что скрывать, после такого вступления я, конечно, надеялся услышать, что теперь моим обучением займется кто-нибудь из маминых могущественных друзей, которые часто у нас гостили. А то и сам сэр Маба Калох, чем только Темные Магистры не шутят! Но вместо этого я получил невнятное обещание — дескать, если суждено, рано или поздно магия придет за мной сама, и уж тогда от нее просто невозможно будет отвертеться. А если нет, насилием над судьбой дело не поправишь.

«Все, что ты сейчас можешь, — жить в свое удовольствие, делать что нравится, а чего не нравится — ни в коем случае не делать, — сказала она. — И одновременно всегда быть наготове. Потому что случиться может вообще все что угодно — в любой момент. И представляешь, как обидно будет не заметить, что оно случилось?»

Это был прекрасный совет. И к выполнению первой его части я приступил немедленно, рассудив, что когда-нибудь сумею понять вторую. И, может быть, даже ею воспользоваться, чем только Темные Магистры не шутят.

Оставшись один, я тут же поехал в Нумбану и поступил в тамошний университет — как некоторые юноши бросаются в свой первый загул, с трепетом и полной самоотдачей. Я, конечно, больше хотел учиться в столичном Королевском Университете или в Высокой Школе, но опасался, что хаотического домашнего образования, полученного в основном из книг и маминых игр, при не слишком активном участии постоянно сменяющих друг друга учителей-студентов, окажется недостаточно, чтобы сдать вступительные экзамены в столице. Теперь-то я думаю, что, скорее всего, ошибался, но тут уж ничего не поделаешь. К тому же годы учебы в Нумбане были прекрасным временем, да и курс истории магии, которая стала моей первой специализацией, у нас вел сам профессор Тумба Бумбиар, высланный из Угуланда за слишком явные симпатии к некоторым мятежным Орденам, а это огромное везение, поверьте мне на слово.

Процесс обучения оказался даже более захватывающим, чем я представлял в самых пылких мечтах. Я, конечно, понимаю, какое впечатление может произвести подобное признание. То ли я безбожно вру, то ли просто придурок, каких еще не рождалось. Подросток, впервые в жизни оставшийся без присмотра, да еще и с кучей денег, бегом бежит учиться — такую ерунду даже в «Притчах, воспитующих юношество» времен эпохи Клакков постеснялись бы рассказывать. Однако для меня учеба оказалась удовольствием похлеще тех, что можно получить от выпивки, пилюль из лумукитанского мха, шиншийских курительных порошков, куанкурохских грибов и куманской любовной магии, вместе взятых. И не только потому, что учиться было интересно, хотя это тоже очень важно. Но самое главное — человеку с обостренным восприятием вроде меня необходимо постоянно чем-то себя занимать, на полную мощность включать ум, в любой момент готовый умолкнуть под тяжестью избыточных чувственных впечатлений. Строго говоря, я напряженно учился, чтобы как следует расслабиться и отдохнуть. К счастью, мама очень рано подсказала мне этот метод, в противном случае я, скорее всего, вырос бы полным идиотом, неспособным внятно поговорить даже с самим собой.

Как всякий человек, пристрастившийся к сладкому зелью, в учебе я был алчен, неутомим и постоянно хотел добавки. Поэтому, досрочно закончив Нумbanский Университет, вернулся в Ехо, поступил в Королевскую Высокую Школу, и все понеслось по новой. На сей раз я решил сосредоточиться на дисциплинах, так или иначе связанных с языком, рассудив, что даже если не стану выдающимся ученым, то, по крайней мере, наконец научусь связно выражать свои мысли — лучше поздно, чем никогда.

Сдав выпускные экзамены в Высокой Школе, я отказался от всех предложений, среди которых были довольно соблазнительные, вроде исследовательской должности на кафедре истории древней речи, и уехал в Кумон, намереваясь продолжить учебу в тамошней Высшей Светлой Школе. Чему я там на самом деле научился, так это приятно проводить время, не прибегая к своему излюбленному средству — учебникам. Наука чрезвычайно полезная, и я рад, что сумел ее усвоить, однако ее не хватало, чтобы занять меня целиком. Поэтому всего полдюжины лет спустя я вернулся в Ехо и поступил в Школу Врачевателей Угуланда. Вот где было по-настоящему трудно учиться — именно то, что мне требовалось после бесконечного праздника в Кумоне. Я не раз слышал, что человек без призвания вообще не способен осилить знахарскую науку. Это похоже на правду, но я все же худо-бедно справился, хотя блестящими мои успехи, конечно, не назовешь.

Чтобы вознаградить себя за усердие и уравновесить тяжелые впечатления радостными, на каникулах я много путешествовал и так вошел во вкус, что, получив диплом знахаря, немедленно записался в Высокую Корабельную Школу. И вот это было настоящее счастье. Достаточно сказать, что все годы учебы сопровождались запахом моря и корабельного дерева, а слаще этого сочетания, по-моему, вообще ничего не бывает. Так что я оказался довольно бестолковым студентом: совершенно не мог взять себя в руки и как следует сосредоточиться на учебе. Хотя нельзя сказать, что я так уж старался. Ближе к окончанию даже нарочно провалил пару экзаменов и прогулял береговую практику, лишь бы остаться на второй год и поучиться там подольше.

Тогда же я женился на одной из своих сокурсниц. Запах Хенны был похож на мамин — морская вода, гугландский травяной хлеб, горячий пунш на зимнем ветру — и поначалу я решил, они кузины или, скажем, племянница и тетка, просто давным-давно потерялись и не знали друг о друге, так иногда бывает. Но Хенна очень хорошо изучила историю своей семьи и быстро доказала, что мы с ней не родня, разве что далекие предки обоих были жителями побережий, впрочем разных. Сходство ее запаха с маминым свидетельствовало не о кровном родстве, а о близости характеров. Я быстро понял, что нашел самого лучшего друга, какой только может у меня быть, а еще несколько лет спустя мы с Хенной решили, что прекрасно уживемся под одной крышей, поэтому глупо продолжать ежедневно ходить друг к другу в гости и спорить, где сегодня будем ночевать.

Кто больше всех выиграл от нашего брака, так это отец Хенны, сэр Глёгги Айчита. Он погиб в конце Смутных Времен и был вынужден сделаться призраком, чтобы присматривать за юной дочерью и своим бизнесом — старейшей антикварной лавкой Ехо, которая существовала чуть ли не со дня основания города и была не просто доходным семейным делом, но историческим памятником, официально признанным достоянием Соединенного Королевства. В конце концов среди первых покупателей числился сам Халла Махун Мохнатый, пожелавший обставить свою королевскую спальню мебелью дочерей Ульвиара Безликого, а это уже не шутки.

Мать Хенны, как все женщины Ордена Потаенной Травы, не испытывала интереса ни к детям, ни к имуществу, поэтому полагаться на нее было бы полным безумием. Сэр Глёгги прекрасно это понимал и принял меры, чтобы смерть не помешала ему заниматься семейными делами. Кстати, он стал единственным призраком, получившим официальное королевское разрешение находиться в столице, вопреки соответствующей статье Кодекса Хрембера. Документ, лично подписанный Его Величеством Гуригом Седьмым, до сих пор занимает почетное место на стене над прилавком, поэтому в лавке у Хенны вечно толкутся студенты-юристы, рассматривают историческую диковину, спорят, можно ли считать случай Глёгги Айчиты прецедентным или же он был обусловлен уникальным стечением обстоятельств и не имеет шансов когда-либо повториться. Ужасно забавно наблюдать, как ежегодно меняются лица дискутирующих, а диалоги звучат все те же, как по писаному, чуть ли не слово в слово.

По словам Хенны, с годами покойный сэр Глёгги стал тяготиться своим положением и страстно мечтать о долгом путешествии за край Вселенной, хотя виду, конечно, не подавал, и жалоб от него никто не слышал. Когда Хенна выросла и решила пойти в моряки, бедняга окончательно приуныл — понял, что лавку придется сторожить еще долгие годы, возможно, вообще всегда, до скончания времен.

И тут вдруг, как по волшебству, появляюсь я, строптивая наследница прячет новенький капитанский диплом в шкатулку и любезно соглашается продолжить семейное дело, если уж все равно решила остаться на берегу. Нам с Хенной не хотелось надолго расставаться, а найти два места помощника капитана на одном корабле, да еще для новичков, которых и так-то берут неохотно, — дело совершенно немыслимое.

Счастью внезапно освобожденного от обязательств призрака не было предела. Его свадебным подарком мне стало официально зарегистрированное название безымянной прежде лавки: «Мелочи от Кута». Я, признаться, вовсе не жаждал увековечить свое имя при помощи уличной вывески, но отказываться было неловко, да и, в любом случае, поздно: неутомимый сэр Глёгги уже все обстряпал, хотя переименовать лавку, имеющую статус государственной исторической реликвии, вовсе не так просто, как кажется. Во всех государственных учреждениях у него обнаруживались приятели юности, а дар убеждения не действовал разве только на родную дочь, но это как раз понятно — Хенна просто успела привыкнуть.

Потом мы жили долго и счастливо, как самые настоящие герои волшебной сказки. С той только разницей, что для сказочных персонажей это обычно

финал истории, а наша с Хенной жизнь только начиналась. Она, собственно, и сейчас только начинается.
Думаю, сто лет спустя я скажу о нас то же самое.

Дела в Хенниной лавке процветали; самое удивительное, что она всерьез увлеклась антикварным
делом. И, похоже, с каждым годом ее затягивает все
сильнее. Говорит, прежде полагала, будто торговля
подержанным барахлом — просто довольно дурацкий способ зарабатывать до нелепости большие деньги, а стоило копнуть чуть поглубже, и вдруг выяснилось, что в некоторых старых вещах магии больше, чем в древних легендах, — особенно для того, кто
с детства обучен кое-каким фокусам, позволяющим
смотреть на вещи не только глазами. И не просто
смотреть.

Когда у нас родился сын, а два года спустя дочка,
мне пришлось взять на себя большую часть Хенниных дел, и это был чрезвычайно интересный опыт,
хотя учеба все равно нравилась мне гораздо больше,
чем торговля. Впрочем, частные уроки, которые я
время от времени брал у скульпторов, кулинаров,
актеров и оружейников, помогли мне не затосковать.
Потом дети немного подросли, Хенна наняла для
них несколько покладистых нянек и вернулась в
лавку, а я наконец осуществил свою заветную детскую мечту — поступил в Королевский Университет.
Забавно, что именно с него я когда-то хотел начать
свое образование, да все как-то не решался. Словно
предчувствовал, что вылечу из университета, как
распоследний болван. И ведь действительно выле-
тел, не закончив курс. Правда все-таки не по причине неуспеваемости, чего ужасно боялся в юности, а

потому что в водах Хурона поселилось неведомое чудовище, насылающее на всех подряд тяжкие сны о зеленой воде, и присутствующий здесь сэр Макс сперва спас меня от этой напасти, а потом позвал работать в Тайный Сыск.

С его точки зрения, это было вполне обычное дело — встретил хорошего нюхача, да еще и с легким характером в тот самый момент, когда Малое Тайное Сыскное войско осталось без Мастера Преследования, внезапно укатившей в Арварох, — почему бы не воспользоваться случаем? Остальные Тайные сыщики тоже быстро сообразили, насколько мой нос облегчит их жизнь. И вакансия нашлась — какие проблемы? Но для меня приглашение на службу стало настоящим чудом, необъяснимым и совершенно невозможным. Как если бы, скажем, мост Гребень Ехо, по которому я хожу чуть ли не ежедневно, вдруг превратился в самый настоящий Мост Времени из маминых рассказов. И я восхожу на него, весь такой бесстрашный и вдохновенный, а на другом конце стоят легендарные маги древности, машут мне руками и разноцветными флажками, и сам король Мёнин держит плакат: «Добро пожаловать, сэр Нумминорих». Уж насколько я мечтатель, а подобные сцены уже годам к двадцати перестал воображать, осознав, как это глупо.

Самая страшная опасность в моей жизни подстерегала меня в первый день службы. Когда я пришел в Дом у Моста, сэра Макса, к которому я уже более-менее привык, там не было. Зато были все остальные, каждый — живой миф, и я так смутился, что еще немного, и, пожалуй, повторил бы трагическую историю легендарного Застенчивого Магистра Гримлиха Ухурлеиса, который, как рассказывают, был приглашен на свадьбу своего друга, где ему предстояло веселиться в обществе нескольких дюжин незнакомых людей, и сперва худо-бедно держался, но когда начались танцы, бесследно исчез от смущения и с тех пор так нигде и не объявился.

Но у меня, хвала Магистрам, гораздо меньше могущества, чем у древних колдунов. Думаю, только поэтому я и уцелел. А потом понемногу привык, и тогда для меня началась жизнь настолько прекрасная и удивительная, что никакими словами не расскажешь. Она, собственно, до сих пор продолжается. И есть у меня предчувствие, что не закончится никогда, даже если я сделаю глупость и умру на самом интересном месте. Призраков иногда держат на государственной службе, я узнавал. Например, в Вольном городе Гажине вообще весь местный Тайный Сыск — призраки. Выяснив это, я окончательно успокоился на свой счет.

За все время работы в Тайном Сыске у меня было только несколько по-настоящему плохих дней — когда я терял нюх. Пока не стал Тайным сыщиком, даже не подозревал, какую кучу всяких дрянных зелий придумали специально для того, чтобы притупить обоняние. При том, что нас, нюхачей, очень мало, лично я за всю жизнь и дюжины не встретил, — чего, спрашивается, было стараться? Может быть, в старые времена нюхачи рождались гораздо чаще, чем теперь? Или в ту пору вообще у всех людей было нормальное, то есть острое обоняние? Эта версия, пожалуй, объяснила бы существование несметного числа разнообразных порошков, капель и благовоний, отбивающих нюх.

Мне пришлось на собственном опыте перепробовать полдюжины и убедиться в их эффективности. Всякий раз я, во-первых, чувствовал себя как внезапно ослепший человек, даже в своем доме с трудом ориентировался. А во-вторых, отчетливо понимал, что меня выпрут из Тайного Сыска. Какой от меня теперь прок? Однако отправлять меня в отставку никто не спешил, а обоняние всякий раз благополучно возвращалось, так что понемногу этот страх утратил надо мной власть. Хотя, чего греха таить, до сих пор изредка бывают рецидивы, но просто потому, что от дурной привычки быстро не избавишься.

На фоне этих регулярных потрясений все прочие служебные неприятности и даже настоящие драмы казались мне чем-то вроде острой ташерской приправы, призванной не испортить, а лишь подчеркнуть основной вкус блюда. Я хочу сказать, больше ничего не задевало и не огорчало меня всерьез. Даже когда внезапно исчез наш начальник, сэр Джуффин Халли, все мои старшие коллеги пришли в неописуемый ужас, а я и подыграть им толком не мог. Потому что твердо знал, что с людьми вроде нашего шефа никогда не случается ничего по-настоящему страшного, а значит, и беспокоиться не о чем. К тому же понимал, что исчезновение сэра Джуффина вряд ли может стать причиной моей отставки, и эгоистично радовался, что счастливая жизнь продолжается — с некоторыми изменениями и поправками, но когда это меня смущало.

...По большому счету, я был совершенно прав, сохраняя оптимизм. Потому что в один прекрасный день мы пришли на службу и увидели, что дверь кабинета сэра Джуффина Халли приоткрыта, а сам он сидит за столом практически в обнимку с истосковавшимся буривухом Курушем. Исчез на год и вот снова появился — лично мне это показалось естественным ходом вещей. И всем остальным, наверное, тоже. Мелифаро, помню, проворчал: «И ведь не расскажет, где шлялся. Причем не потому, что великая тайна, а просто из вредности, чтобы меня разорвало от любопытства». «И не только тебя», — добавил сэр Кофа, выразив таким образом общее отношение к событию.

Однако шеф все-таки рассказал.

Примерно через четверть часа сэр Джуффин Халли вышел в Зал Общей Работы, и я, помню, был потрясен исходившим от него запахом — смесью несовместимых ароматов хищного зверя и старого меда. Только это был какой-то неведомый хищник, да и мед явно неизвестного мне сорта; секундой позже я сообразил, что так, наверное, пахнут звери и сласти какого-то иного Мира. Это было логично — не в Кумоне же шеф целый год отсиживался, чтобы нас разыграть.

Выражение его лица я заметил позже, и оно было такое же необычное, как запах, — ликующее и одновременно мрачное. Так мог бы выглядеть человек, который только что победил сто тысяч врагов одновременно и за это приговорен к смертной казни. Это окончательно меня запутало.

Сэр Джуффин забрался с ногами на подоконник, чего прежде за ним не водилось, внимательно нас оглядел, а потом негромко, будничным тоном, каким обычно говорят о скучных, но неизбежных вещах вроде годового отчета, сообщил, что вернулся из Тихого Города и это теоретически невозможное событие случилось исключительно благодаря сэру Максу, который, в свою очередь, был вынужден задержаться в означенном зачарованном месте на, скажем так, неопределенный срок. Добавил, что, будь его воля, он бы оставил все как есть, но его никто не спрашивал.

Мы молчали, как громом пораженные. Лично я слышал о Тихом Городе только от мамы и до сих пор считал его одной из страшных сказок, которыми в старые времена пугали малолетних орденских послушников, а теперь уже стали забывать за ненадобностью. Думал: «Значит, неведомый зверь и диковинный мед — это запахи Тихого Города? Какое странное место. Надеюсь, Максу там хотя бы интересно».

Остальные, похоже, были информированы лучше. Во всяком случае, спрашивать, что это за Тихий Город такой, никто не стал, но сэр Кофа, сердито нахмурившись, отвернулся к окну, а стена, на которую уставился сэр Шурф Лонли-Локли, пошла трещинами. Впрочем, он сам же ее и починил — позже, вечером. Глядя на них, я подумал, что дело, вероятно, плохо, но поверить в это все равно не мог. И не смог, как ни старался. Напротив, знал совершенно точно, что все будет прекрасно — и у Макса, и у всех нас. Просто не очень скоро. Точно не в этом году и вряд ли в следующем, но будет — даже лучше, чем прежде. Понятия не имею, с чего я взял, но мне нравилось думать, что это — предчувствие.

...После этого, самого короткого на моей памяти, совещания над Тайным Сыском, можно сказать, повисла черная туча. Точнее, не «над», эта грешная туча была среди нас, словно ее приняли на службу и велели круглосуточно дежурить без выходных. Строго говоря, все осталось примерно как раньше — за исключением общего настроения, которое всегда казалось мне главной наградой за службу. Если бы мне вдруг перестали выдавать огромное даже по столичным меркам жалованье, я бы внимания на это не обратил — разве что любопытно стало бы, какая беда стряслась с казной Соединенного Королевства. Но энтузиазма не убавилось бы, потому что где еще, скажите на милость, вы найдете организацию, за работу в которой платят счастьем? Теперь стало немного не так, но я был не в претензии и уходить, конечно, не помышлял. Столько невероятных подарков получил авансом, лишь бы хватило времени и сил хоть как-то за них отблагодарить.

Прежде я мчался на службу, сгорая от нетерпения, как дети выходят на улицу — что за игра сегодня намечается и, самое главное, позовут ли меня? А теперь — как на знахарскую практику во время обучения в Школе Врачевателей Угуланда. То есть собирался с духом, говорил себе «надо» — и ехал. И делал, что мог, старался приносить посильную пользу и не причинять вреда: никого не трогать, не дергать, не раздражать своей беззаботностью. Не твердить же с утра до вечера, что все будет хорошо. Подобные слова в чужих устах только бесят, по крайней мере, мне неоднократно это говорили, когда я был слишком юн и неопытен, чтобы обуздывать свои благие намерения или хотя бы облекать оптимистические прогнозы в более приемлемые для окружающих формулировки.

Жизнь тем временем шла своим чередом. То и дело случались какие-то мелкие происшествия, так что без работы я не сидел, напротив, мой нюх был востребован как никогда, и хвала Магистрам. И когда незадолго до конца года сэр Джуффин Халли вдруг вызвал меня в свой кабинет, я не стал терзаться опасениями, что меня выпрут из Тайного Сыска как главного бездельника. Хотя, как уже говорил, в первые годы ужасно этого боялся — при том что в глубине души твердо знал: такого не случится.

Странно, кстати, что подобное знание далеко не всегда отменяет страх. И ведь не я один так по-дурацки устроен.

Но в тот раз я зашел в кабинет шефа, терзаемый не страхом, а несбыточными надеждами. В голове крутилось несколько дюжин предположений, одно другого слаще. Скажу только, что одной из самых реалистических выглядела надежда на командировку в Уандук по личной просьбе Куманского халифа Цуан Афии, которому позарез потребовался хороший нюхач; можете вообразить, каковы были остальные версии.

Но я все равно не угадал.

Когда я вошел, сэр Джуффин Халли как раз набивал трубку. Обычно это означает пытку затянувшейся паузой, в ходе которой очередная жертва успевает как минимум трижды умереть от любопытства и благополучно возродиться для новых мук, но в тот раз мне повезло. Как только я закрыл за собой дверь, шеф сказал:

— Что ты побывал на Темной Стороне — это, конечно, просто замечательно. Что я тебя в свое время проглядел — довольно досадно, но закономерно. В конце концов, ты не мой ученик. Но скажи мне, ради всех Темных Магистров, кто тебя туда провел? Из наших вроде некому. Другие варианты мне в голову не приходят. Я знаю, что Сотофа дружила с твоей мамой, но поскольку ты не девчонка, она тоже вне подозрений. Не дай мне погибнуть от любопытства. Если ты не связан клятвой молчания, разумеется, — церемонно добавил он.

Боюсь, я глядел на внезапно сбрендившее начальство, распахнув рот. Знаю за собой такую дурацкую привычку. Наконец до меня начало доходить.

— Темная Сторона — это та часть города, где все шиворот-навыворот? Ну, земля прозрачная, ветер разноцветный и течет, как вода. Окна в домах темные, зато камни светятся изнутри. И небо как крышка от шкатулки — кажется, что твердое и может открыться в любой момент. Вы об этом говорите? Меня никто туда не водил, я сам забрел.

Сэр Джуффин Халли рот, конечно, не распахнул. Но и так было заметно, что он очень удивился. Глядел на меня, как Хенна порой таращится на какой-нибудь амулет эпохи Халлы Махуна. Вроде понятно, что вот он, и выглядит как положено, и экспертиза ясно показала, что настоящий, не подделка, не морок, не наваждение, а все равно не может быть, чтобы такая редкость — и вдруг оказалась в моих руках.

— Да, — наконец сказал сэр Джуффин. — Мы говорим об одном и том же месте. Но скажи на милость, почему ты решил, будто это какая-то часть города?

— Ну, потому что за пределы Ехо я совершенно точно не выезжал, — объяснил я. — Это же в самом центре, между Старым и Новым Городом. Да вы и сами знаете, если говорите, что... Или нет?

— Так, стоп, — решительно сказал шеф. — Прекращаем это безобразие, пока мы оба не рехнулись. Давай так: сперва ты просто расскажешь мне, как забрел в этот... эээ... удивительный квартал. А потом я объясню тебе, что случилось. Пока скажу только, что это хорошее событие, можешь не волноваться.

— Конечно, хорошее, — подтвердил я. — Мне там очень понравилось. Вы не представляете...

— Да нет, как раз представляю, — улыбнулся он. — Но давай, как договорились, с самого начала и по порядку.

— Вчера после обеда я наконец отыскал мастерскую, где делают глотающие кошельки, — начал я.

Чувствовал себя при этом полным идиотом. Шеф и без того знал, чем я занимался вчера, поскольку это было его задание. Глотающие кошельки — довольно остроумное изобретение и совсем новое, прежде ничего подобного, говорят, не было, даже в Эпоху Орденов, когда сорок девятая ступень Черной магии, требующаяся для изготовления этих вещиц, была доступна не отдельным выдающимся мастерам, а даже орденским послушникам, если не всем, то многим. Впрочем, возможно, им просто больше нравилось отбирать чужое добро силой, чем жульничать по мелочам?

Штука в том, что деньги и прочие ценности, положенные в глотающий кошелек, исчезают, а потом благополучно объявляются в специальном тайнике, местонахождение которого известно только создателю хитроумной вещицы. Если учесть, что большинство столичных жителей предпочитают расплачиваться с кредиторами в конце года, который как раз неумолимо приближался, время для появления глотающих кошельков было выбрано очень удачно. Ограбленные горожане побежали в полицию; к счастью, там быстро сообразили, что дела надо передавать нам, а мне удалось, перенюхав добрых три дюжины кошельков, выделить некий общий для всех запах — не самого мастера, но его мастерской. И понеслось. В смысле я понесся. Несколько дней мотался по городу, разыскивая хоть намек на этот аромат, и вчера наконец нашел, ко всеобщему удовольствию.

— Отыскал, — подтвердил сэр Джуффин. — И я на радостях отпустил тебя отдыхать. Что было дальше?

— Вы меня отпустили, и я пошел домой. Пешком, потому что мой амобилер остался возле Управления. Я подумал — чем ждать, пока служебный за мной приедет, лучше прогуляюсь. Новый Город не так уж далеко, погода прекрасная...

— Ничего себе прекрасная. Холод же собачий. Самая лютая зима на моей памяти. Как будто сэр Макс с собой полсолнца уволок на сувениры.

— Ну так идти гораздо теплее, чем стоять, — объяснил я. — Еще и поэтому. К тому же в центральной части города я гуляю не очень часто, и там осталось еще много неразведанных улиц, а ходить домой новой дорогой я люблю больше всего на свете.

— Вот это я могу понять, — неожиданно согласился шеф.

— Сперва я немного заплутал, сделал крюк и вышел к бывшей резиденции Ордена Потаенной Травы, а это дальше от Нового Города, чем место моего старта. Посмеялся над собой и пошел — теперь уже в нужном направлении. Прошел буквально пару кварталов и вдруг почуял запах Макса.

— Чего? — изумленно переспросил сэр Джуффин. — Чей запах ты почуял?

— Сэра Макса. Ну, то есть мне так показалось. Вернее, не показалось, такое ни с чем не перепутаешь. Просто это, наверное, все-таки не его личный запах, а... Не знаю. Еще чего-нибудь. Прежде-то я был уверен.

— Я уже вообще ничего не понимаю. Но это не твоя вина. Ладно, продолжай.

— Я, конечно, тут же забыл обо всем на свете и пошел по этому следу. Подумал — а вдруг он уже вернулся? И, например, решил немного пожить просто так, никому не показываясь. Или, наоборот, потерял много сил и теперь валяется в чьем-то чужом саду. Все может быть, это же сэр Макс. От него чего угодно можно ожидать.

— По последнему пункту совершенно с тобой согласен. Хотя уверен, что в Ехо его сейчас нет. И по-прежнему не понимаю, о каком запахе речь. Ладно, разберемся. Что дальше?

— Запах становился все сильнее. Меня разобрал азарт, что само по себе удивительно, я все-таки не

Мастер Преследования, обычно мне все равно, идти по следу или нет. Тем не менее в какой-то момент я обнаружил, что уже не иду, а бегу, не разбирая дороги. Но когда запах стал так силен, будто несколько сотен сэров Максов решили сыграть со мной в кучу-малу и одновременно навалились со всех сторон, я понял, что это невозможно. Я хочу сказать, не может один человек пахнуть, заглушая все прочие запахи, включая мой собственный, — даже если совсем рядом стоит. А поблизости по-прежнему никого не было. Тогда я притормозил и огляделся. И окончательно перестал понимать, куда я попал. Ни на что не похоже! Ладно бы просто незнакомый квартал. Но там вообще все как-то иначе устроено, я уже говорил — ветер цветной, камни светятся. И нет никого — ни людей, ни даже птиц. Но это как раз неважно, потому что и так все живое: не только, скажем, деревья и дома, а и земля, и воздушные потоки, и даже твердое, как крышка шкатулки, небо. Ничего не говорят, но дышат доброжелательно, смотрят с любопытством — ясно, что с ними легко поладить. И такая радость от всего этого, а может, вовсе без причин, просто она там всегда есть, как воздух... Жалко, что я был усталый, набегался за последние дни так, что даже толком осознать происходящее сил не было. Вдруг почувствовал — еще немного, и просто под ближайшим кустом засну, а спать на улице все-таки глупо. Решил, что вернусь, когда отдохну. Лучше бы, конечно, с самого утра, на целый день, чтобы никуда не спешить. И пошел домой.

— А как ты оттуда выбирался?

— Ну, я же все-таки нюхач, — напомнил я. — Заблудиться по-настоящему я нигде не могу, только заплутать по рассеянности. Да и то — знали бы вы, как долго я этому учился!

— Специально учился плутать?

— Ну да. Довольно скучно все время точно знать, где находишься и что в какой стороне. А для нюхача это почти неизбежно. Единственный выход — научиться не анализировать поступающую информацию. Не делать умозаключений, особенно правильных. В детстве я твердил про себя стишки, чтобы отвлечься, но это, честно говоря, не очень помогало. А вот, к примеру, пересказывать по памяти какой-нибудь сложный древний текст вроде «Книги Безумий», попутно переводя его на иррашийский, — именно то, что надо. Главное — вовремя остановиться, чтобы совсем не спятить. В общем, найти дорогу домой мне обычно гораздо легче, чем ее не найти. И вчера я просто принюхался, почуял слабый запах речной воды и пошел в том направлении, рассудив, что, в каком бы месте ни вышел к Хурону, мне это по пути. Правда, я все-таки немного поплутал, несколько раз заходил в тупики, возвращался, отправлялся в обход и наконец оказался на берегу. Кстати, почему-то вовсе не в центре, а в Старом Городе, неподалеку от моста Кулуга Менончи. Но это меня как раз не очень удивило — ясно же, что бродил по заколдованным кварталам. В голову не приходило, что такие места остались. Думал, все в столице расколдовали сразу после принятия Кодекса...

— Мать твою четырежды через лисий хвост! — с чувством сказал сэр Джуффин.

Я подумал — как жаль, что мы не были знакомы в ту пору, когда я учился в Королевской Высокой

Школе и писал научную работу, посвященную сравнению особенностей традиционной брани разных областей Графства Шимара. Сколько народу тогда опросил, а вот это выражение про мать и лисий хвост ни от кого не услышал. То ли оно совсем малоизвестное, то ли шимарцы вспоминают его только в самых крайних случаях.

Я надеялся, что шеф еще что-нибудь этакое скажет, но он лишь покачал головой.

— Не так-то просто переварить твои новости. Попасть на Темную Сторону по запаху — это еще хоть как-то в голове укладывается. В конце концов я сам не раз проваливался туда, просто приходя в соответствующее настроение, а ароматы, насколько мне известно, оказывают на него довольно сильное влияние. Но выйти с Темной Стороны, положившись исключительно на обоняние, — даже вообразить не могу! При том что усердно коллекционирую способы быстро вернуться оттуда домой. Впрочем, твой метод все равно не подойдет никому, кроме тебя самого.

— Значит, это место называется Темная Сторона? — спросил я.

— Совершенно верно. Хотя говорить о Темной Стороне «место» все-таки не совсем правильно... Ай, ладно, называй как хочешь, лишь бы тебе самому было понятно.

— Мне была более-менее понятна версия про заколдованный квартал. Но поскольку уже ясно, что я ошибался, хотелось бы узнать, что это такое на самом деле.

— Хороший вопрос, — усмехнулся сэр Джуффин. — Имей в виду, точного ответа на него не существует, только многочисленные попытки хоть как-то объяснить непостижимое, более или менее удовлетворительные. Поскольку я в сущности простой малообразованный горец, мое любимое объяснение выглядит так, — одним ловким движением он сбросил свое теплое лоохи, вывернул его наизнанку и сунул мне: — Смотри внимательно.

Я так растерялся, что принялся разглядывать его лоохи, как будто никогда прежде не видел верхней одежды, только слышал о ней какие-то невнятные и не заслуживающие доверия легенды.

— Что это? — требовательно спросил шеф.

— Ваше лоохи.

— Это то же самое лоохи, которое только что было на мне?

— Да, — ответил я, пытаясь сообразить, кто из нас двоих спятил и на каком этапе разговора это произошло.

— Молодец. Очень толковый мальчик, — ухмыльнулся сэр Джуффин. — А выглядит оно так же?

Только тогда я начал понимать, к чему он ведет.

— Подкладка другого цвета, — сказал я. — И швы видны. И еще заметно, что карманы, которые кажутся аккуратными прорезями, на самом деле — довольно большие, прочные и чем-то заполнены.

— И снова молодец. А теперь вообрази, что я опять надел это лоохи. И мне на плечо села бабочка. Подозревает ли она о существовании подкладки?

Я невольно улыбнулся.

— Не подозревает. Но имеет все шансы нечаянно туда попасть. Или даже намеренно заползти, если вы, к примеру, прячете за пазухой заинтересовавший ее цветок. Я понял вашу аналогию. Хотите сказать, Темная Сторона — это изнанка Мира? И я случайно забрался туда, как бабочка, когда пошел на знакомый аромат?

— Хочу. Причем так сильно, что все-таки скажу еще раз: Темная Сторона — это изнанка Мира. И ты случайно забрался туда, как бабочка, когда пошел на знакомый... Вот, кстати, об ароматах. С твоих слов выходит, что наш сэр Макс пах Темной Стороной все время, а не только когда оттуда возвращался. Я правильно тебя понял?

— Ну да, — кивнул я. — Говорю же, был уверен, что это его собственный запах и есть. Ну, один из. Но главный. У каждого человека есть его главный аромат, очень внятный и более-менее неизменный, как мелодия песни. На него накладываются другие — унаследованные от предков, обусловленные состоянием здоровья, запахи благовоний, съеденной пищи, времени года, посещенных мест, встреченных людей, просто прилипшие по дороге и так далее. Но главный аромат — он и есть главный, его ни с чем не перепутаешь. То есть до сих пор я никогда не ошибался, но с сэром Максом, похоже, сел в лужу.

— Погоди, а разве от других так никогда не пахло? — с сомнением спросил сэр Джуффин. — От меня, например.

— Пахло время от времени. Но гораздо слабее. Я думал, вы просто у Макса в гостях долго сидели. Или он у вас. А может, вообще одеждой менялись, потому что для какого-то колдовства нужно, — кто вас всех разберет.

— Логично, — согласился он. И замолчал так надолго, что я подумал: может, мне пора идти?

Но шеф отрицательно покачал головой, словно бы отвечая на мои мысли. Или не словно. Ребята часто говорят, что Джуффин вообще все про всех знает, и я до сих пор не смог понять, шутят они или всерьез сетуют на его проницательность.

— Ладно, — наконец сказал он. — У меня, конечно, дюжина миллионов вопросов, но не к тебе, сэр Нумминорих, а, скажем так, к судьбе, которая была столь милосердна, что одним махом перечеркнула добрую половину моих знаний о мире. Ничего, впереди целая долгая жизнь, чтобы во всем этом разобраться. Что действительно следует понять прямо сейчас — это как быть с тобой.

— А почему со мной надо как-то «быть»? — опешил я. — Я нарушил какой-то тайный запрет?

— Да нет, что ты. Какие запреты. Всякий, кто способен попасть на Темную Сторону, имеет полное право там находиться, сколько сочтет нужным. Хотя, по моему опыту, поначалу лучше не увлекаться, если не хочешь застрять там навек. Или на пару-тройку тысячелетий. Впрочем, вполне может статься, что это и есть самая завидная судьба. И вряд ли стоит скрывать от тебя это предположение.

Я решил его успокоить:

— В ближайшее время мне это точно не грозит. Я дал слово Хенне, что не умру и не исчезну, пока не вырастут Фило и Нита. Нечестно все на нее перекладывать, тем более что дети — это была моя идея. Очень хотел попробовать, как оно бывает и что при этом чувствуешь...

— Дать подобное обещание очень великодушно с твоей стороны, — перебил меня сэр Джуффин. — Но что это меняет? Я довольно долго за тобой наблюдаю и не могу назвать тебя предельно осторожным человеком. Собственно, одно только твое поступление в Тайный Сыск чего стоит. У нас довольно опасная служба, ты еще не заметил?

— Только не для меня. То есть ранить или заколдовать меня все-таки могут, потому что об этом я просто не подумал заранее, когда формулировал обещание. Но серьезных последствий все равно не будет, пока наша младшая дочь Нита не достигнет совершеннолетия. Потом я снова стану жить как все люди, без гарантий. Но до этого момента еще почти сорок лет.

— А! — шеф хлопнул себя ладонью по лбу. — Вот ты о чем. Ну так бы и сказал, что принес Обет Лаллориха. Не знал, что о нем еще хоть кто-то помнит.

— Обет — кого? — изумился я.

— Обет Лаллориха, названный так в честь одного из соратников Ульвиара Безликого, который то ли придумал такой способ держать слово, то ли просто был первым, кому пришлось испытать силу обета на себе, — этих подробностей история, увы, не сохранила. Своего рода заклинание, подчиняющее не волю приносящего обещание, а обстоятельства, которые будут вынуждены содействовать его выполнению.

— Да, очень похоже. Но я не знал, что это так называется. Меня мама научила, когда ей надоело, что я вечно забываю свои обещания.

— А Маба говорил, Лайса не стала обучать тебя магии, — невинно заметил сэр Джуффин.

Я почему-то обрадовался, что он произнес мамино имя вслух. Как будто это автоматически сделало нас если не друзьями, то кем-то вроде родственников. Хотя это, конечно, не так.

— Магии она меня и не учила, — подтвердил я. — Какая же это магия — если человек просто держит данное слово?

— Больше всего на свете я сейчас жалею, что ты не мой ученик, — неожиданно сказал шеф. — Но что сделано, то сделано.

— Но это же поправимо, — начал было я. Однако, увидев выражение его лица, сник. — Я чего-то не понимаю?

— Разумеется, не понимаешь. И в твоем положении это совершенно нормально — не понимать. Но если уж речь зашла, объясню. Обстоятельства сложились так, что твоим учителем стал сэр Макс.

— Он меня многому научил, — согласился я. — Но если что, имейте в виду, никаких специальных ритуалов не было. Сэр Макс даже ни разу не сказал: «Теперь ты мой ученик» — или что-нибудь в таком роде. И никогда не требовал, чтобы я его слушался...

— Ха! Конечно, он не требовал. И речей не произносил. И, будь уверен, не собирался. Ритуал тем не менее провел, причем в полном соответствии с традицией древних магов Хонхоны, все как по писаному, хоть университетских исследователей зови смотреть, как выглядел классический обряд принятия учительства. Сначала сэр Макс спас твою жизнь, потом поместил тебя в окружение, благоприятное для развития твоих способностей, а потом начал самолично учить всяким удивительным штукам. Например, гонять на амобилере так, что булыжники из-под колес летят. И прочим милым пустякам. Он, безусловно, не ведал, что творит, но это его проблемы. И отчасти твои — потому что, пока Макс жив и не провел специальный ритуал, чтобы разорвать вашу связь, другого учителя у тебя быть не может. Ну, то есть теоретически я могу плюнуть на традицию и вмешаться в твои дела, в Холоми меня за это не поволокут, из какого-нибудь гипотетического тайного общества не выпрут и вообще никто слова поперек не скажет. Но добром это не кончится, поверь мне на слово.

— Но я же все время чему-то у кого-нибудь учусь, — растерялся я. — Сэр Шурф однажды объявил, что такие чудовищные пробелы в области Очевидной магии совершенно недопустимы для сотрудника Тайного Сыска, и тогда они все за меня кааак взялись! Я думал, с вашего ведома. Что же мне теперь, разучиваться? А как? Надо было раньше сказать...

— Не говори глупости, — отмахнулся сэр Джуффин. — Разумеется, ты можешь и даже обязан учиться всей этой ерунде... прости, я хотел сказать, очень нужным и полезным фокусам, которые прививают тебе необходимые практические навыки, но при этом не затрагивают твою суть.

— Уже легче. Потому что я же действительно почти ничего не умею. Только нюхать, но этого мало.

— Однако твоего нюха оказалось достаточно, чтобы провести тебя на Темную Сторону, да еще и обратно вывести, причем в тот же день, а не через полгода, что само по себе дело небывалое. А несколько лет назад ты, помнится, совершил первое в своей жизни путешествие между Мирами, просто выпрыгнув в окно следом за сэром Максом. Даже испугаться не успел. Вернее, вообще не понял, чего тут пугаться. И это — идеальный подход к делу, все бы так. Все-таки Макс — очень хороший учитель. Хотя, прямо скажем, своеобразный. Как и твоя удача, которая, невзирая на своеобразие, чрезвычайно велика, в этом я не сомневаюсь.

— Я тоже, — честно сказал я. — По большому счету. Но иногда очень хочется немного лучше разбираться в деталях.

— Например? Возможно, с некоторыми деталями я вполне могу помочь.

— Например, что мне делать, если я снова почую запах Темной Стороны? Можно туда пойти или лучше не стоит?

— Дурак будешь, если не пойдешь, — отрезал шеф. Подумав, добавил: — И дурак будешь, если не вернешься. Впрочем, в ближайшие сорок лет тебе это, как я понял, не грозит.

— Хорошо, — обрадовался я. — Мне там очень понравилось.

— Еще бы. Но учти, когда я в очередной раз поведу ребят на Темную Сторону, тебя с собой не возьму — именно потому, что ты не мой ученик. В данном случае это важно. Не вздумай обижаться.

— Конечно. На что тут обижаться?

— Совершенно не на что. Но людей, которые это понимают, по пальцам пересчитать можно. Нам обоим повезло, что ты из их числа.

Он помолчал и неожиданно сказал:

— Мой тебе совет, никому не рассказывай о своей вчерашней прогулке. Это не то чтобы такая уж страшная тайна, просто есть вещи, о которых не стоит лишний раз болтать, вот и все.

— Это как раз понятно, — кивнул я. — Сам сразу почувствовал, что лучше помалкивать. Даже вам не рассказал бы, если бы прямо не спросили. А кстати, откуда вы узнали, что я там был?

— Считай, тоже учуял запах, — усмехнулся шеф. — Только не носом. Ну, или вообрази, что ты там перепачкался невидимой краской, а у меня есть специальные очки, через которые ее можно разглядеть. Короче говоря, захочешь — не ошибешься.

— А у других таких «очков» нет?

Сэр Джуффин задумался.

— Вот заодно и проверим, — наконец сказал он. — Ставлю корону, что расспрашивать тебя больше никто не станет.

Я молча вынул из кармана монету и положил на стол. И так ясно, что он выиграет. Сэр Джуффин очень хорошо разбирается в людях — в отличие от меня.

Он покачал головой.

— Забери. Так неинтересно. Вот если бы ты всерьез был уверен, что я недооцениваю чужую проницательность, тогда другое дело.

Я подумал: вот болван, надо было поставить на кого-нибудь из коллег, сделать вид, будто жажду выиграть спор, ставку, к примеру, вдвое поднять. Мне нетрудно, а начальству радость. Сэр Джуффин Халли очень азартный человек, а с тех пор, как пропал сэр Макс, вокруг не осталось ни одного желающего сыграть с шефом в карты или заключить пари. Что толку, заранее ясно, что он выиграет. Я бы на его месте уже на стенку лез.

— И еще один совет, — неожиданно сказал сэр Джуффин. — Если ты не почуешь этот запах ни завтра, ни через год, не увидишь никаких иных примет Темной Стороны, словом, не сможешь вернуться туда еще много лет, не огорчайся. Так довольно часто бывает с людьми, по тем или иным причинам оставшимися без учителя, который может просто взять за шкирку и отвести куда следует. Главное — не отчаиваться и спокойно ждать. Каждый, кто однажды попал на Темную Сторону, обязательно туда вернется, это — фундаментальное правило. Но предсказать, когда именно случится второе путешествие, невозможно. Все, что ты можешь сделать, — быть наготове. Всегда. Потому что случиться может все что угодно — в любой момент. Представляешь, как обидно будет не заметить, что оно случилось?

Я подумал — забавно. То же самое мне говорила мама. Слово в слово. Не конкретно о Темной Стороне, а о магии. И жизни в целом.

— А теперь, — сказал сэр Джуффин, — нам с тобой придется жить так, будто этого разговора никогда не было. Мне — укротить свое любопытство и оставить тебя в покое. Тебе — справляться со своими делами самостоятельно. То есть ты можешь заявиться ко мне с вопросами, которых, не сомневаюсь, будет немало. Или позвать на помощь, если поймешь, что влип. И я, конечно, приду на выручку. Но лучше бы нам обоим воздержаться от подобных поступков. Будешь смеяться, но я очень суеверен, как все шимарские горцы.

И в глубине души опасаюсь, что если мы с тобой станем вести себя так, будто твой учитель уже мертв, это, скажем так, не прибавит сэру Максу здоровья. То есть пойми меня правильно, на самом деле я не верю в такие глупости. Но моя вера — не настолько важная вещь, чтобы полагаться на нее в столь серьезных делах. Дурацкие суеверия куда надежней.

Я совсем не удивился, когда это услышал. Как будто заранее знал, что наш разговор именно так и закончится. Молча кивнул, адресовал шефу вопросительный взгляд: дескать, я пойду?

— Конечно, иди, — согласился он. — Будем жить дальше и смотреть, что из всего этого выйдет. Лично мне ужасно интересно. А тебе?

— Еще бы, — мечтательно сказал я.

И мы стали жить дальше.

Темная Сторона больше не дразнила меня своим запахом, хотя я многократно пересек пешком весь городской центр в тайной надежде, что все зависит от погоды, времени суток или даже цвета моей одежды. Но эти хитрости не помогли.

Если бы сэр Джуффин не предупредил меня, что так часто бывает, я бы, пожалуй, извелся, пытаясь понять, что делаю не так. А теперь мог позволить себе спокойно ждать. Говорил: «Даже если у меня больше ничего не получится, не беда. В крайнем случае просто дождусь, пока сэр Макс вернется. И уж тогда от него не отстану, пусть ведет меня на Темную Сторону. И вообще везде, куда учеников водить положено. Не буду стесняться, как раньше. Еще чего!»

Можно было бы сказать, что подобные размышления меня утешали, но в утешении не было нужды. Я вовсе не чувствовал себя несчастным. Жизнь моя была вполне хороша и без Темной Стороны, а после того, как черная туча, окутавшая было нашу половину Управления, вдруг куда-то подевалась — то ли сама собой, то ли кто-то из моих могущественных коллег постарался и сумел наконец ее одолеть, — из этой фразы стало можно убрать слово «вполне». А определение «хороша» заменить словом «прекрасна» — зачем мелочиться.

Так прошло больше года, и наконец наступил тот день, с которого, строго говоря, начинается история, рассказать которую я вам обещал.

В тот день сэр Джуффин Халли прибыл в Дом у Моста только после полудня и, судя по тянувшемуся за ним характерному шлейфу ароматов, прямиком из замка Рулх. Выглядел он при этом очень довольным. На ходу, правда, не приплясывал, но к тому явно шло.

Меня это, надо сказать, сразу насторожило. Я уже давно понял, что, когда шеф Тайного Сыска озабоченно хмурится, это означает, что ситуация, сколь бы сложной она ни была, в целом ему понятна и уже под контролем. А вот когда сэр Джуффин мечтательно улыбается, заразительно хохочет по самому пустяковому поводу и ходит, едва касаясь ногами земли, дело, как любил говорить сэр Макс, наверняка пахнет керосином. Штука в том, что загадки, которые поначалу кажутся неразрешимыми, наш начальник любит больше всего на свете и то ли не умеет, то ли не считает нужным это скрывать.

Я и сам устроен сходным образом. Поэтому, когда сэр Джуффин выглянул из кабинета и тоном приветливого людоеда, считающего делом чести очаровать свой будущий обед, сказал: «Сэр Нумминорих, есть разговор», я почувствовал, как за спиной вырастают крылья. Возможно, недостаточно большие, чтобы взлететь к потолку, зато способные трепетать от восторга, как будто меня позвали играть.

Я еще дверь за собой закрыть толком не успел, как сэр Джуффин спросил:

— Ты же знаком с Кегги Клегги Нагнаттуах? По моим прикидкам, вы должны были вместе учиться.

Я невольно улыбнулся, вспомнив, как сурово отчитывала эта белокурая малышка с глазами цвета темного золота сокурсников и преподавателей, ленившихся произносить ее имя полностью. И не удержался от искушения поправить шефа.

— Надо говорить: «леди Кегги Клегги Мачимба Нагнаттуах, правнучка Эши Харабагуда», если не хотите иметь дело с полудюжиной ее братьев-забияк и прочими представителями буйного клана Нагнаттуахов. Они ведут себя так, словно всего пару лет назад приехали из Арвароха. Хотя вроде бы просто потомки чирухтских горцев, причем только по бабке.

— Без тебя знаю, — зевнул сэр Джуффин. — Впрочем, ты все-таки дал исчерпывающий ответ на мой вопрос. Конечно, вы знакомы. Расскажи мне о ней, пожалуйста.

Я задумался: а что рассказывать-то? Ни друзьями, ни даже приятелями мы с Кегги Клегги не были.

Иногда я сидел рядом с ней на занятиях. Мне нравился ее запах, а ей было все равно, лишь бы не отвлекали от лекций. Более серьезной и замкнутой девушки, чем юная леди Мачимба Нагнаттуах, я в жизни не встречал.

После окончания Королевской Высокой Школы она сразу поступила на придворную службу, где получила должность с громким названием — Мастер Разделяющая Королевские Сновидения. К этой должности, насколько мне известно, прилагается особая тетрадь для записи королевских снов — в том случае, если Его Величеству придет блажь их рассказать; говорят, что за все время правления династии Гуригов в этой грешной тетрадке не набралось и полудюжины записей, и я понимаю почему. Одно дело самому вспоминать и записывать собственные сны, и совсем другое — диктовать их постороннему человеку. Я бы тоже не стал.

В любом случае после выпускных экзаменов мы с Кегги Клегги ни разу не виделись. Честно говоря, я вообще о ней забыл; уверен, что она обо мне — тем более.

От растерянности я начал издалека.

— Ну, как известно, ее знаменитый прадед был телохранителем Его Величества Гурига Седьмого и погиб в разгар Смутных Времен, когда покушениями на короля не развлекались только ленивые...

— Вот именно — «как известно», — отмахнулся сэр Джуффин. Сейчас он был похож на огромного охотничьего кота — только эти звери умеют выглядеть сердитыми и довольными одновременно. — Сам бы мог сообразить, что я не нуждаюсь в кратком пересказе общеизвестных фактов. Эши Харабагуд был моим добрым приятелем. Собственно, именно я когда-то рекомендовал его покойному королю в качестве телохранителя. Эши моя протекция, увы, не пошла на пользу, зато наша монархия была в очередной раз спасена — несколько тысяч раз, по моим примерным прикидкам.

— Ого! — невольно присвистнул я. — Неужели в те времена на короля с утра до ночи толпами кидались?

— Примерно так и было. Только одна небольшая поправка: не с утра до ночи, а, наоборот, с ночи до утра. Думаешь, старик Эши был обыкновенным телохранителем?

Я неуверенно пожал плечами — дескать, а каким же еще? По крайней мере, точно не главным. Общеизвестно, что эту должность бессменно занимал сэр Хирмуши Кепта, оберегавший Гурига Седьмого с первых дней до самого конца Смутных Времен и еще несколько лет после, пока накопившиеся за годы гражданской войны проклятия, которые, как говорят, много хуже старых ран, не свели эту живую легенду в могилу.

— Э, мальчик, да ты вообще ничего не знаешь об этом семействе! Эши Харабагуд охранял короля во сне. Точнее, на сумеречном перекрестке изнанок персональных сознаний, куда порой попадают специально обученные, особо одаренные и просто неосторожные сновидцы.

— Ничего себе, — выдохнул я. — И так, оказывается, бывает? А там есть от чего охранять? Это же просто сны, нет?

Думал, шеф меня сейчас пристукнет за назойливые расспросы. Но он почему-то выглядел довольным.

— Просто сны, да. Но когда простые сны снятся непростым людям, последствия вполне могут выплеснуться на тот самый берег, куда поутру выбрасывает всех нас, наивно полагающих, будто мы проснулись.

Лихо закрутил, хоть в «Трехрогой луне» его цитируй, на радость понимающей публике. И, главное, все сразу стало ясно. Но я на всякий случай уточнил:

— То есть, когда могущественному человеку снится, будто он, к примеру, кого-нибудь убивает, его жертва имеет шанс умереть наяву?

— Совершенно верно. И очень неплохой шанс — если убийца знает, что делает. Понятно, что старый король был одним из самых могущественных и умелых колдунов своего времени, иначе не дожил бы даже до вступления на престол. Некоторое время Его Величество распрекрасно оборонялся от разъяренных сновидцев без посторонней помощи. Проблема заключалась в том, что самозащита отнимала почти все силы и внимание короля, уж больно активно на него тогда навалились. Действовать в сновидении — великий соблазн для всякого убийцы. Возможностей больше, чем наяву; многие думали, что и риска гораздо меньше, но это, конечно, была их роковая ошибка... Так вот, единственным разумным выходом из сложившейся ситуации было найти сновидца-воина, не менее, а желательно даже более искусного, чем сам король. И я его нашел, благо ходить далеко не пришлось. Эши Харабагуд приехал в Соединенное Королевство из Тубура. Тебе это о чем-то говорит?

Я кивнул. Еще бы! Именно в Тубур по сей день отправляются жители Ехо, ощутившие призвание стать Мастерами Совершенных Снов. Управляться с собственными сновидениями вас научат почти где угодно — хоть у нас, хоть в Умпоне, хоть в Куманском Халифате, было бы желание учиться. А вот обретать власть над чужими снами обучают именно в Тубуре. Говорят, в этой маленькой горной стране сновидцев больше, чем пребывающих в бодрствующем состоянии; авторитет их столь велик, что сопредельные государства — Тарун, Тулан, Кирваори, Анбобайра и Шинпу — не только не рискуют ссориться с тубурцами, но даже выплачивают их правителям некую добровольную дань под видом ежегодных дружеских подарков. На всякий случай. Никому не хочется навсегда увязнуть в ночных кошмарах, причудливые сюжеты которых будут ограничены исключительно возможностями воображения добрых, миролюбивых соседей.

— Сколько учебных заведений ты окончил, сэр Нумминорих? — неожиданно спросил шеф.

Я удивился. Но честно попробовал сосчитать.

— Если провинциальные тоже считаются, то шесть с половиной. Половина — потому что из Королевского Университета я ушел прямо к вам, так и не сдав выпускные экзамены, а теперь уже, наверное, не соберусь... А, ну еще Высшую Светлую Школу в Кумоне, но там, честно говоря, учеба больше похожа на игру, серьезным такое образование при всем желании не назовешь. И еще я занимался разными интересными штуками с частными учителями, но это точно не в счет. А почему вы спрашиваете?

— Просто стало интересно, какое число дипломов должен иметь мой собеседник, чтобы не приходилось тратить время, объясняя ему элементарные вещи. Приятно иметь с тобой дело, сэр Нумминорих. Впрочем, подозреваю, что благодарить за это следует именно Кумонскую Светлую Школу, о которой ты столь пренебрежительно отозвался. С куманцами мне всегда было легко договориться. Возможно, именно этому их и учат?

— Легко с вами договариваться?

— Вообще-то я имел в виду — легко договариваться с кем угодно. Но твоя версия нравится мне даже больше. За это я не стану до глубокой ночи терзать тебя историями о подвигах Эши Харабагуда — неоценимых, но, по правде сказать, довольно однообразных. Скажу только, что его потомки не зря по сей день прибавляют имя прадеда к своему полному титулу. Это выглядит чрезвычайно старомодно, но им действительно есть чем гордиться. Эши Харабагуд погиб только потому, что Великие Магистры враждующих Орденов сумели укротить гордыню и сговориться о совместном покушении на короля. Ты только вообрази, девяносто восемь нападающих одновременно, все — великие мастера, лучшие в своих Орденах. Тем не менее жизнь короля была спасена. А на место погибшего Эши заступили восемнадцать новых телохранителей, благо старик успел вырастить себе смену; в их числе были четыре его дочери и даже один внук — родной дядя твоей сокурсницы. Мастер Харабагуд дал ученикам блестящую подготовку, но ребята все равно едва справлялись. К счастью, Эши помогал им даже после смерти. Специально стал призраком, чтобы не бросать учеников и опекаемого ими короля. Это притом, что призрак из старика вышел чрезвычайно непоседливый, его так и тянуло умотать куда-нибудь на другой край вселенной, но ничего, терпел, сидел в Ехо до последнего дня войны за Кодекс, только ругался с каждым днем все заковыристей. Поразительное чувство долга!

И, помолчав, вдруг добавил:

— А с виду был такой невзрачный человечек. Ростом чуть повыше равнинного гнома, с тихим голосом и отсутствующим взглядом. Как будто не только все свое внимание, но и большую часть тела перетащил в пространство сновидений, оставив снаружи лишь самый необходимый минимум. Зато какой прекрасной, величественной и грозной фигурой становился сэр Эши Харабагуд, когда кому-нибудь снился! Даже меня, помню, проняло... Впрочем, не о нем сейчас речь. А о его правнучке. Вот ее я, кажется, даже ни разу не видел, хотя при дворе бываю несколько чаще, чем хотелось бы.

— Ну, вряд ли Мастер Разделяющая Королевские Сновидения обязана присутствовать на официальных приемах и увеселительных собраниях. А по собственному желанию Кегги Клегги на торжественное мероприятие ни за что не пойдет, на какие-нибудь танцы — тем более. Она еще в Высокой Школе терпеть не могла вечеринки. Говорила, большой компанией только драться хорошо, а отдыхать человеку следует в одиночестве.

— Ишь какая, — удивился сэр Джуффин. И, подмигнув мне, признался: — Честно говоря, полностью с ней согласен.

Я воспользовался моментом и задал вопрос из числа тех, с которыми к шефу обычно не следует соваться:

— Неужели Кегги Клегги что-нибудь натворила? Тогда уж не меньше чем заговор против короны. Серьезные девочки вроде нее на мелочи не размениваются.

Вопреки моим опасениям, сэр Джуффин не откусил мне голову. А напротив, окончательно развеселился.

— Это было бы очень мило с ее стороны. Раскрывать заговоры — мое любимое развлечение. Особенно против короны, там обычно встречаются лихо закрученные сюжеты. А, кстати, против Ордена Семилистника, наоборот, самые бездарные. Не везет им, не знаю уж почему. Но нет, судьба не настолько ко мне милосердна. Вместо того чтобы составлять заговоры, леди Кегги Клегги просто пропала неведомо куда. Не оправдала наших с тобой ожиданий.

— Так, может быть, мне прямо сейчас отправиться ее искать? — начал было я, но посмотрел на сэра Джуффина и заткнулся.

На челе шефа отчетливо читались два обещания сразу: открыть мне некую нехорошую тайну и убить на месте, если я помешаю ему это сделать.

— Приятно, что ты понимаешь меня без слов, по крайней мере иногда, — мягко сказал он, убедившись, что я умолк осознанно, а не потому что вдруг увидел на потолке трещину причудливой формы, которая показалась мне гораздо интересней беседы о служебных делах. — Ситуация сложилась очень непростая — во всех отношениях. И прежде, чем принять решение, мне нужно узнать о Кегги Клегги как можно больше. Что она за человек? Все утро я расспрашивал ее товарищей по дворцовой каторге. Но этого явно недостаточно. Леди оказалась настоящей придворной дамой. Все знают, как она себя вела, что говорила и что делала. Но никому невдомек, что за этим стояло. На тебя вся надежда, сэр Нумминорих.

— От меня тоже будет немного пользы, — признался я. — Мы не были дружны. Кегги Клегги, кажется, вообще ни с кем, кроме своих братьев, не дружила. Впрочем, я любил сидеть рядом с ней на лекциях. Мне очень нравилось, как она пахнет — горячей летней травой и талым снегом, как все потомки чирухтских горцев. И еще белой шиншийской сливой — это очень редкие и дорогие духи, причем скорее детские, чем женские, хотя в наше время их может использовать кто угодно, строгие правила ношения парфюмерии, хвала Магистрам, отменили еще в начале Эпохи Кодекса. По моим наблюдениям, запах белой шиншийской сливы нравится людям, которые не хотят взрослеть, хотя профессиональные составители ароматов ни за что с этим не согласятся... Я вам еще не надоел?

— Напротив, сэр Нумминорих, — серьезно сказал шеф. — Так интересно мне уже давно не было. Продолжай, пожалуйста.

— Кегги Клегги часто курила крепкий дешевый табак, хотя с трубкой в руках я ее в жизни не видел. Наверное, она делала это тайком. За завтраком вовсю налегала на мясо с приправами и терпеть не могла сласти, во всяком случае никогда их не ела. Всеми этими выводами я, как вы понимаете, обязан своему нюху, мы с Кегги Клегги никогда не обедали вместе. Еще интересный момент: она производила впечатление очень старательной студентки и действительно неплохо училась, хотя звезд с неба не хватала. Однако, похоже, никогда не ходила в библиотеку. И вообще крайне редко брала в руки книги.

— У книг настолько сильный запах? — внезапно заинтересовался сэр Джуффин.

— Да, очень. То есть понятно, что это не один запах, а множество разных. Все зависит от возраста книги, пошедших на нее материалов, места хранения и регулярности использования. Но с книгами примерно как с цветами: их десятки тысяч, все разные, но цветочный аромат есть цветочный, тут и нюхачом быть не надо, чтобы выделить его среди других.

— Среди цветов порой встречаются исключения, — заметил шеф. — Среди книг, вероятно, тоже. Но в целом ты абсолютно прав. Забавно, что до сих пор мне даже не приходило в голову, как много ты обо всех нас знаешь.

— Я не сплетник, — на всякий случай сказал я. — А если бы был, меня бы убили еще на первом курсе Нумбанского Университета. И поделом.

— Что ты не сплетник, я давно понял, — кивнул сэр Джуффин. — Просто сейчас стали ясны масштабы твоего молчания. Небось даже мои тайные картежные загулы в «Причудливых львах» для тебя не секрет.

— Все-таки в «Лумукитанских ветрах».

Я почувствовал, что краснею, хотя так и не понял почему — вроде бы это не меня поймали на обмане, а вовсе даже наоборот. Но хоть не умолк от смущения, и на том спасибо.

— Не стану врать, что различаю по запаху абсолютно все столичные трактиры, но, пожалуй, больше половины. И вот, кстати, удивительное дело — за Кегги Клегги частенько тянулся шлейф трактирных ароматов, причем посещала она все больше простые, недорогие места. Не совсем то, что пристало юной леди, которая не любит вечеринки, правда? Впрочем, я думаю, она ходила по трактирам с братьями — не то присматривала за ними, не то, напротив, сама верховодила в общих безумствах. Я бы не удивился, увидев Кегги Клегги пляшущей какой-нибудь хоттийский охотничий танец прямо на барной стойке, от таких строгих скрытных девиц почему-то ждешь самых диких выходок. Но это все ладно бы. Есть две настоящие странности, которые не давали мне покоя, когда мы с Кегги Клегги вместе учились. Потом я, конечно, выбросил все из головы, а теперь вспомнил. Во-первых, изредка от леди Мачимба Нагнаттуах пахло близкой смертью. Не так, словно она сама вот-вот умрет, а как от человека, недавно похоронившего кого-то из родных. Так обычно пахнет от вдов или взрослых сирот, к детям запах близкой смерти почему-то не пристает. При этом в семье у них никто не умирал, я точно знаю, специально справлялся, пытаясь понять, что происходит... Слушайте, а может быть, ее просто навещал призрак покойного прадеда? Это бы все объяснило.

— Почему бы нет, — согласился сэр Джуффин. И в очередной раз удивился: — Надо же, даже у смерти, оказывается, есть запах.

— И не один, а много разных, — подтвердил я. — Со смертью дела обстоят примерно так же, как с книгами и цветами.

— А что за вторая странность? — нетерпеливо спросил шеф.

— Иногда от Кегги Клегги пахло водорослями из Моря Тысяченогов, пряными травами Красной Пустыни, горькой корой арварохских бормочущих деревьев и прочей экзотикой в таком роде. Что было бы нормально, если бы она только что вернулась из путешествия, но я-то собственными глазами видел ее в Высокой Школе — и вчера, и позавчера, и полгода назад. Знал, что она никуда не уезжала. А Темным Путем так далеко не ходят.

— На самом деле еще как ходят, — огорошил меня сэр Джуффин. — Но мастеров такого уровня действительно немного. И случайно подобным фокусам не выучишься, будь ты хоть трижды гений... А неизвестными духами перечисленные тобой запахи быть не могли, я правильно понимаю?

— Ни в коем случае. Уж что-что, а природный запах от самого хитроумного состава отличить несложно.

— Интересная, стало быть, девочка, — подытожил шеф. — Непростая. У тебя все?

— Видимо, да, — вздохнул я. — Мы с ней за все годы учебы и разговаривали-то дюжину раз — от силы. В духе: «Давайте я принесу вам стул», «Если хотите, можете воспользоваться моими записями», «Вы случайно не расслышали, что он сказал?».

— Ясно. Что ж, все равно я узнал даже несколько больше, чем рассчитывал, хвала твоему носу. А ты, сэр Нумминорих, похоже, влип. Я, видишь ли, укрепился в намерении повесить на тебя это дурацкое дело. Понятия не имею, как ты будешь выкручиваться, но это меня почему-то совершенно не смущает.

— Спасибо, — сказал я.

Хотя, ясное дело, погибал от желания громко завизжать и хотя бы пару раз подпрыгнуть.

— Все-таки хорошо, что сэр Макс заманил тебя к нам на службу, — улыбнулся шеф. — Твой нюх — чрезвычайно полезная штука. Но он ничто в сравнении с твоей способностью искренне радоваться каждому новому заданию, даже не выяснив толком, в чем оно заключается. В аналогичной ситуации мои сотрудники обычно любезно делают вид, будто ничего особенно ужасного не случилось.

Он, конечно, преувеличивал. То есть я действительно часто веду себя как восторженный идиот, но это вовсе не означает, будто остальные Тайные сыщики ненавидят свою работу. Просто они несколько более сдержанны в проявлении заинтересованности.

— Это потому что я новичок, — напомнил я.

— Так и есть. Но в твоем случае это не стаж работы, который, строго говоря, не так уж мал, а состояние души. Даже нет смысла советовать тебе сохранять его как можно дольше — по-моему, это врожденный талант, который и так никуда от тебя не денется. Ладно, теперь поговорим о деле. Начать, собственно,

следует с того, что исчезновение леди Мачимба Нагнаттуах не является происшествием, подлежащим
официальному расследованию.

Я опешил. Даже переспрашивать не стал. И без
того ясно, что я ничего не понимаю.

— Любой взрослый человек имеет полное право
скрыться в неведомом направлении и отказаться от
Безмолвной речи, никому ничего не объясняя. Если
у него нет неприятностей с законом, несовершенно-
летних детей, оставленных без опекуна, неоплачен-
ных долгов, неистекших контрактов и прочих уто-
мительных обязательств. Я в курсе, что среди твоих
многочисленных образований нет ни одного юриди-
ческого, но права граждан на передвижение, уединение и личные тайны защищаются Кодексом Хрембера, о котором ты, смею надеяться, слышал хотя бы
краем уха.

Я невольно улыбнулся. Все-таки одно удовольствие беседовать с господином Почтеннейшим Начальником. Даже когда он отчитывает тебя за несо-
образительность.

— Эту статью Кодекса я постоянно цитирую дома,
когда хочу запереться на чердаке и немного побыть
один, поэтому знаю ее наизусть. В отличие от истории
исчезновения леди Кегги Клегги, которую вы мне так
и не рассказали. Я нюхач, а не ясновидящий, сэр.

Сэр Джуффин неожиданно обрадовался:

— То есть по моему запаху ты не можешь определить, какие разговоры я вел с утра и о чем теперь
думаю? Что ж, уже легче.

— А вы всерьез думали, что такое возможно? —
изумился я.

— Не то чтобы всерьез, но решил — почему бы не проверить, — невозмутимо объяснил он. — На всякий случай. А теперь слушай внимательно. Дело обстоит так. Леди Кегги Клегги Мачимба Нагнаттуах получила длительный отпуск и отправилась в Чирухту. Конкретно — в Тубур. С ведома и разрешения короля. Более того, как я понимаю, по инициативе Его Величества и даже по его просьбе. Неофициальной, но вполне настойчивой.

— Ого, — присвистнул я.

Про себя подумал: «Неужели учиться на Мастера Совершенных Снов?» Но озвучивать не стал.

— Вот именно, — веско сказал шеф.

Вот и гадай теперь: это он просто поддержал мое «ого» или ответил на невысказанный вопрос?

— В качестве Мастера Разделяющей Королевские Сновидения леди Кегги Клегги была одной из самых бесполезных бездельниц при дворе. Не по своей вине, понятно. Не могла же бедная девочка силой заставить короля пересказывать ей свои сны. А сам он такой ерундой заниматься не желал. Однако сочувствовал юной леди и регулярно выкраивал несколько минут на болтовню с ней — просто чтобы Кегги Клегги не чувствовала себя совсем уж никому не нужной. Последствия их регулярных бесед предсказуемы и совершенно закономерны. Если бы Его Величество Гуриг Восьмой не имел несчастья родиться наследным принцем, он бы все равно давным-давно правил Миром — так неотразимо его обаяние. Наш король начинает казаться лучшим другом всякому, с кем заговорит, а если еще и улыбнется — все, пиши пропало. Честно говоря, я сам слова поперек ему сказать не могу — и, как ты понимаешь, вовсе не потому, что опасаюсь монаршего гнева. В общем, кончилось тем, что они поменялись ролями: Кегги Клегги доверчиво пересказывала королю свои сны, которые, как выяснилось, с детства были ее главной тайной, а тот внимательно слушал. Правда, не записывал — хотя и тут не поручусь, кто его знает. В ходе этих дружеских бесед король пришел к выводу, что девочка унаследовала способности своего знаменитого прадеда, а значит, из нее может получиться очень хороший Мастер Совершенных Снов — как минимум. Его Величество не стал выкладывать мне все свои соображения, но я и так примерно представляю. Времена нынче, конечно, мирные и спокойные, а все-таки хороший телохранитель-сновидец никогда не повредит.

Я молча кивнул — дескать, я тут, слушаю очень внимательно. Ни звука не издал, хотя дюжина вопросов и сотня предположений уже топтались на кончике языка.

— Кегги Клегги уехала в начале прошлого лета, то есть года еще не прошло. Король отпустил ее на неопределенный срок, зная, что обучение может затянуться надолго — заранее такие вещи никогда не предскажешь. С этой точки зрения причин для беспокойства нет никаких. Однако король поставил условие, что примерно раз в дюжину дней она должна присылать зов и рассказывать, как идут дела. Леди Кегги Клегги — девушка ответственная и поначалу регулярно объявлялась с докладами, хотя особых новостей у нее не было: на корабле отлично кормят, вчера случилась небольшая качка, изамонские гостиницы ужасны, горы великолепны, река Аккар из бабкиных песен оказалась узкой, как ручей, зато вода в ней горячая, городок Вэс Уэс Мэс неописуемо хорош, особенно на рассвете, о существовании ванных комнат здесь понятия не имеют, дядюшка Еси Кудеси — прекрасный человек и обещал всему ее научить, первые занятия — скука кромешная, но скоро, говорят, начнется самое интересное. И, надо полагать, интересное действительно началось, потому что в начале зимы леди пропала. С тех пор больше ни разу не присылала зов королю и на его попытки связаться не реагировала, как будто сидит в Холоми. Но по крайней мере ясно, что жива — когда пытаешься послать зов покойнику, это сразу чувствуется, захочешь не ошибешься.

— В начале зимы — это довольно давно, — заметил я. — Сейчас-то весна уже в разгаре.

— Поначалу король не придал молчанию Кегги Клегги большого значения. Он в курсе, что человек, которого обучают искусству сновидения, может проспать, не просыпаясь, несколько дюжин дней кряду. Наш король вообще довольно много знает о сновидениях — думаю, побольше, чем мы с тобой.

— Ну, я-то о них вообще ничего не знаю, — признался я. И, не удержавшись, похвастался: — Кроме разве что языка, на котором их следует обсуждать.

— Какого языка? — удивился шеф. Потом его глаза стали круглыми, как у буривуха, и он спросил: — Погоди, сэр Нумминорих. Хочешь сказать, ты знаешь хохенгрон? Вот это да! На такую удачу я даже не рассчитывал. Но откуда? В Высокой Школе ты его, насколько я помню, не учил.

— Именно потому что уже знал. Мама научила, когда я совсем маленький был. Говорила, это такой специальный язык, чтобы рассказывать сны. Я думал, она сама его сочинила для смеху, а потом оказалось — настоящий.

— Еще бы не настоящий. Маба всех своих послушниц заставлял его зубрить. По его мнению, хохенгрон — единственный язык, на котором можно более-менее внятно говорить про время. Как по мне, это просто один из самых верных способов быстро рехнуться, но Мабе, конечно, виднее.

И умолк, как будто мы уже все обсудили. Принялся набивать трубку. Меня, понятно, разрывало от вопросов, но я решил сразить шефа еще и своей стойкостью — в придачу к хохенгрону.

Но все-таки не выдержал. Спросил:

— А теперь король начал беспокоиться?

Сэр Джуффин молча кивнул и приступил к раскуриванию трубки. Мы с сэром Максом как-то поспорили, магию какой ступени использует наш шеф, чтобы максимально замедлить этот простой, в сущности, процесс. Сошлись на том, что столь больших чисел мы оба не знаем. И решили, что подобное издевательство над сотрудниками следует запретить особым королевским указом. Но соответствующий указ, увы, до сих пор не издан, поэтому мне пришлось мучиться еще целую вечность. Минуты три, не меньше. Потом я не выдержал еще раз.

— А королевское беспокойство — недостаточный повод, чтобы начать расследование?

Шеф только плечами пожал. Но минуту спустя смилостивился.

— С одной стороны, более чем достаточный. Поэтому, собственно, мы с тобой и разговариваем. А с другой, будешь смеяться, вообще не повод. Если бы родные Кегги Клегги тоже беспокоились, тогда мы все вместе подумали бы, как обойти закон о праве на уединение. Всегда можно более-менее убедительно доказать, что исчезновению предшествовали тревожные известия, дурные предчувствия или еще какие-нибудь обстоятельства, позволяющие объявить о возможной угрозе жизни и здоровью пропавшей без вести и начать расследование. Но семейство Мачимба Нагнаттуах считает, что официальные поиски навсегда испортят им репутацию. Дескать, это будет выглядеть так, словно девочка самовольно сбежала с королевской службы. Слушать никого не хотят — в том числе самого короля. Уверяют его, что рано или поздно пропажа сама объявится, потому что в этом состоит ее долг. А если не объявится, Магистры с ней, пусть пропадает пропадом. У них очень старомодные представления о чести. Или же какие-то особые причины не разыскивать Кегги Клегги — такой вариант тоже не следует упускать из виду. Поэтому никакого расследования не будет. Просто я дам тебе длительный отпуск. И ты используешь его, чтобы осуществить давнюю мечту и отправиться в Тубур. Например, попрактиковаться вести беседы на хохенгроне с настоящими носителями этого редкого языка. Или выучиться на Мастера Совершенных Снов.

— Я, кстати, не раз собирался, — признался я. — Но почему-то не сложилось.

— Ну вот видишь. А теперь непременно сложится, — ласково пообещал шеф.

Он не добавил: «А если не сложится, я тебе голову откушу», но это явно подразумевалось.

— И, разумеется, никто не может запретить мне попробовать отыскать подружку юности, — сказал я. — Если уж так вышло, что перед отъездом я решил навестить ее во дворце и узнал, что Кегги Клегги тоже отправилась учиться в Тубур. А что на зов не отвечает, это меня не смутило — я же понимаю, что она теперь подолгу спит.

— У тебя неплохая голова, сэр Нумминорих, — заметил сэр Джуффин. — Сколько мы знакомы, а я все удивляюсь. На своем веку я встречал нескольких нюхачей и начал было всерьез думать, что хорошее обоняние каким-то образом препятствует развитию ума.

— А так и есть, — подтвердил я. — Обоняние — оно же у нас с самого рождения. Слишком много острых впечатлений для одного маленького человека. Лично я лет до шести даже не говорил — мне просто было не до того. К счастью, мама спохватилась и принялась меня учить. Как я сейчас понимаю, она сумела убедить меня, что в мире полно вещей, не менее и даже более интересных, чем запахи. Это серьезный аргумент в пользу включения головы и всего остального. А как вы думаете, почему я всю жизнь чему-то учился?

— Собственно, примерно так я и думал — потому что тебе интересно. Но не догадывался, что за этим стоит жизненно важная необходимость постоянно уравновешивать обостренное чувственное восприятие впечатлениями совсем иного рода. Очень любопытно! Даже захотелось на время оказаться в твоей шкуре. Но это как раз ждет — в отличие от твоего отпуска, приказ о котором я намерен подписать прямо сейчас. Официально я отпускаю тебя на год, но не вздумай поверить в этот вздор. Ты должен вернуться на службу, как только с делом будет так или иначе покончено. С другой стороны, если обстоятельства задержат тебя на несколько лет, я не стану гневаться и увольнять тебя за прогулы, об этом не беспокойся.

— На несколько лет — это уж как-то слишком, — удивленно сказал я.

— Никогда не знаешь, сколько проспишь, если заснул в горах, — пожал плечами сэр Джуффин. — Так говорят у меня на родине, подразумевая изменчивость погоды и общую непредсказуемость ситуации, но я подозреваю, что поговорку к нам завезли купцы из Чирухты, и понимать ее следует буквально. Впрочем, твоей дочке еще далеко до совершеннолетия, а значит, надолго ты в Тубуре не застрянешь. Этот твой смешной обет — еще один веский аргумент в пользу того, чтобы послать на поиски именно тебя. Ты, кстати, как думаешь добираться?

— Будь моя воля, нашел бы корабль до Таруна или Тулана, а еще лучше до Кирваори, хотя это изрядный крюк. Никогда там не был, а говорят — прекрасная земля. Подозреваю, однако, что мне следует в точности повторить маршрут Кегги Клегги: ужасная изамонская гостиница, великолепные горы, горячая река Аккар, городок Вэс Уэс Мэс. Да будет так. Хотя первого пункта я бы с радостью избежал.

— Тоже не любишь Изамон? — сочувственно спросил шеф.

— По-моему, его вообще никто не любит. Удивительно нелепая страна. То есть места-то там красивейшие. Но люди! Никогда не видел такого сборища неприятных личностей в одном месте. Даже самые добродушные толкаются локтями, хватают собеседника за одежду и никогда не отвечают на прямо поставленный вопрос, а орут что-то свое прямо в ухо, такие уж у них манеры. И запах у изамонцев тяжелый, как у больных коз, хотя с виду — обычные жители чирухтского южного побережья, нормально сложенные, здоровые, даже красивые, несмотря на дурацкую одежду... Я, пока сам туда не съездил, вечно спорил с приятелями, бранившими всех изамонцев скопом, — дескать, не говорите глупости, не может целый народ быть плохим. Но с тех пор, как побывал в Цакайсысе, пристыженно помалкиваю. Причем в соседнем Таруне люди чудесные — дружелюбные, чудаковатые и при этом хозяйственные на свой лад; чуть ли не каждый второй — профессиональный художник, остальные   просто любители, разрисовывают даже тротуары, двух похожих домов не сыщешь, а сады такие, что хоть в дерево превращайся, чтобы навек там поселиться. И пахнут тарунцы не хворой козой, как соседи, а морской травой, свежим ночным ветром и древесной корой; то есть, конечно, каждый по-своему, но эти оттенки непременно присутствуют даже у их дальних потомков. Что самое поразительное — это же, по идее, один береговой народ, с общими корнями и единым культурным фундаментом. Современные прибрежные государства Чирухты возникли сравнительно недавно, и сходства между ними куда больше, чем различий, — да вы и сами в курсе, чего я вам лекцию читаю. И посреди всего этого — столь вопиющее исключение, историческая дыра, культурный провал. Словно для жителей Изамона не было ни древнего Приморского Кодекса, ни гильдии Радужных Странников, ни обычаев Дымного Пути — то есть вообще никаких традиций, сформировавших облик соседних стран. Не знаю, что и думать. Как будто кто-то их проклял, этих изамонцев.

— Будешь смеяться, но именно так и обстоят дела, — совершенно серьезно подтвердил сэр Джуффин. — Это очень старая история. Еще в эпоху Халлы Махуна Мохнатого жила прекрасная, но суровая леди по имени Гургулотта Гаргахай, одна из самых могущественных ведьм своего времени. Взглянув на нее, можно было решить, будто леди Гургулотта всегда пребывает в гневе, выслушав приветствие, содрогнуться и удрать подобру-поздорову, но ее поступки были гораздо добрее слов, что само по себе удивительно — обычно оказывается наоборот. Она входила в Сияющую Сотню — так назывался временный союз магов, объединившихся, чтобы помочь Халле Махуну в постройке новой столицы, — и, если верить некоторым источникам, там верховодила — разумеется, негласно, официального предводителя эти гордецы не потерпели бы. Ну а на практике Гургулотте просто невозможно было слова поперек сказать. Бывают такие леди, и счастье, что далеко не все они могущественные колдуньи, а то Мир давным-давно рухнул бы под тяжестью их властных взоров. Впрочем, важно сейчас не это, а то, что однажды Гургулотта Гаргахай отправилась путешествовать по Чирухте — то ли ее предки были оттуда родом, то ли просто захотела развеяться, теперь уже не выяснишь. Зато доподлинно известно, что путешествие было испорчено встречей с какими-то проходимцами, навязавшими себя в качестве проводников. В услугах Гургулотта не нуждалась, но, услышав, что бедняги готовы работать за еду, из жалости пригласила их к костру и предложила поужинать. Однако не зря говорят, что давать волю доброте следует не менее осмотрительно, чем предаваться гневу. Поев, выпив и осмелев, эти двое принялись шуметь, перебивать собеседников, рассказывать дурацкие истории о якобы совершенных ими подвигах, словом, испортили вечер, а в финале даже попытались склонить леди Гургулотту к любовному союзу; впрочем, все это ее только рассмешило. Но когда поутру она обнаружила, что незнакомцы скрылись, прихватив с собой изрядную часть дорожных припасов, рассердилась не на шутку, за все сразу. И сгоряча прокляла не только самих бродяг и их потомков до конца Мира, но и побережье, где имело место столь неприятное происшествие. Не знаю, как в точности звучало ее проклятие, но смысл таков, что земля, поленившаяся разверзнуться под ногами глупых неблагодарных воришек, будет теперь всегда заселена подобным народом, и не видать им вовек ни процветания, ни славы, ни покоя, ни даже чужой доброты.

— Какой ужас, — сказал я. — Так же нечестно! И просто непрактично — зачем увеличивать число неприятных людей? Лучше бы она тем двум дуракам головы оторвала, если уж рассердилась, и дело с концом... Так, выходит, изамонцы не виноваты, что они такие? Это у них вроде болезни? А расколдовать их никто не пробовал? Тот же король Мёнин, например, точно смог бы снять чужое проклятие. И, наверное, не только он.

Сэр Джуффин озадаченно нахмурился.

— До сих пор никому просто в голову не приходило ставить вопрос подобным образом. Такова уж сила своеобразного изамонского обаяния — одни от них шарахаются, другие просто смеются. А что изамонцев надо спасать — это как-то в сознании не укладывается, хотя история о проклятии Гургулотты Гаргахай довольно широко известна, по крайней мере моим ровесникам и тем, кто еще старше.

— Ну, лечим же мы безумцев, — напомнил я. — Вместо того, чтобы смеяться или шарахаться. Хотя некоторые ведут себя так, что изамонцам и не снилось.

— Ты совершенно прав. Теперь самому интересно — почему лично мне ни разу в жизни не захотелось попробовать снять проклятие с этой земли? Ну, положим, чужая доброта им по милости леди Гургулотты не светит. Но просто из любопытства и азарта — почему нет? Я же как раз люблю такие дурацкие задачи, которые кажутся невыполнимыми, пока не найдешь какое-нибудь простое решение, все время лежавшее на виду... Надо будет об этом подумать. Однако до твоего отъезда, сэр Нумминорих, дело вряд ли уладится. Так что придется тебе потерпеть знаменитое изамонское гостеприимство, бедняга.

— Ладно, переживу, — сказал я. — Знахарская практика в Приюте Безумных была не слаще, но я все равно не сбежал. Как же хорошо, что вы рассказали мне о проклятии! Теперь все встало на места. Раньше-то изамонцы меня, стыдно сказать, пугали. Мои спутники уже стонали от смеха, а мне было жутко, представляете?

— Честно говоря, не представляю, — улыбнулся сэр Джуффин. — Раздражать они могут, это да. Но жути в них, по-моему, нет вовсе.

— Не в них самих, а в факте их существования. Когда я увидел прекрасную приморскую страну, заселенную исключительно нахальными дураками без совести, чести и даже мало-мальски сносных манер, это пошатнуло мою картину Мира — целиком. В детстве я думал, что Мир бесконечно добр ко всем своим обитателям. Потом, конечно, выяснилось, что это не совсем так — хотя лично мне-то как раз грех жаловаться. Но я всегда был совершенно уверен, что Мир по меньшей мере не зол. Здесь нет места бессмысленному мучительству. Даже в самых страшных вещах и событиях есть какой-то смысл, пусть не всегда понятный, но явственно различимый, как незнакомый запах. А Изамон оказался серьезным ударом по моей убежденности. И как, скажите на милость, договариваться с Миром, которому перестал верить? Вот чего я тогда испугался. Со временем это прошло, но только потому, что я умею выбрасывать из головы мысли, которые отравляют жизнь. Сказал Миру: «Ладно, наверное, в Изамоне тоже есть смысл, просто я его не понимаю, прости дурака. Давай останемся друзьями». И он на меня вроде не рассердился. Хотя мог бы.

Я думал, шеф поднимет меня на смех, но он только спросил:

— А что, собственно, изменил мой рассказ о Гургулотте Гаргахай? Какой смысл в ее проклятии?

— По-моему, никакого. Но леди Гургулотта при всем ее могуществе — просто человек. А люди могут сколько угодно ошибаться и вообще творить что хотят. Это меня совсем не тревожит. Смысл — как я себе его представляю — не в наших поступках, а в самой возможности их совершать. Точнее, в многообразии возможностей, которые, по большому счету, суть одна великолепная возможность — быть.

— Самое смешное, что я тоже примерно так думаю, — неожиданно признался сэр Джуффин. И тут же язвительно добавил: — В тех редких случаях, когда даю волю дурной привычке к философствованию. То есть примерно раз в сто лет. Бери с меня пример, мальчик, чаще это делать не стоит.

— Ладно, — согласился я. — Тем более сейчас мне, наверное, следует не думать о смысле, а ехать в порт и искать попутный корабль до этой грешной Цакайсысы.

— Зачем искать попутный, когда можно просто нанять?

— Чтобы моя поездка выглядела как самый настоящий отпуск. Если найму целый корабль, вместо того чтобы купить место в каюте, сразу станет ясно, что я спешу и не считаю денег, следовательно, еду по служебным делам. Капитаны такие штуки очень хорошо понимают. А разговорами о больших доходах их не проймешь. Если мое имя не значится в списке городских богачей, значит, и корабль для своего удовольствия я нанимать не должен. По статусу не положено, и точка.

— Для человека, регулярно размышляющего о смысле бытия, ты очень неплохо знаешь жизнь, — заметил шеф.

Я смущённо ухмыльнулся, довольный его похвалой, и вскочил с места, намереваясь подтвердить свои слова делом — то есть немедленно отправиться в порт, а там так люто торговаться с капитанами, чтобы по столице поползли слухи, будто Тайным сыщикам урезали жалованье. И только на пороге запнулся, вдруг осознав, что не так в нашей затее. И это «не так» не нравилось мне до такой степени, что лучше бы было обойтись без поездки в Тубур, хоть и мечтал я о ней столько лет.

— А как же сэр Макс? — спросил я.

— Что — как же? — сэр Джуффин так удивился, что даже положил на стол трубку, которую принялся было набивать в честь окончания нашей беседы.

— Вы же сами говорили, что, пока он не умер, у меня не может быть учителя, — напомнил я. — А если я буду учиться сновидениям...

— Нет-нет-нет, никто не умер. — шеф был столь великодушен, что сразу ответил на вопрос, который я не решился задать. — Искусство сновидений — это совсем другая традиция, к вашим с сэром Максом делам никакого отношения не имеет. Всё равно как если бы ты, к примеру, вдруг решил поступить в очередной университет. Или выучиться на портного, на радость твоему приятелю Мелифаро. Так что можешь спать спокойно.

На фоне предстоящей мне командировки в страну сновидцев это прозвучало по-настоящему добрым напутствием.

...Как бы мы ни рассуждали о всеобщей нелюбви
к изамонцам, а наши корабли в их главный порт Цакайсысу ходят регулярно. Через Изамон пролегают
кратчайшие пути в горные государства Тубур и Шинпу, с которыми охотно торгуют столичные купцы.
Добираться туда через Тулан или тот же Тарун гораздо приятней, но времени отнимает больше. К тому же
во всех прибрежных государствах Чирухты действуют таможенные ограничения и взимаются довольно
чувствительные пошлины, а изамонцы уже которое
столетие ведут споры, составляют все новые списки
правил, сочиняют невообразимо лютые законы, закончив работу, кричат, что все неправильно, и заново
садятся переписывать, поэтому таможни у них как не
было, так и нет. Для наших экономных торговцев это
решающий аргумент, и сейчас Цакайсыса, можно
сказать, переживает свой расцвет, хотя более убогого,
грязного и малоприспособленного к приему большого числа кораблей порта вообразить невозможно.

Все это я говорю к тому, что найти корабль, следующий в Изамон, оказалось проще простого — в
ближайшие дни туда намеревалась отправиться добрая дюжина судов. Выбрать среди них наиболее подходящий вариант было ненамного сложнее. Учеба в
Корабельной школе пошла мне на пользу — я знаю,
что к чему, и, в отличие от большинства потенциаль-
ных пассажиров, не соблазнюсь комфортабельной
каютой тяжелого медлительного бахуна, особенно
если предстоящий путь проходит в опасной близости от островов Укумбийского моря. Ясно же, что,
сколько бы прекрасных, грамотно составленных до-
говоров о ненападении на суда Соединенного Коро-

левства ни подписывал от лица всего Укумби их посол Чекимба Битый Рог, на поведение его соотечественников эти дипломатические достижения оказывают исчезающе малое влияние. Вообще-то, было бы ужасно интересно своими глазами поглядеть на укумбийских пиратов в деле, но позиция пассажира корабля, не способного уйти от погони, представляется мне не слишком удачной для первого знакомства с этими выдающимися людьми.

Поэтому я остановил свой выбор на каруне — пассажирские каюты там похуже, чем на бахуне и даже банфе, место стоит втрое дороже, зато скорость и надежность несравнимо выше. Штука в том, что помимо парусов каруны снабжены магическими кристаллами, в точности как амобилеры, поэтому штиль для них не проблема. Да и укумбийские пираты — проблема сугубо теоретическая. Они не дураки и прекрасно знают, что управлять каруной может только человек, хоть сколько-нибудь сведущий в Очевидной магии. При этом за пределами Угуланда Кодекс Хремберга никому не указ, а руки-то у капитанов чешутся, им только повод дай. Это я понял на собственной шкуре, когда коллеги как следует взялись за мое образование. Уметь колдовать и воздерживаться от этого занятия — все равно что быть поэтом, давшим зарок больше не писать стихов. То есть терпеть, конечно, можно. Но очень не хочется.

Рассказывать о нашем плавании к берегам Чирухты нет смысла. Да и не о чем тут говорить. Для человека с моим нюхом находиться на палубе корабля, вышедшего в открытое море, счастье столь же полное, несомненное и не поддающееся описанию, как, к примеру, посещение лумукитанской бани или куманского Дома Наслаждений в сезон урожая пэпэо. Скажу только, что, если и было у кого-нибудь из команды подозрение, что я отправляюсь по служебным делам, оно рассеялось примерно на третий день пути — когда я окончательно перестал контролировать выражение своего лица и откликаться на собственное имя. Поскольку безумием от меня не пахло и под ногами у команды я не путался, меня оставили в покое, и это был лучший отпуск в моей жизни. Всего-то обязанностей — поесть, поговорить с Хенной, а вечером связаться с сэром Джуффином Халли, который потребовал от меня ежедневных подробных отчетов, вне зависимости от того, насколько бедна событиями будет моя жизнь. Сказал, лучше он сам станет решать, какие новости заслуживают внимания, а какие нет. Дескать, потом, задним числом, вполне может оказаться, что самое важное — это форма облаков, проплывающих над Великим Средиземным морем, и глупо получится, если я не поставлю начальство в известность.

Поэтому о форме облаков я ему докладывал исправно — других-то новостей всяко не было.

За несколько часов до прибытия в Цакайсысу ветер принес первые портовые запахи, и они сами привели меня в чувство, никаких дополнительных усилий не понадобилось. В этом смысле Изамон очень удачное место для нюхача, который хочет быстро прийти в себя после продолжительного морского путешествия. Потому что, когда, к примеру, прибываешь в Капутту, где не только воздух, но и доски с канатами навсегда пропитались ароматами меда, пряностей и цветов, приходится принимать решительные меры. Меня в подобных случаях всегда спасал стакан Джубатыкской пьяни — в принципе достаточно понюхать, а если еще и выпить, состояние блаженной одури перестает быть проблемой как минимум до следующего утра. А с обычным опьянением справиться проще простого. Я этому еще в юности выучился, когда понял, что быть пьяным дольше получаса скучно, а само по себе оно так быстро не пройдет.

Но Цакайсыса сама превосходно меня отрезвила задолго до прибытия, так что я еще пообедать напоследок успел, а заодно переодеться в роскошный зимний придворный костюм эпохи вурдалаков Клакков, специально прихваченный из дома ради укрощения изамонцев. Конечно, в идеале следовало парядиться по местной моде, прибавив к узким, тонким, как чулки, штанам, едва достигающей пояса куртке и обязательной меховой шапке несколько килограммов драгоценных украшений, но, при всем моем пристрастии к карнавальным переодеваниям, на этот шаг я так и не решился. К счастью, отыскался прекрасный компромисс: старинное лоохи, сшитое из лоскутов драгоценной парчи, отороченное мехом, обильно украшенное пуговицами из шиншийских самоцветов и тряпичными цветами; к нему прилагалось бесформенное подобие тюрбана из серебристых лисьих хвостов и синих перьев птицы сыйсу. Обычно этот наряд висит на манекене, любезно согласившемся охранять вход в нашу лавку, и привлекает взоры досужих зевак, так что продавать его Хенна отказывается наотрез — где еще мы такую рекламу найдем? Но мне одолжила без возражений. Ясно же, что на изамонцев, полагающих меха и блестящие камни вершиной роскоши и символом жизненного успеха, этот костюм должен произвести впечатление столь сокрушительное, что они сочтут меня важной персоной и держаться станут предельно вежливо. Ну, по крайней мере, в трактире никто в миску не плюнет, пробегая мимо, — уже можно жить.

Увидев меня в этом наряде, матросы и вышедшие на палубу пассажиры оцепенели, приготовившись не то взорваться от хохота, не то разбежаться по сторонам, если я вдруг начну кусаться. И только капитан удивленно покачал головой и буркнул: «А что, вариант. Себе, что ли, такое заказать?» Приятно иметь дело с опытным и сообразительным собеседником. Я даже пожалел, что мы уже почти прибыли в порт, а значит, вряд ли успеем подружиться.

С другой стороны, у человека, который так и не подружился с попутчиками, всегда есть время посидеть и подумать, как вести себя дальше. А мне того и требовалось.

Дальнейший маршрут я продумал заранее. До границы с Тубуром всего день неспешной езды, в этом смысле Цакайсыса очень удачно расположена. А дальше — не дорога, сплошное удовольствие. Знай поднимайся все выше и выше, ночуй в любом из многочисленных горных селений — там и накормят, и одеялами снабдят, если своих мало, и песен на ночь споют, сколько даже от мамы в детстве не слышал, а если, паче чаяния, собьешься с пути, охотно подскажут, в какой стороне течет горячая река Аккар, странствие вдоль русла которой рано или поздно приведет доверившегося ей путника в городок Вэс Уэс Мэс. Одна беда с этими горцами: сколько ни уговаривай их взять плату за еду и ночлег, ничего у тебя не выйдет. Зато подарки примут с радостью. Поэтому я запасся несметным количеством детских игрушек, теплых шалей, драгоценных колец и бутылок осского аша — с тех пор, как сэр Макс научил меня уменьшать и прятать между пальцами любую поклажу, размеры и вес дорожной сумки перестали иметь значение, и это, конечно, очень удобно. Я даже амобилер поначалу собирался с собой прихватить, да вовремя сообразил, что толку от него в Чирухте никакого. Потому что, во-первых, согласно незыблемой древней традиции, в Тубурских горах, через которые будет пролегать большая часть моего пути, положено странствовать пешком, даже на верховых животных только груз навьючить дозволяется. А во-вторых, на таком большом расстоянии от Сердца Мира столичная машина будет не ездить, а ползать со скоростью нахлебавшейся Супа Отдохновения гусеницы.

Из всего этого следовало, что добираться до границы придется с наемным возницей. Жители Чирухты устанавливают на свои амобилеры чуть ли не по дюжине магических кристаллов — в таком большом количестве они позволяют разогнаться миль до пятнадцати в час, а это все-таки несколько быстрее, чем пешком. Застрять в Цакайсысе без транспорта мне не грозило: общеизвестно, что чуть ли не половина тамошних жителей успешно промышляет извозом, беззастенчиво пользуясь тем, что желание очень быстро покинуть их гостеприимный город даже у скупцов отбивает привычку торговаться.

Что мне действительно надо было обдумать — это как я переживу полдня и ночь в Цакайсысе. Хотелось бы отправиться к границе немедленно. Но до заката оставалась всего пара часов, а местное население, в отличие от нас, в темноте ничего не видит; при этом славный обычай освещать загородные дороги фонарями в Изамоне, увы, не прижился.

К тому же в прошлый приезд я успел выяснить, что ночь в Изамоне почему-то считается таким специальным зловещим временем суток, когда даже самые добропорядочные граждане чуть ли не обязаны творить всякие бесчинства: приставать к незнакомым женщинам, затевать уличные драки, воровать выпивку в лавках, бить соседские окна или хотя бы в чужой суп по трактирам плевать, если на большее удали не хватает. А наемные возницы после заката чудесным образом превращаются в грабителей, к счастью настолько неумелых и трусоватых, что отбиваться от них — скорее потеха, чем настоящая проблема.

Драться я, конечно, умею, как любой мальчишка, выросший на городской окраине, но не люблю — очень уж неприятно начинают пахнуть во время драки люди, включая меня самого. А с тех пор, как сэр Шурф показал мне несколько смертельно опасных приемов, мотивируя это тем, что даже нюхачу может понадобиться защита, я всерьез боюсь кого-нибудь убить. Как человек, начавший учиться Очевидной магии достаточно поздно, я, наверное, лучше прочих могу отследить ее воздействие на самого колдуна. И главная опасность, на мой взгляд, заключается в том, что всякий хорошо отработанный прием только и ждет случая быть примененным на практике. Я хочу сказать, колдовство может совершиться по собственной воле, не дожидаясь твоего решения. Надеюсь, со временем я все-таки привыкну держать его под контролем, а то глупостей можно натворить — страшное дело.

Собственно, именно этого я больше всего опасался, раздумывая о грядущем общении с изамонцами, — себя. В прошлый-то раз ограничилось несколькими синяками, а теперь, если меня совсем допекут, дело может закончиться настоящей бедой.

Однако от ночи в Цакайсысе мне было не отвертеться. Список более-менее приличных гостиниц я составил заранее, опросив не одну дюжину опытных путешественников; деньги тоже приготовил и сложил в купленный на Сумеречном Рынке злобный кошелек — очень полезный сувенир Эпохи Орденов. У нас, в Ехо, он вполне способен оттяпать палец незадачливого карманника, а на таком большом расстоянии от Сердца Мира — только умеренно грозно зарычать. Но я надеялся, что этого достаточно.

«Главное — не забывать, что бедняги не виноваты, — сказал я себе. — Все из-за дурацкого проклятия. Будем считать, это просто очередная практика в Приюте Безумных. Надеюсь, все-таки последняя в моей жизни. Потому что назад можно вернуться через Тарун. А что, отличная идея!»

Пообещав себе столь соблазнительную награду, я приободрился. И заодно вспомнил, как спасался во время знахарской практики: твердил наизусть отрывки из «Маятника Вечности». По сравнению с этим ужасающим текстом любая напасть сразу кажется просто приятным поводом хотя бы ненадолго от него отвлечься. Важно не впасть в другую крайность и не устремиться навстречу неприятностям.

Ступая на шаткий, зато покрытый надежным толстым слоем мусора причал Цакайсысы, по иронии судьбы и прихоти портовых властей именуемый Золотым, я твердил про себя: «Интерпретация — традиционный инструмент десакрализации, а вследствие асимметричного дуализма всякой когнитивной интенции, инициированная интерпретатором экзистенциальная деконструкция может содействовать прецедентному переформированию изначальной концепции...» — и не было в тот момент в Мире человека безмятежней меня.

Полчаса спустя я все еще находился на территории порта — и не потому, что заплутал, как это обычно случается тут со всеми путешественниками, просто порт велик, а я шел неторопливо, глазея по сторонам, даже «Маятник вечности» цитировать перестал — он мне оказался без надобности.

Я хочу сказать, изамонцы больше меня не раздражали, хотя остались столь же горластыми, хамоватыми и бестолковыми, какими я их запомнил. И нелепо пародирующие ритуальные головные уборы соседей-горцев меховые шапки, которые даже в жаркую погоду носит все здешнее мужское население, были на месте. И пахло от них по-прежнему слежавшейся козьей шерстью, но даже это больше не имело значения. Похоже, я здорово недооценил силу воздействия информации о проклятии Гургулотты Гаргахай на мое сознание. То есть я, конечно, надеялся, что теперь мне будет гораздо легче уговорить себя не раздражаться. А на деле и уговаривать не пришлось. Я просто не мог всерьез сердиться на этих бедняг. Вероятно, сказалась наработанная за годы учебы привычка сочувствовать пациентам — говорят, некоторым она успешно заменяет настоящее знахарское призвание; видимо, так и есть.

«Ничего, — думал я, ласково взирая на попытавшегося поставить мне подножку низкорослого типа в грязных розовых лосинах и полуметровой меховой шапке, полагающейся по рангу только местному начальству, — может быть, еще на твоем веку проклятие будет снято. И как же славно вы все тогда заживете». «Бедная девочка, — говорил я себе, провожая взглядом напуганную рычанием моего кошелька портовую воровку, — какая же у нее, в сущности, собачья жизнь. А родилась бы всего в нескольких сотнях миль отсюда, в Таруне, рисовала бы сейчас птиц на ставнях своего дома и горя не знала бы».

Вообще-то я довольно добрый человек — в том смысле, что чужие страдания меня скорее огорчают, чем радуют. И если я в силах чем-то помочь, не стану сидеть сложа руки. А если не в силах, постараюсь хотя бы не сделать хуже. Но такое творилось со мной впервые. Все-таки людям, которые старались мне навредить, я прежде не особо сочувствовал. Мстить не рвался, это правда. Но изводиться из-за их проблем точно не стал бы. А теперь разве только слезы не лил, но к тому, боюсь, шло. Так что в конце концов мне пришлось снова призвать на помощь «Маятник вечности» — чтобы не давать волю жалости, в данной ситуации совершенно бесполезной.

Заодно я наконец выбрался с территории порта, и это была хорошая новость. В городе все же гораздо чище, по крайней мере на центральных улицах, куда я почти сразу вышел, ориентируясь на слабые дуновения приятных запахов — вкусной еды и дыма от хороших ароматных дров. Все-таки что-что, а готовят в Изамоне превосходно. Может быть, потому, что поварами у них становятся только женщины? Я не раз слышал, женщины несколько более устойчивы к чужой ворожбе; возможно, проклятий это тоже касается?

Справедливости ради следует сказать, что прогулка по улицам Цакайсысы оказалась вовсе не столь ужасной, как в мой первый приезд. То ли исторический костюм произвел желанный эффект, то ли отразившееся на моем лице сострадание почиталось в Изамоне разновидностью безумия, и от захворавшего старались держаться подальше. Факт, что никто не наступал мне на ноги, не толкал локтями и не пихал в спину с требованием освободить путь. А что трактирные зазывалы и продавцы любовных услуг за полу лоохи дергали — так это, с точки зрения изамонца, деликатное, почти робкое поведение. Обычно-то они на шею вешаются и не отпускают, пока силой не стряхнешь.

Первая встретившаяся на моем пути гостиница из списка условно приличных называлась «Драгоценный покой великолепного странника». Звучит довольно дико, но для изамонской гостиницы это еще вполне сдержанное название. Пока я шел, мне на глаза попались вывески: «Главный золотой дворец для величайших людей», «Богатый господский дом немыслимого блаженства», «Звездный чертог вельможных повелителей света и тьмы», «Жемчужная обитель неизъяснимо царственной роскоши» — все это были страшенные разваливающиеся лачуги с битыми окнами, завешенными грязными тряпками дверными проемами и мусорными кучами, перегораживающими вход. «Звездный чертог» обходился вовсе без крыши, а «Главный золотой дворец» — без части стены, но это, похоже, ничуть не смущало их владельцев, горделиво лузгающих орешки на крыльце своих хором и громко зазывающих постояльцев.

На этом фоне «Драгоценный покой великолепного странника» выглядел просто прекрасной гостиницей — крепкий трехэтажный дом с умеренно облупившимся фасадом, окна и двери на месте, а у входа вместо традиционной мусорной кучи красовалась вполне опрятная круглая клумба, на которой, впрочем, ничего не росло. Но мне было приятно думать, что семена уже высажены, причем перед посадкой их не стали ни жарить, ни варить — если не из соображений здравого смысла, то хотя бы назло присоветовавшей такой метод соседке.

Хозяин «Драгоценного покоя», темноглазый толстяк в шапке из меха зеленого чангайского зайца, не горлопанил на крыльце, как его коллеги, а спокойно сидел за столом в холле и красил ногти ярко-зеленой краской. Этот забавный обычай, я знаю, завели тарунцы, которых хлебом не корми — дай что-нибудь раскрасить, а уж потом его подхватили по всей Чирухте, включая даже Изамон, где вот уже много столетий придерживаются собственного оригинального стиля в одежде, полагая всех остальных дураками, ничего не смыслящими в красоте и роскоши. Однако яркий маникюр по какой-то неведомой причине пленил их гордые сердца и мгновенно стал таким же способом наглядной демонстрации высокого статуса, как меховые шапки. Так что тарунские умельцы, поспешившие открыть у соседей салоны по разрисовыванию ногтей узорами, озолотились буквально в одночасье.

При моем появлении толстяк тут же отставил в сторону пузырек с краской для ногтей, а в ответ на мое приветствие тоже пожелал мне хорошего дня. Это, по изамонским меркам, как знание придворного этикета в портовом трактире демонстрировать: совершенно неуместно и одновременно так шикарно, что, того гляди, зеваки начнут собираться.

А услышав вопрос, есть ли свободные комнаты, этот достойный человек не стал делать вид, будто ему срочно надо удалиться на важные переговоры с посланником Завоевателя Арвароха, живо интересоваться бедственным состоянием моих мозгов или хвастать близким знакомством своего прадедушки с Пятой Чангайской императрицей. Даже не заявил, что у проходимца вроде меня не хватит денег расплатиться за коврик в его прихожей. Он просто ответил: «Остались три самые лучшие комнаты с роскошной ванной». Цена, к моему изумлению, оказалась не абсурдной, а просто умеренно высокой, так что я даже торговаться не стал, только спросил: «Стоимость ужина включена?» И хозяин, еще несколько секунд поглазев на мой невероятный костюм, согласился, добавив: «Но только еда, без выпивки». То есть не стал говорить, что сразу видно человека, буквально вчера выбравшегося из позорной нищеты. Не начал вспоминать изречения неведомых мудрецов в духе «всякий, кто пытается сэкономить на еде, покрывает себя вечным позором». Не посоветовал проваливать домой, в Соединенное Королевство, и там ежедневно хлебать бесплатные помои за счет своего чокнутого короля. А просто выслушал мой вопрос и ответил, оговорив некоторые дополнительные условия. Понимаете? Думаю, все-таки нет, поскольку вы никогда в жизни не были в Изамоне и не представляете, сколь редкостная удача найти в этой стране собеседника, готового адекватно реагировать на ваши реплики, вместо того чтобы сочинять нелепые оскорбления или беседовать с неведомыми голосами в собственной голове. Все равно что легендарного короля Мёнина в трактире встретить, причем готового выставить угощение, лишь бы вы согласились послушать его разглагольствования о старых добрых временах.

Обещанные мне три комнаты, конечно, оказались одной, разделенной на три части яркими бумажными ширмами, а «роскошная ванная» — каморкой с расставленными по полу тазами и корытами, но к этому я был готов заранее и осознавал, что мне еще крупно повезло. То есть обычно корыто для мытья в изамонской гостинице всего одно, да и то дырявое, а в дальнем углу моих покоев вполне могла обнаружиться умирающая прабабка хозяина — «надо же бедняжке где-то спать, а ты заодно присмотришь, чтобы она мимо горшка не ходила». Я не преувеличиваю, один из моих приятелей однажды именно так и ночевал — дело было за полночь, и искать другую гостиницу у него не оставалось сил.

Накормили меня вкусно и даже не слишком скудно. В награду за такую добросовестность я заказал вино и десерт, которых не хотел, — просто чтобы дать людям еще немного заработать. Хозяин, вопреки местному обычаю, не стал садиться за мой стол и требовать, чтобы я поставил ему выпивку, и его деликатное поведение произвело на меня столь сокрушительное впечатление, что я сам пригласил толстяка составить мне компанию, предложил угощение и завел разговор. Мне пришло в голову, что, если у этого прекрасного человека есть на примете возница, я охотно воспользуюсь его услугами. То есть нанять в Цакайсысе амобилер до тубурской границы — не проблема, тут полгорода промышляет извозом, я уже говорил. Однако я рассудил, что, если возница будет столь же вменяем, как мой новый знакомый, это здорово скрасит мне завтрашний день — путь-то неблизкий, а спасительный «Маятник вечности» мне еще сегодня надоел до смерти.

Но сперва пришлось вежливо расспрашивать хозяина о его великих предках. Эта тема пользуется у изамонцев неизменным успехом и, что особенно важно, довольно редко приводит к шумным ссорам — если, конечно, вы готовы молча слушать

рассказчика, всем своим видом выказывая полное
одобрение. Но этим искусством я в совершенстве
овладел за годы учебы. Человек, умевший извлекать
некоторое удовольствие из лекций профессора Пун-
ты Бурумбаха, полагавшего наиважнейшим качес-
твом ученого способность удержать в памяти имена
придворных, служивших при всех династиях, начиная с Древней, вполне способен выдержать за-
стольный монолог изамонца — при условии, что
обойдется без хватаний за нос, похлопываний по
плечу и дружеских подзатыльников. Но Мацуца
Умбецис — так звали владельца «Драгоценного покоя великолепного странника» — держался молод-
цом, даже за рукав меня всего пару раз дернул, говорить не о чем.

Разумеется, его завиральный рассказ о прадедах,
надменно поучавших заморских королей, и прабаб-
ках, получавших за ночь любви целые повозки драгоценных куанкурохских мехов, был столь же нелеп
и абсурден, как речи любого слегка подвыпившего
изамонца. Но тут уж ничего не поделаешь, подобные
истории у них — важная часть традиции повседнев-
ного общения. Если не метешь что попало о славных
деяниях предков, значит, не уважаешь ни себя, ни
собеседника, за такое и огрести можно — равно как
и за отказ слушать чужое вранье. Поэтому я помал-
кивал, добросовестно кивая в положенных местах,
и, похоже, окончательно завоевал расположение
хозяина гостиницы, и без того вполне любезного. То
есть благополучно дожил до момента, когда можно
спрашивать о деле, — серьезный дипломатический
успех.

Выслушав мою просьбу порекомендовать надежного возницу, Мацуца Умбецис задумался и с неожиданной для изамонца рассудительностью сказал:

— Все зависит от того, чего ты ждешь от поездки. И сколько готов за нее выложить.

«Ну просто как самый настоящий нормальный, никем не проклятый человек», — умилился я.

И тут же устыдился, поняв, что слишком уж вошел в роль дежурного знахаря Приюта Безумных. При всех своих недостатках изамонцы все же вполне способны обстряпывать кое-какие дела, а некоторые добиваются нешуточных успехов — вон даже ко двору нашего Величества Гурига чирухтские меха поставляют, обскакав многочисленных конкурентов. То есть не такие уж они идиоты, если разобраться. По крайней мере, не все. И, кстати, это означает, что ухо надо держать востро. А то обдерут меня сейчас так, что на обратную дорогу у нашего посла одалживать придется.

— Цена-то вроде у всех одна, — тоном опытного путешественника сказал я. — Четыре короны Соединенного Королевства, я помню.

— Так то когда было, — отмахнулся Мацуца Умбецис. — Теперь шесть. Да не смотри так, я не вру. Хочешь, спроси в городе, все столько берут. Кристаллы ваши уж больно дороги, а толку от них мало.

Я неопределенно пожал плечами. Очень удобный жест. Может означать все что угодно, от «да ладно, не заливай, все равно больше четырех не дам» до «Магистры с тобой, шесть так шесть». Гораздо приятней, чем покорно соглашаться или затевать спор.

— В общем, так, — сказал хозяин гостиницы. — Есть мой кузен Калуцирис. Надежный возница, амобилер у него совсем новый, тридцати лет не прошло, как купил. На полудюжине кристаллов, а не на двух-трех, как у прочих голодранцев, так что быстро поедете. Сиденья богатые, мехом чангайской лисы выстелены, на такое не стыдно задницу умостить и через весь город проехать. Больших людей на границу возил. Даже самого Його Чунгагу из страны Укумби, он у них там очень знатный человек, по-вашему вроде графа.

— О да, — только и смог выговорить я. — Еще бы.

Штука в том, что я прекрасно знал, кто такой Його Чунгага. Замечательная личность, хотя, конечно, никакой не граф и стать таковым не мог бы при всем желании. У них в Укумби с иерархией обстоит так: или ты капитан, или простой пират, или береговой житель. К последним относятся даже не с презрением, а с жалостью, как к совсем пропащим, охотно делятся с ними награбленным добром и снисходительно принимают посильную помощь, всякий раз искренне удивляясь — вот ведь, в море ни разу не был, такой бедняга, а съедобный суп из моллюсков сварить вполне способен, поразительное достижение! Высшей же кастой считаются немногочисленные кораблестроители; думаю, за всю историю Соединенного Королевства ни один Великий Магистр не пользовался столь безоговорочным влиянием на все население, каким по умолчанию обладают суровые укумбийские мастера. Впрочем, плевать они хотели на власть, люди им интересны разве только в качестве товарищей уже построенных и будущих кораблей;

поэтому, кстати, без их одобрения науке морской охоты никого обучать не станут, будь ты хоть трижды сыном, внуком и правнуком знаменитейших капитанов.

Так вот, в юности Його Чунгага был одним из матросов на шикке «Злобный Менкал», капитан которой с пьяных глаз, не разобравшись, напал на каруну, следовавшую из Уандука домой, в Ехо. Наши ребята легко справились с пиратами и привезли всю команду в столицу для показательного суда. Посол Чекимба Битый Рог в очередной раз принес официальные извинения Его Величеству Гуригу Восьмому, а его неудачливые земляки дружно отправились в каторжную тюрьму Нунду. Всего на год, потому что долго держать укумбийцев вдали от моря — все равно что пытать, а пытки у нас запрещены. Обычно, если дело обошлось без жертв, их вообще сразу отпускают, ограничившись суровым штрафом, но команде «Злобного Менкала» не повезло — их капитан слишком грубо разговаривал с чиновниками Канцелярии Скорой Расправы, и те в отместку устроили небывало свирепый судебный процесс.

И вот там-то, в Нунде, среди Гугландских болот, внезапно взошла звезда Його Чунгаги. Чтобы не сдуреть от тюремной скуки, он принялся сочинять песни о пиратских походах — сперва настоящих, а потом вымышленных, поскольку истории, свидетелем которых он успел стать, довольно быстро закончились, а вдохновение не иссякало.

Друзья-пираты подняли парня на смех — до сих пор на островах Укумбийского моря сочинять песни было не принято. Зато остальные товарищи по каторге слушали Його Чунгагу открыв рот, заучивали его песни наизусть, а отбыв срок и вернувшись домой, охотно пели их в столичных и провинциальных трактирах. Пиратские баллады Його Чунгаги быстро распространились по Соединенному Королевству и вошли в моду — это стало окончательно ясно после того, как самый знаменитый столичный тенор Екки Балбалао исполнил одну из них на очередном благотворительном концерте для горожан в честь Дня Середины Года.

Так что Його Чунгага вышел из Нунды настоящей знаменитостью. Столичные любители музыки послали за ним амобилер, в складчину наняли для талантливого пирата роскошный дом в Новом Городе, затаскали его по приемам, вечеринкам и концертам; знатные дамы крутили с ним романы, а университетские профессора водили по трактирам; по результатам загулов они писали вдохновенные исследования об особенностях ритма дыхания жителей Укумбийских островов, которые, дескать, и стали залогом уникальности песенной лирики Його Чунгаги.

Однако бедняга страстно мечтал вернуться к прежней пиратской жизни. Как бы удачно ни складывались его дела в Ехо, а для всякого укумбийца, прошедшего в юности обряд посвящения в Морские Охотники, любой другой образ жизни — сущая мука. От долгой жизни на берегу они рано или поздно сходят с ума, и это, к сожалению, не художественное преувеличение.

Но пиратская карьера Його Чунгаги накрылась, как выражается в таких случаях сэр Макс, медным тазом. Укумбийские пираты — народ серьезный. Все капитаны наотрез отказывались брать в команду легкомысленного сочинителя песен, а с прежними соратниками Його Чунгага рассорился еще в Нунде. Безвыходное положение!

Выход, однако, нашелся, причем совершенно неожиданный. Я, собственно, почему так подробно знаю эту историю — сэр Кофа рассказывал, что пожалел горемычного пирата-песенника и лично отвел его к Лысому Комосу, одному из лучших столичных Мастеров Совершенных Снов. Тот сделал для Його Чунгаги несколько дюжин подушек со снами о морских сражениях, и бывшему пирату значительно полегчало. Однако некоторые детали сновидений казались ему недостаточно реалистичными, что неудивительно — Лысый Комос, при всех его талантах и знании жизни, в морском деле не смыслит ни бельмеса. Поэтому в конце концов Його Чунгага решил выучиться мастерить сновидения сам. А Лысый Комос, в отличие от большинства коллег, очень любит учить людей своему искусству. Дай ему волю, вообще только этим бы и занимался, но учениками, говорят, не прокормишься, все-таки готовые подушки для сна гораздо более востребованы.

Його Чунгага оказался очень старательным учеником. И, судя по всему, чрезвычайно способным. Начав заниматься с Лысым Комосом, он быстро утратил интерес не только к пиратским сражениям и сочинению песен, но даже к прекрасным дамам и компанейским профессорам, а на такое аскетическое самоотречение мало кто способен.

Пару лет спустя Його Чунгага покинул Ехо, и одни поговаривали, что он изменил внешность и отправился в Укумби в надежде, что его не узнают и возьмут на какой-нибудь корабль, другие — что бедняга все-таки сошел с ума и отправлен в отдаленный Приют Безумных, третьи же рассказывали о головокружительном романе с какой-то шиншийской принцессой, которая увезла гениального песенника ко двору своего отца. Все сходились на том, что о Його Чунгаге мы еще долго не услышим.

И вот теперь, ужиная в Цакайсысе, я вдруг выяснил, что произошло на самом деле. Если бывший пират нанимал здесь амобилер до тубурской границы, значит, он отправился в горы совершенствоваться в искусстве сновидений. Наверняка по совету своего учителя — Лысый Комос, как и большинство его коллег, сам провел в Тубуре несколько лет, без этого на настоящего мастера не выучишься.

«Вдруг я его там встречу, — подумал я. — Может быть, даже домой вместе поедем — если я найду леди Кегги Клегги и вдруг выяснится, что Його Чунгага тоже обратно в Ехо собрался». Идиллическая картина совместного пения на палубе несущейся на всех парусах каруны как живая предстала перед моим внутренним взором, временно заслонив более актуальные проблемы.

Я вообще тот еще мечтатель. Даже Хенна надо мной посмеивается, а другим я просто не рассказываю, что иногда творится у меня в голове.

— Эй! Ты заснул или колдуешь?

Мацуца Умбецис чувствительно пихнул меня в бок. Однако его можно было простить: я так замечтался, что давно перестал слушать. И вид у меня, наверное, был соответствующий.

— Не колдую, — сказал я. И на всякий случай добавил: — Пока.

Пусть расценивает как скрытую угрозу. Мне с ним еще о цене торговаться. Или с его кузеном, что, в сущности, одно и то же.

— Я говорю, есть еще возница, — сказал хозяин гостиницы. — Этот очень дорого берет — дюжину ваших корон, да и то когда в хорошем настроении.

Я так удивился, что даже возмущаться не стал. Просто спросил:

— А смысл?

Услышав мой вопрос, Мацуца Умбецис натурально преобразился — приосанился, втянул живот, вытаращил глаза и без запинки отбарабанил явно наизусть затверженный рекламный текст:

— Нанять его — великий почет. Все равно что на уладасе Куманского халифа по главной улице проехаться, и чтобы сам Цуан Афия шел среди носильщиков. Наш Рулен Багдасыс — не простой возница, а великий человек. В свое время он побывал у вас в Ехо и в первый же день был представлен ко двору. Говорят, он так понравился вашему королю, что тот пожелал сделать Рулена своим первым министром. Но в дело вмешались ваши завистливые колдуны. Их было больше сотни, а Рулен — один, без помощи и поддержки. После великой, но неравной магической битвы он был околдован, но не сломлен и предпочел спасти свою жизнь, удалившись под покровительство Завоевателя Арвароха, который чрезвычайно высоко оценил выдающиеся способности мудрого господина Багдасыса. Тот мог бы по сей день процветать под покровительством арварохского правителя, но любовь к родине — наша исконно изамонская черта, поэтому, вволю насладившись всеми преимуществами жизни в просвещенном арварохском государстве, Рулен Багдасыс пожелал отправиться домой, а великодушный Завоеватель Арвароха благородно его отпустил, взяв слово когда-нибудь вернуться. Теперь Рулен вынужден зарабатывать деньги на обратный путь. Нанять корабль с командой — удовольствие дорогое. А продавать драгоценности и талисманы, полученные в дар от вашего короля и Завоевателя Арвароха, он не желает. Да и где отыщешь богатого мудреца, готового дать за них настоящую цену?

Я был совершенно сражен. Только в Изамоне поездка с главным городским сумасшедшим в качестве возницы может стоить вдвое дороже, чем путешествие в обществе нормального (хотя бы по местным меркам) человека. Я даже не стал спрашивать, какие комиссионные этот Багдасыс платит моему собеседнику за столь подробную трансляцию его бреда. И так ясно, что немалые. Чтобы изамонец нахваливал другого человека, не начальника и не родственника, бесплатно — само по себе дело невиданное. А уж речь, которую я только что выслушал, наверняка обходится бедному безумцу как минимум в половину гонорара, хоть и способна скорее отпугнуть, чем привлечь клиента, даже любопытного вроде меня. Уж насколько я охоч до приключений и развлечений, а решительно отмел блестящую возможность прокатиться на амобилере любимца Завоевателя Арвароха. И прямо сказал, что чангайские лисы кузена Калуцириса вполне удовлетворят мою потребность в почестях, особенно если означенный кузен хорошенько подумает и скинет цену хотя бы до пяти корон.

На самом деле я совсем не люблю торговаться. Но в Изамоне без этого никак нельзя — здесь любое проявление великодушия считается признаком слабости. Щедрому человеку следует превратиться в скупца, а доброму — закрыть свое сердце, и это, как по мне, наихудшее из последствий проклятия леди Гургулотты. Мы-то, приезжие, в чем перед нею провинились?

Впрочем, вспомнив о проклятии, я тут же снова пожалел бедняг. Я как приехал, так и уеду, а для них это безумие и есть настоящая жизнь. Страшная судьба. Хоть бы сэр Джуффин не забыл о своем намерении придумать, как их можно расколдовать. Или еще кто-нибудь могущественный вроде него. Было бы здорово.

В столь лирическом настроении я подарил хозяину гостиницы одно из колец, приготовленных для гостеприимных горцев, вполне искренне сказал, что беседа с ним доставила мне огромное удовольствие, и удалился спать в надежде, что этот приступ щедрости не приведет к резкому повышению заранее оговоренной цены за ночлег.

Однако Мацуца Умбецис так удивился подарку, что даже о плате за вино и десерт не вспомнил. Хорошо хоть, я сам спохватился, вернулся и положил на стол несколько мелких монет. А он все сидел, молча уставившись на мое кольцо, словно оно было волшебным талисманом древних времен, способным подарить своему обладателю власть над миром и соседскими винными погребами в придачу.

Перед сном я, повинуясь служебному долгу, вкратце пересказал все эти события сэру Джуффину. И, честно говоря, так и не понял, почему он меня так долго и обстоятельно хвалил. Наверное, просто обрадовался, что я не остался в первый же день без копейки денег и верхней одежды, благополучно нашел ночлег и даже ни разу ни с кем не подрался. Редкое, исключительное везение, хорошее начало, добрый знак.

Утро было просто замечательное, ради такого стоило просыпаться на рассвете. Я вообще люблю просыпаться; впрочем, засыпать — ничуть не меньше. И то и другое похоже на возвращение из путешествия, причем в обоих случаях твердо знаешь, что наконец оказался дома, и поди разберись, когда это правда, а когда самообман. Хотя лично я предпочитаю не разбираться, а просто радоваться. Мама была совершенно права, когда говорила, что болванам живется веселей, чем дотошным умникам, анализирующим все, что под руку подвернется. Я честно опробовал оба варианта и теперь знаю точно.

Поэтому любое утро кажется мне замечательным — кроме разве что нескольких случаев, когда неприятности начинались еще до пробуждения. Однако утро того дня, когда я проснулся в «Драгоценном покое великолепного странника», даже на общем фоне выглядело исключительно прекрасным — просто с учетом места действия и связанных с этим мрачных ожиданий.

Во-первых, меня разбудило благоухание цветов, дыма, горячего масла и пряностей. Пока я спал, на кухне успели растопить печи и заняться приготовлением еды, а на колченогом столике у моего изголовья откуда-то появился букет неказистых, но ароматных зеленых чайш, которые обильно растут на всем южном побережье Чирухты, прямо в песке, питаясь морской водой и птичьим пометом. Местные жители считают их сорняками и редко несут в дом, а вот к нам, в Ехо, чайши возят купцы, искушенные в древней ворожбе драххов и способные продлить жизнь сорванных цветов на все время долгого путешествия; нечего и говорить, что эти грешные чайши стоят у нас каких-то невероятных денег, но расхватывают их мгновенно, еще в порту. «И, — подумал я, вдыхая головокружительно свежий горьковатый аромат чайш, — понятно теперь почему».

Во-вторых, выяснилось, что утреннее солнце над Изамоном светит ничуть не хуже, чем над прочими, никем не проклятыми странами Мира, да и птицы здесь щебечут, не фальшивя, и если это не утешительная новость, то что тогда.

В-третьих, хозяин гостиницы, до глубины души потрясенный моим вчерашним подарком, прислал мне огромный чайник с травяным отваром, вполне пристойным на вкус, и такое количество восхитительных пирожков с индюшатиной и душистыми морскими яблоками, что их должно было хватить не только на завтрак, а до самой границы — даже если я буду жевать, не останавливаясь. Пожилой слуга с бездонными глазами разобиженного на все человечество поэта и голосом пронзительным, как у степной вороны, так громко вопил: «За завтрак не надо платить! Это подарок!», что под моими окнами начали потихоньку собираться прохожие. К счастью, стекла были такие грязные, что даже занавески не пришлось опускать. Во всем есть свои преимущества.

В-четвертых... А в-четвертых, я, конечно же, занимаюсь сейчас полной ерундой, пытаясь вспомнить и перечислить причины, по которым то утро было прекрасным. Словно недостаточно того факта, что мне предстояло прожить очередной день, и я понятия не имел, как он сложится, но знал, что будет по меньшей мере интересно. Этот прогноз еще ни разу меня не подводил.

Дальше все тоже складывалось прекрасно. Кузен Калуцирис объявился за пару часов до полудня, а для изамонского возницы, с которым вы договорились выезжать на рассвете, это дело небывалое. И штука даже не в том, что здешний народ любит поспать — а кто, скажите на милость, не любит? Просто в Изамоне считается, что вовремя приходят только рабы в далеком Куманском Халифате, да и то не все, а самые презренные. Местная прислуга — тоже люди подневольные, им деваться некуда, поэтому они редко опаздывают больше чем на час-полтора. Человек, чрезвычайно заинтересованный в деле, ради которого назначена встреча, но желающий сохранить элементарное достоинство, опаздывает хотя бы часа на три. А гордецы — то есть практически все поголовно — как минимум на полдня. Поэтому люди опытные стараются никогда не договариваться с изамонцами о встречах, а наводят справки о любимых трактирах своих деловых партнеров и как бы случайно застают их там за завтраком. А возниц нанимают прямо на улице, без предварительной договоренности, это только я оплошал. Но даже не успел толком на себя за это рассердиться — хваленый амобилер о полудюжине кристаллов появился перед входом в гостиницу, и возница в высокой шапке из потертого меха все той же горемычной чангайской лисы, чьи шкуры пошли на отделку сидений, объявил, что ради счастья и процветания великолепного кузена Мацуцы отвезет меня до границы всего за пять корон — при том, что некоторые хитрецы уже восемь драть не стесняются, да еще и по четыре пассажира сразу берут, обрекая бедняг весь день трястись в тесноте.

Эту байку я, кстати, еще в прошлый приезд неоднократно слышал. И всякий раз содрогался, хоть и понимал, что это всего лишь попытка выдать желаемое за действительное, облечь в слова великую изамонскую мечту, практически национальную идею — зарабатывать втрое больше, а делать при этом хотя бы вдвое меньше. В идеале же нам, грубым, эгоистичным чужестранцам, следовало бы просто отдавать деньги возницам, а потом добираться до границы пешком. Но на такую нашу деликатность даже в самых смелых мечтах уповать не приходится.

Однако я совершенно напрасно ворчу. Мне-то как раз повезло. Кузен Калуцирис оказался неплохим возницей, довольно молчаливым для изамонца. Даже цену за поездку по ходу дела не попытался увеличить, сетуя на внезапное ухудшение дороги, приведшее к мгновенному износу амобилера и, как следствие, непредвиденным расходам. Опытные путешественники советуют просто игнорировать подобные монологи; впрочем, некоторые специалисты утверждают, что стремительное движение сжатой в кулак руки позволяет значительно сократить время нытья возницы, которое, как ни крути, мешает любоваться окрестными пейзажами.

Но лично мне любоваться пейзажами никто не мешал. Потому что прочувствованная речь кузена Калуцириса о хитроумии, величии и необозримых богатствах его предков вполне могла быть приравнена к птичьему щебету, причем довольно мелодичному. Все познается в сравнении — если бы мне пришлось проделать этот путь, скажем, в обществе стаи птиц сыйсу, я бы остался куда менее доволен своей участью.

А так прибыл на границу, натурально сияя от согласия с происходящим. Что оказалось весьма кстати — солнце как раз скрылось за горными вершинами, и начались сумерки.

На прощание я подарил вознице бутылку осского аша из своих запасов. Очень хотелось сделать приятное этому бедняге, который, несмотря на древнее проклятие, был если не милым, то вполне сносным человеком. Сказал бы мне кто перед отъездом, что я стану изамонцам подарки раздавать, причем не из прагматических соображений, а от чистого сердца, — у меня наверняка появился бы наконец шанс понять, что чувствуют люди, когда не просто смеются, а саркастически хохочут.

Ужасно все-таки это интересно — как непредсказуема жизнь и сколько у нее в запасе удивительных фокусов, чтобы чуть ли не ежедневно разрушать наши ожидания, в том числе наихудшие. За что ей огромное спасибо.

Граница между Изамоном и Тубуром — очень смешное место. Еще несколько столетий назад изамонцы ее сторожили — не то чтобы всерьез опасаясь вторжения чужестранцев, но полагая, что за удовольствие въехать в их чудесную страну вполне можно брать деньги. И за неизъяснимое счастье ее покинуть — тоже брать, причем втрое больше. Что-то они, получается, в ту пору о себе понимали, хотя, конечно, вряд ли откровенно формулировали.

В любом случае, обогатить казну пограничными поборами не удалось: через Изамон просто перестали ездить. А изоляция страны всегда приводит к упадку экономики, это даже я знаю, хоть и бросил изучать сей непростой предмет после первой же дюжины лекций. В конце концов стражников отправили в отставку, а многочисленные пограничные прилавки и приготовленные для денег гигантские каменные сундуки оставили, поленившись убирать.

Примерно тогда же на изамонско-тубурской границе появились манекены. Несколько сотен обычных портновских манекенов, ветхих, потемневших от времени и дождей. Никто в точности не знает, откуда они взялись.

Возможно, их поставили сами изамонцы, чтобы соседи, внушающие им суеверный страх, глядя вниз со своих горных вершин, думали, будто граница по-прежнему охраняется, и не планировали дружеских визитов на побережье. Хотя этого можно не опасаться, тубурцы — домоседы, каких свет не видывал.

Возможно, манекены — это просто шутка заезжих купцов. Наши торговцы, насколько я успел их изучить, веселые ребята и ради хорошей шутки вполне готовы пойти на дополнительные расходы и лишние хлопоты. Ради скверной — тем более.

А еще есть версия, что манекены просто приснились тубурцам, которые никогда в жизни не покидали своих селений, границу с Изамоном в глаза не видели, зато часто слышали, что она существует, и, вполне вероятно, представляют ее себе примерно вот так. Я пока слишком мало знаю о природе сновидений и не могу понять, возможно такое или нет, но сама по себе идея мне ужасно нравится. Поэтому для себя я выбрал считать правдой именно ее; спорить, впрочем, ни с кем не стану, пусть думают, что хотят.

Зато доподлинно известно, что наряды и украшения, превратившие приграничные манекены в настоящие пугала, — это уже дело наших рук. В смысле тех, кто ездит через эту границу. Почти каждый путешественник считает долгом внести свою лепту в общее творение — оставить горемычным стражам изамонской границы испорченную в дороге одежду и стоптавшиеся башмаки или облезлую меховую шапку — случайный боевой трофей, память о ночном визите в какой-нибудь «лучший гостеприимный трактир» Цакайсысы. Или просто яркую тряпку привязать, а если нет при себе лишнего хлама, сплести венок из полевых цветов, сунуть в деревянные руки суковатую палку, раскрасить лысую голову остатками тарунской краски для ногтей. Прибавьте к этому набор нехитрых колдовских трюков, которые с горем пополам удается осуществить вдалеке от Сердца Мира, учтите, что все более-менее приличные вещи растаскивают предприимчивые возницы из Цакайсысы, в благодарность сваливающие к ногам манекенов скопившийся за дорогу мусор, сделайте поправку на то, что это веселье тянется как минимум лет шестьсот, и тогда вы получите хотя бы приблизительное представление о том, как выглядит государственная граница между Изамоном и Тубуром. Страшный сон юного послушника Ордена Водяной Вороны, как говорила в подобных случаях мама; в детстве я понимал ее буквально и немного жалел, что этот Орден давным-давно прекратил существование. Думал: похоже, самые интересные сны доставались именно его послушникам, а теперь даже непонятно, куда за ними идти.

Но, став взрослым, я узнал правильный ответ. В Тубур, конечно, куда же еще.

Я помахал на прощание кузену Калуцирису, надел на ближайший манекен специально прихваченную из дома старую зимнюю маску в виде головы буривуха и пошел в Тубур.

Примерно через час окончательно стемнело, даже луна скрылась не то за горизонтом, не то просто за тучами. Но для угуландца это не повод прерывать путь. Ночное зрение у нас отменное, тут нам повезло. Впрочем, даже если бы мне пришлось передвигаться на ощупь, вряд ли это меня остановило бы. После долгого дня, проведенного в амобилере, ходить пешком — огромное удовольствие, и отказываться от него нет дураков.

К тому же я надеялся заночевать примерно в дюжине миль от границы, в гостеприимном горном городке Соис Боис Эоисе, о котором слышал немало хорошего. В прошлый раз мы с приятелями туда не попали. Тогда наш путь пролегал из Тулана в Тарун, а оттуда — в Анбобайру, где мы порядком заплутали, даже мой нюх не помог — с непривычки я доверился местным ветрам, которые те еще шутники, дуют, как хотят, и запахи приносят, откуда вздумается; если и есть в их поведении какая-то логика, я ее не постиг. В итоге, вместо того чтобы вернуться прежним маршрутом, мы забрели на территорию Тубура, где присоединились к группе более опытных путешественников и отправились с ними кратчайшим путем в Изамон, соблазненные твердо обещанными местами на корабле, следующем прямо в Ехо. Я бы тогда еще поплутал с радостью, но дома ждали дела, близился учебный год, пропускать который мне не хотелось, и я отложил путешествие по Тубурским горам на неопределенное будущее. Я вообще легко откладываю на потом всякие желанные вещи; Хенна иногда говорит: «Ты живешь как бессмертный», — и она, конечно, права. Так уж меня воспитали; повзрослев, я как следует обдумал привитую мне концепцию и решил оставить все как есть — от добра добра не ищут.

А в Соис Боис Эоис я в тот вечер так и не попал. Не устал и не заблудился, напротив, слабые ароматы человеческого жилья уже щекотали мои ноздри, но куда сильней оказался запах приближающегося ливня. А с весенними ливнями в этой части Чирухты лучше не шутить. Утонуть в дождевых струях здесь — ну, не то чтобы самое обычное дело, но раз в несколько лет случается и особого удивления у местных жителей не вызывает.

Хорошо, что я заранее учуял грядущее бедствие, успел свернуть с тропы и отыскать отличную пещеру, вырубленную в скале специально для путников, застигнутых непогодой, — вход в нее был расположен на высоте моего роста, такую точно не затопит. Я завесил узкое входное отверстие непромокаемым плащом, забрался поглубже, вытряхнул из пригоршни несколько прихваченных с собой одеял, соорудил из них превосходную постель, устроился со всеми удобствами, и только тогда мир содрогнулся от грохота обрушившейся на него воды. Я много слышал о весенних ливнях в горах Чирухты, но даже вообразить не мог, как это бывает, — словно бы все воды Великого Средиземного моря одновременно обрушиваются на землю из гигантского небесного ведра. И рассказать не возьмусь, бессмысленно даже пытаться передать мои впечатления словами. Скажу только, что я был совершенно оглушен, почти ослеплен, не знаю, жив ли, но, безусловно, счастлив.

Весенние ливни очень непродолжительны — в противном случае вся Чирухта давным-давно оказалась бы под водой и говорить нам сейчас было бы не о чем. Буквально две минуты спустя грохот воды — не утих даже, а мгновенно оборвался, словно ее и правда лили на нас из ведра и теперь оно опустело. Но покидать гостеприимную пещеру я не собирался.

Какой смысл? Все тропы сейчас временно превратились в бурные ручьи, а у меня тут уже расстелены одеяла, последние пирожки из «Драгоценного покоя великолепного странника» не так уж зачерствели, и если я открою бутылку осского аша, отсутствие кувшина с горячей камрой быстро перестанет меня печалить. Впрочем, камры-то в Чирухте все равно не допросишься, а если все-таки найдешь место, где ее варят, крупно пожалеешь: чем дальше от Сердца Мира, тем хуже становится ее вкус. Думаю, если бы какой-нибудь герой отважился приготовить камру в Арварохе, у него вышел бы самый опасный яд за всю историю алхимических экспериментов. А в Уандуке и Чирухте получается просто вполне безобидное рвотное зелье, но по доброй воле такое пить, конечно, не станешь.

Угревшись, я заснул, и мне приснилось, что в пещере вместе со мной от непогоды прячутся ветры — южный, дующий с моря, и северный, пришедший с тех самых гор, куда лежал мой путь. Они деликатно устроились у входа, чтобы не стеснять меня, свернулись клубками, как огромные прозрачные коты, и тихонько посвистывали — дышали.

Во сне я подумал — надо бы расспросить их о пропавшей леди Кегги Клегги, ветры часто знают больше, чем люди. Но мои соседи дремали, и я постеснялся их будить. Со мной такое и наяву часто случается.

Поэтому, проснувшись, я чувствовал себя растяпой. Такой шанс упустил! Правда, ветры мне просто приснились, не могли же они на самом деле ночевать в пещере, как заплутавшие в горах купцы.

Но кто их знает, эти тубурские сны. Вполне может оказаться, что здесь, в стране сновидцев, они равносильны событиям, происходящим наяву. Я бы не удивился.

Чтобы положить конец душевным терзаниям, я послал зов начальству и покаялся. Сэр Джуффин очень развеселился. Сказал, что если по уму, то ругать меня за ошибку, совершенную во сне, следует там же. На прощание посоветовал срочно обзавестись дюжиной тубурских талисманов, охраняющих от кошмарных снов, — дескать, это единственный способ избежать его начальственного гнева. Словом, поговорив с шефом, я лишний раз убедился, что несколько минут смеха с утра отлично заменяют завтрак, до которого мне еще предстояло добраться.

До Соиса, ближайшего из трех поселений, образующих городок Соис Боис Эоис, я шел часа полтора: дорога после давешнего дождя все еще никуда не годилась. И когда я наконец пришел, вид у меня был соответствующий, словно всю ночь с беспутными хлеххелами пьянствовал — босой, мокрый до нитки, в волосах трава, в карманах речной ил. Зато уж там вознаградил себя за все лишения сразу. Соис Боис Эоис — городок приграничный, и гостиниц там сколько душе угодно. В первой же для меня нашлась не только комната под крышей, благоухающая свежевыглаженным бельем, древесной стружкой и ташерскими благовониями, оставшимися, вероятно, от предыдущего жильца, но и ванная с подогретой водой, и целый котел горячего травяного супа, больше похожего на компот, и такая высоченная гора творожных блинов, что из схватки с ними вышел бы победителем разве только сэр Кофа, да и то есть у меня некоторые сомнения — при всем безграничном уважении к его могуществу.

Я заранее разрешил себе задержаться в Соис Боис Эоисе до следующего утра. Все равно меньше чем за сутки дорога не просохнет. Но, честно говоря, я бы и без ливня так поступил. Чувствовал, что мне сейчас требуется передышка, вернее, пауза — посидеть, помолчать, побродить по сонному городку, поглазеть по сторонам, разобраться, что здесь к чему. И, что самое важное, привыкнуть к новым запахам, потому что у меня уже голова кругом шла. Тубур, конечно, не иная реальность, а все-таки чужая страна, да еще и на другом материке. Здесь даже земля и вода пахнут иначе, о людях и травах уже не говорю, а ведь есть еще все остальное.

Поэтому я сказал хозяйке гостиницы, приветливой женщине средних лет, что останусь ночевать, разменял у нее корону Соединенного Королевства на целую пригоршню мелких тубурских монет зеленого металла и сразу же расплатился за завтрак. А то знаю я этих горцев, что в Тубуре, что в Анбобайре все одним миром мазаны, им вечно становится неловко называть клиентам большие, как им кажется, суммы, поэтому, если отложишь расчет до утра, чтобы расплатиться за все сразу, с тебя возьмут хорошо если половину настоящей цены — и без того ничтожной. Экономные путешественники с удовольствием этим пользуются, а мне стыдно, поэтому я стараюсь платить в несколько приемов, понемножку, а потом еще тщательно прячу чаевые, в надежде, что их обнаружат только через несколько дней, когда догонять меня с криком «Вы забыли у нас деньги!» будет уже поздно.

До полудня я провалялся в постели — не спал, а просто лежал, выгнав из головы все мысли. Такой отдых даже лучше, чем сон, жаль только, что редко удается его себе устроить. В результате я взбодрился настолько, что отправился на прогулку, да не по улице, а по городским крышам, перепрыгивая с одной на другую, благо дома в тубурских селениях ставят очень близко, намеренно теснятся, чтобы отнимать поменьше места у леса — такой уж тут деликатный народ. Ну, или леса строже и требовательнее, чем у нас в Хонхоне, кто их разберет.

Если бы мне взбрело в голову вот так среди бела дня гулять по крышам в Ехо, домовладельцы вряд ли стали бы возражать, чудаков у нас любят. Но зевак на улицах собралось бы видимо-невидимо. И, возможно, патрульные полицейские на пузыре Буурахри в конце концов заинтересовались бы моим поведением и принялись задавать вопросы — как я дошел до жизни такой и не требуется ли их помощь, чтобы спуститься на землю. Или даже спрашивать не стали бы, а просто сняли, пока не свалился, — это уж на кого нарвешься.

А жители Соис Боис Эоиса не обратили на мою выходку ни малейшего внимания. Ходит человек по крышам — ну и пусть себе, значит, ему так надо. А может, это и не человек вовсе, а соседский сон?

Тем более не следует совать нос в чужие дела. И пялиться, распахнув рот, не стоит, разве только исподтишка деликатно покоситься, если очень уж интересно. «Хотя чем может быть интересна чужая прогулка по крышам? — спросит вас на этом месте любой тубурец. — Вот самому так пробежаться — еще куда ни шло».

Я, честно говоря, тоже так думаю.

Добравшись до окраины Соиса, я обнаружил, что крыши внезапно закончились, и был вынужден спуститься на землю, так что в Боис вошел уже по главной городской дороге.

Наверное, надо объяснить, как устроены тубурские города. Строго говоря, городов в нашем понимании там нет вовсе, только небольшие поселения. Однако иногда жители нескольких (чаще всего трех, потому что это число считается счастливым) соседствующих поселений решают, что им будет удобно и выгодно заключить союз. Возникшее в результате объединение считается городом. От прочих поселений город отличается размером, но никак не жизненным укладом. Только и разницы что совет старейшин в городе один на всех, казна, которую собирают в складчину, чуть побогаче, чем у соседей, а ставни на окнах и общественные лавки для любителей подремать на улице выкрашены везде в один и тот же цвет, чтобы создавалось ощущение единого пространства. Если и есть еще какие-то отличия, я их не заметил.

В Боисе я пообедал и отправился дальше, в Эоис — просто так, без определенной цели. Глупо было бы не осмотреть все, если уж я здесь оказался. А в Эоисе пришлось пообедать еще раз. Этого потребовало не брюхо, а чувство справедливости. Я вдруг сообразил, что до Эоиса путешественники, на которых, можно сказать, держится вся экономика приграничного городка, почти никогда не добираются, а значит, и доходы у тамошних трактирщиков гораздо меньше. Ясно, что мой скромный вклад не восстановит равновесие, но каждый должен делать, что может.

Награда за мою самоотверженность не замедлила явиться. В первом же трактире, куда я заглянул, сидели мужчина и женщина, оба в знаменитых тубурских Сонных Шапках, о которых я много слышал и читал, но собственными глазами видел только издалека. Огромные, почти метровой высоты, расширяющиеся кверху головные уборы, сшитые из лоскутов кожи и разноцветного меха, означали, что передо мной не просто горцы в экзотических нарядах, а сами Сонные Наездники, люди, управляющие сновидениями столь же лихо, как подчиняют себе реальность лучшие из угуландских магов — те немногие, кому неизвестно значение слова «невозможно».

Пахли они, кстати, потрясающе: молодой хвоей, студеным зимним ветром, какими-то горькими травами, шинпуйским соленым вином, которое, скорее всего, недавно пили, и еще чем-то совершенно неописуемым, новым для меня и одновременно смутно знакомым. Я невольно подумал — прозрачной темнотой лунной ночи, однако ошибся. Позже я еще не раз встречал этот аромат и постепенно понял, что так пахнут сновидения — не все, конечно, только самые глубокие, вспоминать которые мы почти не умеем, а Сонные Наездники считают своей подлинной жизнью.

Никогда не думал, что можно вот так запросто встретить живые мифы Чирухты в трактире, да еще всего в дюжине миль от границы с Изамоном. До сих пор считалось, что Сонные Наездники вообще никогда не спускаются со своих блистающих вершин — хотя бы потому, что ради дальнего путешествия пришлось бы надолго проснуться.

Однако, вопреки распространенному мнению, Сонные Наездники все-таки бодрствуют. Возможно, не так много, как прочие люди, но вполне достаточно для того, чтобы проводить время с друзьями и поддерживать в относительном порядке хозяйство. Собственно, поэтому они и носят свои огромные Сонные Шапки. В «Энциклопедии Мира» сэра Манги Мелифаро написано, что под такой шапкой можно спрятать прерванный внезапным пробуждением сон, чтобы потом, на досуге, спокойно досмотреть его до конца. И это в общем верно. Но все же недостаточно точно.

Штука в том, что, по мнению самих тубурцев, продолжительность подавляющего большинства самых интересных и важных снов примерно равна сроку человеческой жизни. Не досмотреть подобный сон до конца — все равно что умереть молодым. То есть как минимум очень досадно. И если тебе однажды посчастливилось ухватить такой сон-жизнь за хвост, лучше бы его вовсе не отпускать — то есть не просыпаться. Однако человек, живущий среди людей, обычно не имеет такой счастливой возможности.

Рано или поздно непременно придут и разбудят. Поэтому приходится хитрить — заплетать сновидение в косу, зашивать его в подушку, прятать за щеку или даже глотать; впрочем, последний вариант считается довольно опасным. А лучше всего помещать сон под традиционную Сонную Шапку. Придуманная и сконструированная как идеальная ловушка для сновидений, сшитая руками сомнамбул под пение специальных заклинаний, она способна не только долгие годы удерживать добычу, но и всякий раз отправлять спящего в то самое место, на котором его разбудили, — что и говорить, очень удобно.

Большую часть жизни я собирал сведения о тубурских Сонных Наездниках, но нельзя сказать, что преуспел. Неудивительно — даже опытным путешественникам, неоднократно объездившим весь Тубур, почти никогда не выпадает шанс поговорить с настоящим Сонным Наездником. Те совершенно не интересуются ни иноземными товарами, ни тем более чужими делами, а потому редко показываются гостям. И в книгах о них почти ничего не написано. Есть довольно подробный рассказ о Сонных Шапках в «Энциклопедии Мира» сэра Манги Мелифаро, любопытный эпизод исцеления во сне в старинных «Записках Алаиса Кайи, знахаря из Умпона», упоминание тубурской ритуальной обуви для сна в предисловии к «Тайному кодексу обувщиков Таруна» да несколько разрозненных, не заслуживающих особого доверия баек в куманских «Историях странствий» — больше ничего я не нашел. И даже сэр Шурф Лонли-Локли, который знает о книгах больше, чем самый уважаемый университетский профессор, не смог мне помочь. Разве только «Истории странствий» я по его совету внимательно перечитал — не сказать что с большой пользой.

Есть еще наши Мастера Совершенных Снов, прошедшие обучение в горах Чирухты, но они, мягко говоря, не любители травить байки. «Поезжай в Тубур, поучись или просто поспи там подольше, и сам все узнаешь» — вот и весь разговор.

Я, собственно, так и собирался поступить — когда-нибудь потом, много лет спустя, при условии, что сэр Джуффин согласится дать мне длинный отпуск, а Хенна не откажется скучать без меня несколько лет. По правде говоря, оба условия казались мне почти невыполнимыми, но мечтать это не мешало — чего ж еще.

И тут вдруг командировка в Тубур — потрясающее везение!

Поэтому, увидев в трактире Сонных Наездников в легендарных шапках, я в очередной раз восхищенно подумал: какая же молодец маленькая леди Кегги Клегги, что так удачно пропала — не где-нибудь, а именно в Тубурских горах. Найду — расцелую в обе щеки, как любимую сестру. И объявлю себя ее вечным должником, потому что это — чистая правда.

Обмирая от восторга, я шепотом, чтобы не помешать беседе Сонных Наездников, попросил трактирщика принести мне горячий мясной суп, забился в самый темный угол и навострил уши. Потому что — уж если везет, то везет! — эти двое говорили на хохенгроне.

Услышать настоящие, живые диалоги на хохенгроне и принять в них посильное участие — это была еще одна моя заветная мечта, связанная с поездкой в Тубур. Потому что до сих пор мне приходилось ограничиваться воспоминаниями о разговорах с мамой да регулярными встречами с сэром Поххи Мактэйя, бывшим представителем Соединенного Королевства в Анбобайре, Тубуре и Шинпу, — старик, на мое счастье, большой любитель поговорить, но языком владеет, прямо скажем, не в совершенстве. Как, впрочем, и я сам.

Еще, конечно, была у меня восхитительная дюжина дней практики во время прошлой поездки — ровно столько, чтобы попробовать, обнаружить в своем знании глубокие прорехи, мужественно продолжать говорить, не страшась позора, окончательно расслабиться, войти во вкус, начать учиться — и привет, пора уезжать. На самом интересном месте!

Зато теперь я слушал, как женщина в Сонной Шапке говорит своему спутнику: «Как будто ночное буйное темноводное мощное властное как будто грохоча хохоча как будто почти наугад сокрушило как будто навек унесло старое мертвое неподвижное. Как будто звонкое живое осталось веселое в мокром как будто стоя летит дрожит навстречу свежему солнечному горячему как будто себя приветствует как будто пляшет ликует теперь».

Я понимал, что речь идет о давешнем ливне, повалившем, по ее словам, только сухие деревья и ничем не навредившем живым, которые теперь с удовольствием сохнут на весеннем солнце, — и был счастлив.

Вижу, что моя попытка дать хотя бы приблизительное представление о том, как строится одна из самых простых и понятных фраз на хохенгроне, вас порядком озадачила. Но тут ничего не поделаешь, таков уж этот язык, который сами тубурцы называют Ясной речью — это обычно вызывает истерический хохот у всех, кто пробовал его учить.

Мой опыт показывает, что освоить хохенгрон в раннем детстве относительно просто; похоже, во всех остальных случаях он практически не поддается изучению. Поэтому в нашем Королевском Университете хохенгрон не преподают вовсе, а в Высокой Школе его изучают без установки на результат, исключительно для развития ума и воображения. На моей памяти, чтобы получить высший балл на выпускном экзамене, надо было всего лишь правильно составить предложение из дюжины слов, и даже это, насколько я знаю, удавалось единицам.

Как я уже упоминал, хохенгрон — не основной язык тубурских горцев, а дополнительный. На хохенгрон они переходят, когда хотят поговорить о самых важных, с их точки зрения, вещах: снах, смерти и погоде. Считается, что повседневная речь не подходит для разговоров на столь непростые темы, причем дело даже не в недостатке нужных слов — в таких случаях требуется совсем иная логика и соответствующая ей структура речи. Например, в хохенгроне всякая фраза, даже аналог наших «да» и «нет», начинается со слова «клёхxx», в примерном переводе — «как будто». Пока ты говоришь на этом языке, об определенности лучше забыть. Или вот еще яркая особенность: в хохенгроне нет существительных, только глаголы, прилагательные, наречия и причастия, поскольку, как полагают жители Тубурских гор, всякое живое существо и любой предмет — недолговечная иллюзия, зато действия, качества, обстоятельства и состояния — объективная, хоть и чрезвычайно изменчивая реальность. Личные местоимения в этом языке все-таки есть, как я понимаю, просто для удобства, но они всегда предваряются все тем же «как будто», в противном случае вас просто не поймут. «Клёхххьё» — «я», «клёхххий» — «ты» и так далее. «Как будто я веселый очень земной как будто быстро медленно снова быстро пришел как будто к тебе гостеприимному сидящему текущему происходящему внутри и как будто снаружи», — правда, здорово? Примерно так поздоровался бы сегодня с Максом простой, необразованный тубурский крестьянин, окажись он на моем месте. А чтобы дословно воспроизвести речь тубурца, хотя бы несколько лет проучившегося в одной из местных Старших школ, моих знаний, увы, пока недостаточно.

Вы, наверное, уже поняли, что я в восторге от хохенгрона. Однако единомышленников у меня, по правде сказать, немного. Большинство наших лингвистов сходятся на том, что хохенгрон годится лишь для увеличения числа пациентов Приюта Безумных. И это тоже верно — отчасти. Я лично знал одного человека, который сошел с ума, изучая этот язык, но он, на мой взгляд, слишком поздно начал, к тому же проявил чрезмерное усердие, а такой подход редко доводит до добра.

Те же лингвисты яростно спорят, следует ли считать хохенгрон искусственным языком. Общеизвестно, что в Мире, где человеческая речь едина для всех континентов и меняется только под влиянием времени, есть один полностью искусственный язык — иррашийский. Жители Ирраши, не просто живущие по соседству с Соединенным Королевством, но и активно с нами торгующие чуть ли не с начала времен, всегда страдали от способности угуландских колдунов читать чужие мысли. Сами понимаете, купцам во все времена есть что скрывать от покупателей! Поэтому тысяч пять, что ли, лет назад иррашийские ученые принялись сочинять новый язык, специально стараясь сделать его как можно более сложным, чтобы проницательным соседям было лень зубрить сорок пять падежей, шестьдесят глагольных форм и прочую ерунду в таком роде. Потратили на это не одно столетие, но в конце концов создали язык, показавшийся всем иррашийцам столь совершенным, что с тех пор они говорят и думают на нем, даже когда никто не слышит, а единую речь, знание которой не только полезно, но и вполне неизбежно для всех обитателей Мира, используют только в разговорах с иностранцами.

По сходным причинам возникло множество локальных и цеховых жаргонов, но ни один из них не развился до самостоятельного языка; оно и к лучшему, а то чокнуться можно было бы — все это зубрить.

Так вот, с иррашийским языком все ясно. А хохенгрон, в отличие от него, был не придуман, а по крохам извлечен из сновидений. Однако воедино сводился все-таки наяву, и на это, если верить некоторым специалистам, ушли даже не века, а тысячелетия. Поэтому, если вы однажды окажетесь у нас в Ехо и вам вдруг позарез приспичит подраться, просто ступайте к «Пьяному умнику», в «Крашеную репу» или любое другое заведение, где любят выпивать столичные профессора, а там объявите с порога, будто хохенгрон — искусственный язык. Или, напротив, сформировавшийся естественным образом. Какую бы позицию вы ни заняли по данному вопросу, желающие укротить буйство вашего интеллекта объявятся незамедлительно. Даже удивительно, что спор о происхождении хохенгрона так и не стал причиной новой гражданской войны — по крайней мере, в ту пору, когда я учился в Королевской Высокой Школе, к тому все шло.

Ох. Похоже, я чересчур увлекся. А всего-то и хотел объяснить, что сказанное на хохенгроне практически не поддается переводу. Разве что очень приблизительному. Но если переводчик не будет стараться изо всех сил, он не сумеет сохранить вообще ни единой крупицы смысла. А если разобьется в лепешку, сможет хотя бы смутно намекнуть, о чем шла речь.

Зато теперь вы можете вообразить, с каким упоением и азартом я подслушивал чужой разговор. И как был счастлив и горд собой в те моменты, когда не просто приблизительно понимал, что за тема обсуждается, а начинал улавливать некоторые важные нюансы. Например, мужчина отзывался о весенних ливнях с должным уважением, но все же неодобрительно — очень похоже на то, как сэр Джуффин Халли поминает порой Лойсо Пондохву и других Великих Магистров Смутных Времен. «Как будто неукротимые буйные неизбежные как будто великолепные как будто приходят плясать чужие неприглашенные как будто для сладкоскучающих утомленных давно бездеятельных как будто не для меня», — говорил он, а женщина мягко возражала: «Как будто без разрушительных буйногрохочущих как будто замрет как будто все спокойное вечное как будто утихомирится как будто уснет без звонкого сновертящегося как будто бессмысленно как будто вовсе не спал».

Ладно, ладно, все, считайте, я уже угомонился. Тем более что примерно на этом месте женщина наконец заметила, как жадно я их слушаю, улыбнулась и обратилась ко мне, да так заковыристо, что я сейчас даже приблизительно не воспроизведу. Тем не менее смысл ее фразы я худо-бедно понял. Женщина тепло поприветствовала меня, одновременно выражая надежду, что за много тысяч ночей, прошедших со дня моего рождения, я успел повидать во сне некоторое количество чужих небес, гор и морей. Вполне традиционная тубурская любезность, уместная лишь в разговоре старшего с младшим, поскольку тождественна снисходительному вопросу: «Надеюсь, в твоей бестолковой жизни был хоть какой-то смысл?»

Я собрался с духом и ответил что-то вроде: «Как будто немало видел как будто слышал как будто ослепительно ясное как будто мерцающее драгоценное радостное переполняющее как будто мое». Слишком коротко, конечно, зато по делу — из моих слов Сонная Наездница должна была заключить, что я довольно часто вижу сны и чрезвычайно высоко ценю эту часть своей жизни.

— Ну и дела! — одобрительно усмехнулась она. — Впервые вижу наяву чужеземца, способного связно сложить больше двух блистательных слов Ясной речи. Удачный день, ради такого и проснуться не досадно. Кто тебя научил?

Все это она сказала нормальным человеческим языком. Что закономерно — теперь разговор шел обо мне. Такие простые вещи, как обстоятельства человеческой жизни, на хохенгроне не обсуждают.

Потом я битый час рассказывал своим новым знакомым о маме — как она научила меня хохенгрону, и где выучилась ему сама, и откуда вообще взялась — такая всезнайка. То есть в итоге я прочитал Сонным Наездникам краткую, но содержательную лекцию о наших магических Орденах в целом и Ордене Часов Попятного Времени в частности — а как еще все объяснить?

Впрочем, слушатели остались довольны, а мне того и требовалось. Я был в таком восторге от возможности разговаривать с самыми настоящими Сонными Наездниками, что на столе сплясать был готов, а не только языком молоть.

Но танцами на столе они, похоже, совершенно не интересовались. Зато оживились, узнав с моих слов, что давешний ливень застал меня в лесу.

— И как тебе это понравилось? — спросил мужчина, до сих пор помалкивавший.

Тут есть один тонкий момент. Тубурец не перешел на хохенгрон, хотя заговорил о погоде. Это означало, что его волнует не ливень сам по себе, а моя участь — не испугался ли, куда спрятался, с какими потерями вышел. А вот если бы собеседник сменил язык, это выглядело бы как просьба рассказать о впечатлениях от встречи с грозной стихией, не затрудняя слушателей сведениями о собственных приключениях — и так видно, что остался жив, вот и ладно.

— Я, как только почуял приближение дождя, отыскал пещеру и спрятался. Такая хорошая пещера — глубокая, и вход высоко, чтобы не залило. Слышал, у вас тут много таких. Их специально устроили, чтобы путники от ливней спасались, или природа постаралась?

— Природа специально устроила, — лаконично ответил мужчина. А женщина добавила:

— Только природа не для путников старалась. Мы рады, что людям есть где укрыться от ливней, это доброе дело. Но изначально пещеры созданы для... — она ненадолго задумалась и закончила уже на хохенгроне: — Как будто яснодышащим видящим как будто уединенно нырять глубоко в сияющее темное как будто свое находить молча разглядывать как будто вдали от чужого ослепительного как будто его нигде как будто вовсе нет.

Коротко говоря, ее слова означали, что пещеры предназначены для сновидцев, которым близость других спящих и чужих сновидений мешает сосредоточиться на собственных. Ну как чуткого и не очень опытного певца может сбить с толку нетрезвый хор в трактире на углу — например.

— Ого! — отозвался я.

Был так взволнован внезапно открывшейся мне тайной тубурских пещер, что забыл все остальные слова — не только хохенгрон, но и обычную речь.

— Как будто жду как будто желаю узнать глубоко ли как будто летал нырял в той темной тихой скрывшей как будто тебя как будто оберегающей? — внезапно спросила женщина.

Жизнь все-таки поразительная штука. Если бы мне когда-нибудь сказали, что в один прекрасный день легендарные Сонные Наездники станут интересоваться содержанием моих скромных сновидений, я бы, наверное, обиделся. Потому что можно, конечно, подшучивать над людьми, почему нет. Но вот так открыто издеваться — это уже перебор. Совсем не смешно.

Даже когда живешь, стараясь не забывать, что возможно вообще все что угодно, как-то не учитываешь, что формула «все что угодно» включает события, о которых как о невозможных — и то не думаешь. И вообще никак о них не думаешь, потому что они — немыслимы.

Однако сейчас мне следовало не ликовать, а собраться, чтобы дать точный ответ. Хвала Магистрам, собеседники меня не торопили. Терпеливо ждали, пока я мучительно вспоминал, какими словами можно описать, к примеру, северный ветер. И чем должна отличаться от него характеристика южного? И... Слишком много вопросов!

— Не волнуйся. Это не школьный экзамен, — вдруг сказал мужчина. — И не важное дело. Нам просто интересно с тобой говорить. Это развлечение, радость. Стараться совсем не надо.

Он был прав. Я наконец расслабился и сразу составил нужную фразу — примитивную, зато довольно точно описывающую мой сон. А больше ничего и не требовалось.

— Как будто в той темной тихой скрывшей как будто меня как будто оберегающей как будто летящий свистящий сокрушающий как будто пришедший как будто из темного ледяного высокого как будто летящий шелестящий очаровательный как будто явившийся из как будто огромного безбрежного теплого земное соединяющего как будто обнявшись вместе как будто вдыхая выдыхая замирая как будто искали глубокий покой в темном сияющем как будто замерли как будто нашли.

Ну, то есть я как мог пересказал им свой сон о ветрах, которые спали в обнимку в моей пещере. И выслушал ответ. И поблагодарил. И стал слушать дальше. Мы говорили еще примерно полчаса, почти не пользуясь обычной речью, — о такой роскошной практике я и мечтать не смел. Но пересказывать наш диалог близко к тексту не стану, а то вы, того гляди, меня поколотите. Во всяком случае, на лице сэра Макса отчетливо написано желание стукнуть меня табуреткой. Примерно так обычно выглядел наш профессор литературы Халли Мао Тактаго, рецензируя студенческие сочинения, и дело почти всегда кончалось красивой дракой, в духе начала Эпохи Орденов, только без магии. Вспоминать об этом приятно, но воспроизводить все же не хотелось бы.

Проблема в том, что, если пересказывать нашу тогдашнюю беседу нормальным человеческим языком, большая часть ее потаенных смыслов теряется безвозвратно. Впрочем, ладно, обойдемся без них.

Женщина сказала, что мой сон о ветрах, спрятавшихся в пещере от ливня, — это добрый знак, хорошее начало долгого перехода через Тубурские горы. Мужчина же сокрушался — как жаль, что такой прекрасный сон достался неопытному сновидцу. Потому что опытный сразу определил бы, был ли это так называемый Глубокий Скрытый сон, существующий в собственном отдельном пространстве и никоим образом не связанный с так называемой реальностью, или же Легкий Тонкий сон, события которого тесно переплетены с происходящим наяву и нередко становятся ответами на важные вопросы. Сам он предполагал второй вариант. Сказал — дескать, всегда был уверен, что здешние ветры не любят весенние ливни, хоть и не подозревал, что неприязнь побуждает их прятаться в пещерах.

При этом оба Сонных Наездника говорили со мной снисходительно, как с приезжим балбесом, ничего не смыслящим в сновидениях, каковым я, собственно, и являлся. И одновременно уважительно и очень серьезно, как с равным. Такое противоречивое обращение к собеседнику — одна из характерных особенностей хохенгрона, дополнительное выразительное средство. В моем случае оно означало похвалу моим сновидческим способностям, сожаление, что они до сих пор не получили должного развития, настоятельную рекомендацию немедленно заняться искусством сновидений у какого-нибудь стоящего мастера и обещание скорого успеха.

То есть напрямик об этом не было сказано ни слова. Меня не учили уму-разуму и не давали непрошеных советов. Однако я все понял и принял к сведению. Даже если захотел бы отмахнуться и забыть, все равно не смог бы. Сказанное в лоб куда легче игнорировать, чем подобные вкрадчивые, но внятные намеки — по крайней мере, мне.

А как красиво они со мной попрощались, слышали бы вы. Покровительственное: «Теперь ступай, отдохни, приятного тебе вечера» — и одновременно: «Как будто встретимся сияющие как будто во тьме» — традиционная формула расставания Сонных Наездников, они так не то что к иностранцам, а к родным и друзьям не обращаются. Только друг к другу.

Я уже не знал, что и думать. Поэтому вовсе не стал размышлять, а просто вернулся в свою гостиницу — бегом. Несся, подпрыгивая и приплясывая, во весь опор до самого Соиса, да еще и арии из популярных опер распевал, на потеху окрестным лесам. Еще никогда в жизни так перед незнакомыми деревьями не позорился.

Зато не взорвался.

Собираясь в поездку, я кинул в сумку несколько самопишущих табличек. То есть я, конечно, ни на минуту не забывал, что еду в Тубур не ради удовлетворения научного любопытства, а по служебному делу — искать пропавшую леди Кегги Клегги, свою бывшую однокурсницу, ныне придворную даму, доверенного друга нашего короля и, что важнее всего, живого человека. Уж не знаю, что может быть серьезней.

Но как довольно опытный путешественник, я отдавал себе отчет, что дорога к месту происшествия будет долгой. И случиться может все что угодно. В том числе разные интересные вещи. И глупо выйдет, если я просто положусь на свою дурацкую память. Она у меня очень хорошая. Но кратковременная, как почти у всех студентов. То есть, расставшись с Сонными Наездниками, я был способен воспроизвести наш разговор практически слово в слово. А, скажем, три дня спустя едва ли вспомнил бы половину. И у меня были некоторые основания опасаться, что к моменту возвращения домой я, скорее всего, вообще начну думать, будто удивительная встреча в Эоисе мне приснилась, а это уже ни в какие ворота. Потому и взял таблички — чтобы собственным воспоминаниям легче было поверить потом, когда путешествие в Тубур останется далеко позади... Ай, ладно. Вам-то я зачем вру?

«Несколько» табличек — это вообще-то четыре дюжины. Такого количества хватило бы на добрую половину «Энциклопедии Мира» — если аккуратно писать. Ясно же, зачем я так запасался и какие у меня были тайные планы. Ни одной мало-мальски серьезной книги о жизненном укладе и обычаях тубурских горцев до сих пор нет. Несерьезных, впрочем, тоже. Даже сэр Манга Мелифаро, при всем моем безграничном к нему уважении, пробыл в Тубуре совсем недолго. Наверняка поболтал с трактирщиками в Соис Боис Эоисе; потом, возможно, посетил еще несколько поселений, но доверительных отношений не то что с Сонными Наездниками, а даже с рядовыми Мастерами Снов не завел. Просто не успел, как я понимаю, — ему же весь Мир надо было объездить. Да и формат энциклопедии не предполагает глубокого исследования — только самые общие сведения, по верхам.

И вот эту прореху я надеялся собственноручно залатать. На многое не претендовал — решил, пусть это будут просто путевые заметки. Плюс основные сведения о хохенгроне, по которому я, как ни крути, единственный более-менее компетентный специалист в Соединенном Королевстве, пора бы уже самому это признать. Плюс хотя бы поверхностный анализ особенностей тубурской кухни, до сих пор вообще никем не исследованной, а этот фактор оказывает на человеческую жизнь огромное влияние. И, конечно, все, что я смогу разузнать о сновидцах и сновидениях — чем больше, тем лучше. Ничего страшного не случится, если я стану задавать окружающим чуть больше вопросов, чем это необходимо для поисков Кегги Клегги. А потом конспектировать полученные ответы — никакого ущерба для основной задачи, чстверть часа перед сном, трубку и то дольше курят, не о чем тут говорить.

Даже смешно теперь вспоминать, как я убеждал себя, что имею полное право вести путевые заметки, какие нелепые оправдания придумывал. Хотя вроде бы и так ясно, что делу от записок никакого ущерба, скорее уж дополнительная польза.

Однако штука не в том, что я такой уж дурак — хотя и это тоже. Просто я с самого начала, еще до отъезда, предчувствовал, что мое путешествие в Тубур будет очень удачным. И в глубине души суеверно опасался, что, если поставлю себе сразу две цели, вся удача может израсходоваться на одну из них. Например, книжка у меня получится отличная, а вот леди Кегги Клегги я так и не найду. Что было бы очень нечестно по отношению к ней. И к встревоженному ее исчезновением королю. И к сэру Джуффину, который на меня положился. Никуда не годится!

Но это я сейчас, задним числом, понимаю и даже могу сформулировать. А тогда просто маялся. И, запечатлев на самопишущей табличке все подробности встречи с Сонными Наездниками, испытал не только законную гордость хорошо проделанной работой, но и смутное раскаяние.

Впрочем, добрая порция горячего вина помогла мне справиться с этой напастью. Расплатившись с хозяйкой за ужин и заодно выспросив у нее рецепт творожных блинов, скрасивших мое утро, я отправился спать, заранее предвкушая предстоящее удовольствие. После беседы с Сонными Наездниками мне казалось, что с этого дня мои сновидения переполнятся такими чудесами, что даже мечтать о них заранее бессмысленно — воображения не хватит.

Ну, в некотором смысле так и вышло.

Мне приснился сэр Джуффин Халли, Почтеннейший Начальник Тайного Сыска и, стало быть, лично мой. Само по себе это неудивительно — всем время от времени снятся обстоятельства их жизни и люди, с которыми приходится иметь дело наяву. В том числе начальство, чем оно хуже прочих.

Но облик и манеры шефа оказались для меня, скажем так, некоторой неожиданностью.

Вообразите себе, что человеческое тело стало прозрачным сосудом, внутри которого пылает белый огонь и одновременно льется вода, темная до черноты, как на большой глубине. Это все равно не очень-то похоже на представшее мне зрелище, но лучше я не объясню — слов не хватает, хоть на хохенгрон переходи.

При этом лицо сэра Джуффина сохраняло вполне человеческие черты. По крайней мере, я сразу его узнал. К сожалению.

Сказать, что шеф был ужасен, — меньше, чем просто промолчать. «Ужас» — это все-таки вполне человеческое чувство. Его можно испытать, а потом как-то прийти в себя и жить дальше. Возможно, даже очень неплохо жить. Долго и счастливо, лишь изредка содрогаясь от неприятных воспоминаний. А облик сэра Джуффина, похоже, был создан специально для того, чтобы пугать каких-нибудь демонов из иных Миров, у которых свои представления об ужасном и свои способы приходить в чувство после встречи с ним. Человеку же вроде меня, по идее, полагалось не испугаться, а просто упасть замертво. Или, скажем, превратиться в стоглавое чудище, или рассыпаться на миллион паникующих песчинок, или стать криком, длящимся вечно, — это уж как повезет. Потому что есть вещи, которые людям созерцать не положено, они попросту не способны уместиться в человеческое сознание, будь ты хоть сто раз какой-нибудь Великий Магистр. И открывшийся мне облик сэра Джуффина явно из их числа.

Однако я смотрел на шефа и каким-то образом оставался в живых. Даже не превращался ни во что. Думаю, потому, что это все-таки был сон, а во сне мы все немножко больше чем люди. Или не больше, а просто — другие. Наверное, так.

И, кстати, с точки зрения существа, которым я становлюсь во сне, видение мое было не только ужасно, но и ослепительно красиво. Все теоретики искусства, чьи труды я успел прочитать однажды зимней ночью, спешно готовясь к очередному экзамену, в один голос утверждают, будто ужасное не может быть красивым и наоборот. Всегда подозревал, что они ошибаются, а теперь знаю точно.

Но долго любоваться кошмаром мне не пришлось. Мой начальник открыл сияющий рот, оттуда вырвалось несколько языков пламени, явно символизирующих гнев, который он ленился испытывать, но считал своим долгом демонстрировать, и объявил:

— Сэр Нумминорих, ты болван!

Строго говоря, ничего нового о себе я в тот момент не узнал. Но все равно очень удивился. Слишком уж неуместно выглядело простое и понятное человеческое слово «болван» в этих немыслимых огненных устах. Одно из двух — или вы сияете убийственным великолепием, или ругаетесь безобидными словами. И выбор лучше сделать заранее. В противном случае ваша жертва может прийти в состояние, которое безымянные авторы «Маятника вечности» называют смешным словосочетанием «когнитивный диссонанс», а присутствующий здесь сэр Макс красивым словом «охренеть». И, чего доброго, перестанет вас бояться — просто от растерянности.

Именно это со мной и случилось. Теоретически я понимал, что от ужаса должен пребывать на пороге смерти, а на практике с трудом сдерживал смех — явно не тот эффект, ради которого все затевалось.

— Ты прав, — будничным тоном сказал сэр Джуффин. — Вид у меня совершенно неуместный. Явный перебор. И совсем не то, что требуется в данных обстоятельствах. Надо было скорчить умильную рожу доброго дядюшки и ласково проворковать, что таким болванам, как ты, не место в Тайном Сыске. Вот тогда бы тебя проняло.

Еще бы. Мне, собственно, одной этой фразы с лихвой хватило, чтобы захлебнуться отчаянием, как холодной речной водой, камнем пойти ко дну и выплыть, только вспомнив, что это — просто сон. Наяву меня вроде бы пока никто со службы не гонит, а значит, погибать не обязательно.

— Если ты до сих пор не понял, что твои здешние сновидения — много больше, чем просто пустые сны, ты еще худший болван, чем я думал, — устало сказал сэр Джуффин.

Выглядел он теперь вполне обычно, только алое пламя все еще плясало на лице, старательно символизируя начальственный гнев, который шеф по-прежнему не трудился испытывать. Вместо гнева его переполняло гораздо более неприятное для меня чувство — разочарование. Оно было похоже на копоть, скопившуюся в районе прозрачного лба.

Я открыл было рот, чтобы сказать: я же здесь всего сутки, погодите, дайте время разобраться, — но не успел.

— Все ты прекрасно знаешь, — рявкнул Джуффин. — И о Тубурских горах, и о своих снах. Но почему-то продолжаешь притворяться болваном. Ладно бы передо мной — перед собой. Впрочем, догадываюсь почему. Ты вбил себе в голову, будто болванам легче живется. В каком-то смысле так оно и есть. Быть щепкой, скачущей по волнам, определенно проще, чем морем, которое ее несет. Но при этом море — всемогущая стихия, а щепка совершенно беспомощна. Ты бы уж определился, чего на самом деле хочешь. Щепка ты или море, сэр Нумминорих? Вот в чем вопрос. Как скажешь, так и будет.

Я снова открыл рот, собираясь ответить, что не хочу быть ни тем ни другим — в смысле не хочу превращаться ни в море, ни тем более в щепку. Во сне я обычно очень прямолинеен и совсем не понимаю метафор, хоть и трудно в это поверить сейчас, наяву.

К счастью, сэр Джуффин снова не дал мне высказаться. А то «болван», пожалуй, показался бы ему слишком мягким определением.

— Почему ты не поговорил с ветрами? — сурово спросил он.

И я, конечно, сразу понял, о чем речь.

Сперва я хотел сказать — но это же был просто сон. Сведения, полученные во сне, не могут пригодиться наяву. Зачем ради них хлопотать?

— Чушь, — отмахнулся сэр Джуффин. — Глупое, недостойное вранье.

Я почувствовал, что шеф близок к тому, чтобы вспомнить, каково это — сердиться по-настоящему. Но все-таки передумал.

— В тот момент ты знал цену своему сновидению, — уже спокойно сказал он. — Прекрасно все понимал. Твое желание расспросить ветры про Кегги Клегги было не просто удачным решением, но естественной, единственно возможной реакцией на происходящее. И все-таки ты промолчал. Почему?

Я наконец смог ответить ему не мысленно, а вслух:

— Просто постеснялся их беспокоить.

— А вот это правда, — согласился сэр Джуффин. — Самая страшная из всех правд о тебе.

Я был совсем сбит с толку. Ничего такого уж страшного я в застенчивости не видел — ни наяву, ни тем более во сне. И никакого особого вреда от нее до сих пор не было. Вроде бы. Или?..

— Застенчивость — это просто один из способов нравиться другим людям, — сказал шеф. — Точнее, защититься от их неприязни. Не мешать, не раздражать, не навязывать себя. Быть комфортным и незаметным. Вполне разумное поведение в детстве, когда ты слаб и зависишь от других. Взрослому оно не к лицу. А для могущественного человека — немыслимо. Если так уж приспичило срочно всем понравиться, пускай в ход обаяние. При должном подходе оно может стать оружием столь совершенным, что даже убивать никого не понадобится — вообще никогда, прикинь.

Но я-то не могущественный человек. Просто хороший нюхач, — хотел сказать я. Но не успел.

— Достаточно того, что ты взрослый, — отрезал сэр Джуффин. — Взрослый человек, служащий Тайного Сыска, действующий по моему заданию и личной просьбе короля. И, как выяснилось, очень удачливый сновидец. В первую же ночь, проведенную в Тубуре, ты получил прекрасный шанс выяснить местонахождение пропавшей леди. И благополучно этот шанс прохлопал. Причем не потому, что глуп и ничего не понял, — это как раз было бы простительно, все мы время от времени становимся изумительными дураками. Но ты не таков. Сразу смекнул, что ветры могут знать гораздо больше, чем люди. А все равно промолчал, как мальчишка, у которого всего-то забот — выпросить конфету или продолжать застенчиво сидеть под столом, где привык прятаться, когда приходят гости.

— Просто я никогда прежде не имел дела с ветрами, — сказал я. — Тем более с тубурскими. Я же понятия не имею, какие у них обычаи. Чего ветры ждут от людей? Какое поведение они считают нормальным, чем их можно рассердить? Как себя вести, чтобы с ними не рассориться?

— Разумный подход, — неожиданно согласился сэр Джуффин. И тут же яростно перебил сам себя: — Но в твоем случае он никуда не годится. Потому что это ветры должны беспокоиться, как бы с тобой не рассориться. А любой взрослый — трепетать при мысли, что будет с ним, если ты не захочешь брать его конфету. Твоя забота — не стараться нравиться всем подряд, а решать, нравятся ли они тебе. Это вопрос не амбиций, а личной силы. И если ты этого до сих пор не понял, сэр Нумминорих, ты действительно болван, каких поискать. Феерический. Феноменальный. И я тоже — поскольку теряю тут с тобой время. Но мою ошибку, хвала Магистрам, исправить несложно.

С этими словами он исчез, и я остался один. Неизвестно где, вернее, вовсе нигде. Даже не в пустоте, потому что пустота — это все-таки вполне понятная и очевидная штука, если уж окажешься в ней, ни с чем не перепутаешь. Но тут не было и ее. Дело, видимо, в том, что ничего, кроме сердитого сэра Джуффина, мне не приснилось. И теперь, когда он исчез, я остался один посреди сна без сновидений, как последний дурак. Один выход — проснуться, чем скорее, тем лучше.

Подумав об этом, я открыл глаза и обнаружил, что лежу на узкой кровати в гостиничной комнате под крышей, лицом к распахнутому окну. Теплый южный ветер приготовил мне на завтрак запахи морской воды, мокрой травы и еще нераспустившихся сладких цветов, а над вершинами далеких гор вот прямо сейчас поднималось солнце, огненное и одновременно зеленое, словно в нем, как в далеком зеркале, отразились кроны здешних лесов. Никогда — ни прежде, ни после — не видел подобного эффекта. И понятия не имею, чем он был обусловлен.

А на постели рядом с моей подушкой лежала конфета. Круглая конфета из ярко-красного суммонийского шоколада, под тонким слоем которого светилась начинка. Такие даже в Эпоху Орденов были большой редкостью — чтобы заставить еду светиться, не испортив при этом ее вкус, требуется Черная магия, если не ошибаюсь, шестьдесят восьмой ступени, а настолько умелых колдунов среди столичных поваров раз, два и обчелся.

Я такие конфеты, кажется, только однажды и видел, в витрине кондитерской Зойо Утсойго, когда мама отправилась в Старый Город по какому-то неотложному делу и взяла меня с собой. Глядел тогда на эти сияющие шоколадки, как зачарованный. И не то что постеснялся попросить, а вообще не сообразил, что такая потрясающая штука может стать моей собственностью — хотя бы теоретически. Думал, увидеть ее — и есть самая большая удача, чего еще желать.

Некоторое время я тупо смотрел на светящуюся конфету, силясь сообразить, откуда она взялась. По всему выходило, что ниоткуда, потому что ничего похожего на запах человека, который принес гостинец, или хотя бы помещения, где конфета прежде лежала, я так и не учуял. Наконец махнул рукой на попытки разобраться, положил конфету в рот и принялся жевать, старательно отслеживая все нюансы вкуса. Хотя, честно говоря, нечего там было отслеживать. Шоколад как шоколад, да еще и слишком долго пролежавший в самой обычной, не подходящей для хранения волшебной еды коробке.

А все равно чудо.

После такого даже зов сэру Джуффину посылать не очень страшно. Хоть и не люблю я беспокоить людей на рассвете. Но мало ли чего я не люблю.

Первый вопрос я придумал, пока жевал конфету. И был так доволен четкостью формулировки, что задал его, не поздоровавшись:

«Это был мой сон или все-таки ваш?»

«Чего? — изумленно спросил сэр Джуффин Халли. — Ты о чем? Что у тебя там случилось?»

Похоже, я его действительно разбудил. Но что сделано, то сделано.

«Вы мне всю ночь снились, — напомнил я. — Но я так и не понял, какие выводы из этого следует сделать».

«Всю ночь, говоришь? Ну надо же. Если бы я был юной девицей, побился бы об заклад, что ты в меня влюблен. А так даже и не знаю, что подумать».

«Я тоже не знаю, что думать, — согласился я. — Даже не уверен, что все еще служу в Тайном Сыске. Вообще-то официально вы меня так и не выгнали. Но, по-моему, к тому шло».

«Так, — сказал шеф. — Я уже понял, что тебе приснился кошмар с моим участием. Но все же хотелось бы пикантных подробностей. Потому что лично я провел эту ночь на Темной Стороне, вернулся домой всего полчаса назад, даже задремать толком не успел. То есть, если ты думаешь, будто нам приснился один сон на двоих, имей в виду, у меня железное алиби».

«Грешные Магистры, как же это хорошо!» — выдохнул я.

И теперь уже с легким сердцем пересказал ему свой сон, стараясь не упустить ни единой подробности.

Кстати, ближе к финалу моего выступления Безмолвная связь с сэром Джуффином пропала. Словно он внезапно переместился в какую-нибудь иную реальность или просто в Холоми зашел. Я совершенно растерялся. Но несколько минут спустя шеф объявился и принес извинения:

«Прости, сэр Нумминорих. Я не нарочно. Не хотел тебя пугать. В молодости я часто проваливался на Темную Сторону от смеха. Просто не мог держать себя в руках. Но в конце концов научился. Думал, с неконтролируемыми путешествиями покончено раз и навсегда, а тут вдруг снова попался, как мальчишка. Впрочем, это вполне простительно: давненько я так не хохотал, как сегодня. Сделал ты мне подарок. Спасибо тебе».

«Вряд ли тут есть моя заслуга, — честно сказал я. — Этот сон про вас сам мне приснился, я для этого и пальцем не пошевелил. Потому что, во-первых, я не Сонный Наездник, чтобы самому сочинять себе сны. А во-вторых, такого я бы просто не выдумал».

«Пожалуй, — поразмыслив, согласился сэр Джуффин. — Я бы и сам не выдумал. Прозрачное тело, вода и пламя, искры изо рта! И вся эта немыслимая красота ругается, как генерал Бубута, хорошо хоть без сортиров обошлось. Досадно, что этот кошмар приснился тебе, а не мне, причем лет двести назад. В Эпоху Орденов цены бы такому прекрасному облику не было, а теперь — разве только на карнавал... Одного не пойму — почему ты решил, будто я по собственной воле тебе в таком виде приснился? Неужели ждал от меня чего-то подобного? Вроде бы не мой стиль».

«Не ваш. Но вчера утром вы как раз пошутили, что за оплошность, допущенную во сне, ругать следует там же. Так что было бы логично...»

«Еще как логично, — подтвердил шеф. — Скажу тебе больше, сэр Нумминорих, именно так я и поступил бы, будь ты не просто одним из служащих Тайного Сыска, а моим учеником. И сказал бы тебе примерно то же самое. Только, конечно, совсем в других выражениях. Ни пламенем сверкать, ни обзываться не стал бы. О серьезных вещах так не разговаривают. Тем более во сне».

«То есть по сути все верно? — огорчился я. — Я действительно такой феноменальный болван? И упустил шанс найти Кегги Клегги? И теперь ничего не исправишь?»

«Ну, я бы не стал так драматизировать. Все верно, но лишь отчасти. С другим, так сказать, оттенком значения. Что касается леди Кегги Клегги, ветры, безусловно, могли бы подсказать, где ее искать. Но лишь в том случае, если она, к примеру, заблудилась в лесу. Или утонула в реке. Или зачем-то спряталась от людей в укромной пещере. Или — давай будем оптимистами! — влюбилась в красивого Мастера

Снов и, плюнув на все, удалилась в его ветхую лачугу на неприступной вершине какой-нибудь далекой горы. А все это, честно говоря, маловероятно. Но на твоем месте я бы все равно локти грыз, что не решился завязать разговор. Такая удивительная возможность! Я вон сколько столетий на свете прожил, и не сказать, что совсем уж бездарно тратил время, но в одной пещере с ветрами пока ни разу не ночевал — ни во сне, ни наяву».

«Ясно, — вздохнул я. — И со всем остальным обстоит примерно так же? В смысле я дурак, но не настолько, чтобы немедленно застрелиться?»

«Вот именно, — обрадовался шеф. — Точнее не скажешь. Зря все-таки мой двойник столь настойчиво обзывал тебя болваном. Ты совсем из другого теста».

«Спасибо», — вежливо сказал я.

Вообще-то, я уже привык к тому, что сэр Джуффин Халли охотно хвалит своих сотрудников, ему только повод дай. Причем чаще всего по пустякам. Дразнится он так, что ли? Но после давешнего сна выслушивать его комплименты было по-настоящему приятно. Просто по контрасту.

«Не за что, — жизнерадостно откликнулся шеф. — На этой оптимистической ноте предлагаю свернуть разговор о твоих чудесных сновидениях. Потому что у меня тут свои в очередь выстроились, требуют внимания. А у меня совещание в полдень. То есть уже через несколько часов — что хочешь, то и делай».

Я ужасно смутился. Признался же человек сразу, что спать еще не ложился, а я ему голову морочу, не отпускаю отдыхать. Хотя разговор совсем не срочный, вполне можно было отложить его до вечера или вовсе до завтра.

Собирался рассыпаться в извинениях и распрощаться, но вместо этого — словно бы назло сияющему грубияну из сна, потешавшемуся над моей застенчивостью, — торопливо сказал:

«Только еще одна штука. Можно прямо сейчас? Мне очень важно».

«Если важно, выкладывай».

Безмолвная речь практически не передает интонаций, но мне до сих пор кажется, что он тогда здорово удивился.

«Этот ваш двойник, который мне снился, говорил, что вопрос в том, кто я — щепка, подхваченная морской волной, или море, которое ее несет. Дескать, я сам должен это решить».

«Ну и?» — нетерпеливо спросил шеф.

«Я решил, что я — ни то ни другое. А что-нибудь еще. Например, проплывающий мимо корабль. Или глубоководная рыба. Или ветер, дующий со стороны Лумукитана. Или завтрашний дождь, который пока спит в своей туче и не знает, что когда-нибудь прольется и смешается с морской водой. Или вообще весь мир, где есть место и морю, и щепке, и ветрам, и кораблям, и всему остальному. Зачем выбирать что-то одно?»

«Это очень хороший ответ на вопрос, который я непременно задал бы тебе, если бы ты был моим учеником, — мягко сказал сэр Джуффин. — На мой взгляд, чересчур романтический, зато верный. Я понял тебя, сэр Нумминорих. Если когда-нибудь поймаю негодяя, который, прикинувшись мной, пугает во сне моих сотрудников, непременно передам ему твои слова. Ты же об этом хотел меня попросить?»

«Конечно. — Я обрадовался, что он так правильно все понимает. — Поэтому и торопился. Подумал: а вдруг вы поймаете его прямо сегодня? Тогда лучше не тянуть».

«Ты очень по-дурацки все себе представляешь, — заметил шеф. — Но поступаешь при этом абсолютно правильно. А это гораздо важнее».

Потом он, наверное, все-таки отправился спать. А я пошел завтракать, окрыленный не то собственной смелостью, не то ангельским терпением начальства, не то просто тем фактом, что жизнь прекрасна и продолжается, несмотря на все мои глупые сны.

После столь впечатляющего начала похода я был готов ко всему. В переводе с моего внутреннего языка на человеческий «готов ко всему» означает, что я мечтал, как горы и птицы начнут говорить со мной как с братом, солнце не поленится подниматься над горизонтом столько раз в день, сколько мне приспичит полюбоваться рассветом, смерчи перессорятся, оспаривая друг у друга право поднять меня над землей и доставить к месту назначения, все мятежные колдуны старых времен станут творить свои ужасающие дела исключительно в моих сновидениях, а толпы Сонных Наездников в огромных шапках будут подкарауливать меня во всех окрестных трактирах, снедаемые неодолимым желанием немедленно преподать очередной урок хохенгрона и заодно открыть пару дюжин невероятных тайн.

По сравнению с этими мечтами мое настоящее путешествие по Тубурским горам может показаться довольно скучным. Притом что стало захватывающим приключением, щедрым на великолепные пейзажи, солнечные дни, счастливые совпадения, мелкие неприятности, обильные завтраки, добрые знакомства и новые знания — как же без них.

Я карабкался по крутым горным тропам и шел через благоухающие травами долины, ночевал в крошечных селениях, пастушьих хижинах, заброшенных амбарах и гнездах гигантских птиц, грыз с голодухи сухие прошлогодние ягоды и бессовестно объедался на устроенных в мою честь пирах, раздавал подарки и принимал добрые советы; несколько раз прятался от лютых весенних ливней в пещерах для сновидений, а однажды — в древесном дупле, которое, хвала Магистрам, оказалось достаточно велико.

В гостеприимном селении Ойгри мне пришлось вспомнить уроки, полученные когда-то у скульптора Юхры Юккори, и отважно возглавить строительство площадки для детских игр, которая, благодаря моим стараниям, украсилась воистину чудовищными химерами; впрочем, дети остались довольны, а это главное.

В крошечном городке Тойли Йойли, состоящем всего из двух деревенек, мне посчастливилось стать гостем на свадьбе стариков, которые любили друг друга всю жизнь, но никак не могли не то что пожениться, а даже сговориться о первом свидании, поскольку мужчина предпочитал спать ночью, его подруга — днем, и оба слишком высоко ценили свою способность видеть сны, чтобы отказаться от нее ради семейного счастья. Их воссоединению способствовала, как я понимаю, старческая бессонница, и видели бы вы, как ликовали эти молодожены, подсчитывая, сколько часов в день смогут теперь проводить вместе.

На южном склоне горы Хейк я стал свидетелем ритуальной пляски Лесных Каменщиков, о которых прежде даже краем уха не слышал. И видел, как в финале их танца деревья расступились, волоча за собой вытащенные из земли корни — освободили людям немного места под строительство, сколько смогли. Тогда-то я понял, почему тубурские горцы ставят свои дома практически впритык — сколько ни колдуй, а дереву трудно уходить далеко от того места, где оно выросло. Совсем бессердечным человеком надо быть, чтобы гонять их на большие расстояния. А бессердечные люди в этих горах, похоже, вовсе не рождаются. Ужасно интересно — почему так?

На западном склоне горы Айроган мне посчастливилось слышать весеннее пение бабочек — а ведь всю жизнь считал выражение «когда бабочки запоют» обычным фразеологическим оборотом, означающим «разве что чудом».

На краю долины Вайесс в мой рукав забрался юный северный ветер. То ли он попал в беду, то ли просто устал настолько, что уже не мог ни дуть, ни лететь. И пришлось мне нести его с собой, мирясь с почти непрерывным пронзительным свистом, постоянной щекоткой и ледяным холодом, от которого немела рука, целых три дня, пока нас не догнал другой ветер — такой же холодный, зато веселый и полный сил — и забрал малыша с собой. Двумя днями позже, когда я в очередной раз устроился на ночлег в пещере для сновидений, мне приснилось, что ветры пришли меня благодарить, но постеснялись будить — в точности как я сам в начале путешествия. Потоптались на пороге, случайно сдули вниз, на землю, мой тюрбан, окончательно смутились и улетели. Оставалось надеяться, что их, в отличие от меня, некому распекать за излишнюю деликатность.

Но я чересчур увлекся приятными воспоминаниями. Пора взять себя в руки и остановиться, пока сам не забыл, о чем, собственно, собирался рассказать.

Спустя две с лишним дюжины дней с момента моего прибытия в Чирухту я сидел на берегу реки Аккар, узкой, как ручей, и слишком горячей, чтобы лезть купаться. О чем, конечно, сожалел. Но не слишком. Я вообще быстро привыкаю к тем обстоятельствам путешествия, которые принято считать неудобствами. Нет возможности регулярно мыться, бриться, переодеваться ко сну и пить свежую камру по утрам — и не надо, дома наверстаю. Невелика плата за счастье везде побывать.

Из четырех дюжин моих самопишущих табличек к этому времени были заполнены уже почти три — и все по делу, ничего лишнего. Я был в неописуемом восторге от этого факта, но понемногу начинал опасаться, что в конце концов мне не хватит места для записей и придется переходить на бумагу. От руки я пробовал писать всего пару раз в жизни и, по правде сказать, не преуспел. И не жаждал повторить этот опыт. А ведь в случае чего придется.

Но в тот момент, сидя на берегу горячей реки Аккар, я не беспокоился о табличках. И вообще ни о чем. Был безмятежен, как цветущий весенний куст, которому предстоит еще куча дел, одни только хлопоты с грядущим урожаем ягод чего стоят, но прямо сейчас этим заниматься не надо — вот и славно.

До городка Вэс Уэс Мэс, где потерялась леди Кегги Клегги, мне оставалось примерно два дня пути. Достаточно мало, чтобы предвкушать скорое достижение цели, достаточно много, чтобы не думать, как я буду выкручиваться потом. Да и что толку заранее гадать? Дойду, выспрошу, кто из учителей снов сейчас готов взять ученика, уговорю кого-нибудь из них со мной возиться, попутно перезнакомлюсь с кучей народу, осмотрюсь, начну задавать вопросы, получу какие-то ответы — вот тогда и поглядим, что делать дальше.

Я учуял запах приближающегося человека — пряная зелень, прошлогодние сухие травы, недавно выстиранная с горьким деревенским мылом шерсть, жженый сахар, дым, свежее молоко — задолго до того, как он ко мне подошел. Поэтому не вздрогнул, когда на мое плечо легла легкая, как тряпичный лоскут, рука. Впрочем, даже не будь у меня чуткого носа, все равно я вряд ли стал бы пугаться. Неприятные неожиданности в горах Чирухты порой случаются, но там как-то быстро отвыкаешь от мысли, что их причиной может стать человек. Некоторые наши купцы, говорят, так расслабляются, странствуя по Тубуру, что дома потом предложению грабителя отдать кошелек смеются, как хорошей шутке. Кстати, еще и поэтому многие предпочитают возвращаться через

Изамон — один день в Цакайсысе самого благодушного путешественника быстро отрезвит, хочет он того или нет.

Обернувшись, я увидел невысокого пожилого мужчину, чье загорелое лицо можно было бы назвать непримечательным, если бы не огромные глаза цвета молодой листвы — никогда прежде таких не видел. Одет он был, как все здешние жители, в несколько слоев. Из-под клетчатой шерстяной юбки с запахом выглядывали широкие штаны до колен, а из-под них — еще одни, почти такие же узкие, как у изамонцев, заправленные в короткие стоптанные пастушьи сапоги. Поверх тонкого свитера и длинной полосатой рубахи был надет лоскутный жилет; обычно к такому наряду полагается еще пара-тройка курток, полдюжины пестрых шарфов, скрученных в один огромный жгут, и длинный непромокаемый плащ, но день выдался больно уж теплый, чтобы так кутаться.

У нас, я знаю, смеются над нелепыми нарядами тубурских горцев, и, на мой взгляд, совершенно зря. Когда то спускаешься в долину, где уже наступило жаркое лето, то поднимаешься на заснеженную вершину, да и сидя дома, никогда не знаешь, какие ветры заявятся нынче в твое селение и что за игры там затеют, удобно иметь возможность быстро избавляться от лишних деталей костюма и по мере необходимости столь же стремительно одеваться.

На голове незнакомца было несколько шапок — не огромных Сонных, конечно, а маленьких, связанных из тонкой шерсти и украшенных такими замечательными узорами, хоть в гостиной на стены их развешивай вместо картин. Еще во время прошлой поездки я узнал, что подобные шапочки носят учителя сновидений — каждая содержит определенный набор простых снов, предназначенных для учеников, а голова преподавателя — идеальное место для хранения учебных пособий в перерывах между уроками.

Зеленоглазый человек приветливо улыбнулся и сказал:

— Я согласен тебя учить. Вышел встретить, чтобы не терять времени зря.

Я опешил. Вот это удача! Теперь ни искать, ни уговаривать никого не придется, учитель снов сам за мной явился. Ну и дела.

Не знаю, как ведут себя в подобных случаях другие новички. Многословно благодарят? Молча кланяются? Предлагают будущему учителю все свое движимое и недвижимое имущество, от которого он, согласно традиции, трижды отказывается наотрез? Просто обещают стараться изо всех сил? Но я был бы не я, если бы не спросил:

— А откуда ты узнал, что я хочу выучиться на Мастера Снов?

Мой будущий учитель так удивился, что перешел на хохенгрон, на котором с приезжими здесь никто не разговаривает — просто чтобы не заставлять нашего брата лишний раз чувствовать себя дураком.

— Как будто сам мне вснился бегущий нетерпеливый. Как будто сам не единожды проснулся упрямый настойчивый. Как будто сам спрашивает теперь как будто мы как будто в темном сияющем глубоком не пребывали рядом как будто соприкасаясь не говорили!

«Ну ничего себе, — озадаченно подумал я. — Мало того, что я ему «вснился», так еще и «проснился» неоднократно, оказывается. Как удалось-то?»

По вашим лицам вижу, придется еще кое-что объяснить. Сколько морочил вам головы сведениями о хохенгроне, а самого главного так и не сказал. В этом замечательном языке есть несколько сотен разных глаголов, которые приблизительно переводятся как «присниться» и «увидеть во сне»; разница — в оттенках значения. Честно говоря, даже теперь, немного изучив искусство сновидений, я понимаю гораздо меньше половины — только соответствующие процессам, в которые я был вовлечен или хотя бы становился их свидетелем. Например, глагол, который я неуклюже перевел как «вснился», означает, что какие-то эпизоды твоей реальной жизни приснились другому человеку, причем случайно, без предварительной договоренности и каких-либо осознанных усилий обеих участвующих сторон. А глагол «проснился» означает, что в чужом сне ты вел себя как человек, прекрасно понимающий, где находится и с кем говорит: высказывал просьбы, задавал вопросы, заключал договоры, давал объяснения и так далее. Тубурцы полагают, что «проснился» можно только намеренно; для этого существует специальная техника — говорят, довольно простая, но это я ни подтвердить, ни опровергнуть не могу, поскольку так с нею и не ознакомился. Мой учитель был уверен, что, если очень припечет, «проснился» я и сам распрекрасно сумею — получилось же несколько раз. Переубедить его мне не удалось, а жаль. Полезный был бы навык. Есть вещи, которые наяву обсуждать не принято, а хочется иногда — хоть плачь.

Ну вот, про значения глаголов я с горем пополам рассказал. Уже легче.

А тогда, услышав ответ зеленоглазого тубурца, я натурально онемел от удивления и смущенно замотал головой — дескать, не было ничего такого. А если и было, то я не помню.

— Ишь, — обрадовался тот, — да ты все понял! Легко, значит, будет с тобой договариваться.

Он, кстати, так и не стал выяснять, где я языку выучился, — ни в тот день, ни позже. Теперь думаю, может, я сам все о себе рассказал — когда «проснился», чтобы напроситься в ученики? И внезапный переход на хохенгрон был не следствием удивления, а проверкой?

Все может быть.

Я наконец собрался с мыслями и пробормотал:

— Как будто я не был как будто с тобой в темном сияющем. Как будто помнить нечего пусто как будто мне.

— Сам ничего не помнишь? — ласково переспросил мой будущий учитель. — С новичками такое порой бывает. Ничего, не беда. Уметь важнее, чем помнить.

Я тоже перешел на нормальный язык. Сказал:

— Спасибо. Я так рад, что ты согласен меня учить! Думал, искать учителя долго придется. Я же заранее ни с кем не договаривался, и рекомендаций у меня нет. Просто много лет мечтал выучиться на Мастера Снов, однажды решил — сейчас или никогда — и на следующий день уже был на корабле. На меня иногда находит.

— Многие молодые люди ведут себя импульсивно, — снисходительно согласился тубурец. — Наяву это трудно счесть достоинством, зато во сне бывает чрезвычайно полезно. Ну что, пошли?

— А как тебя зовут? — спросил я, поднимаясь на ноги. Тут же смутился и объяснил: — Надо же мне знать, как обращаться.

— Сновидцам имена не нужны, — безмятежно ответствовал зеленоглазый. — Впрочем, наяву у меня есть несколько прозвищ — для родни, для чужих людей, для незнакомцев и для учеников. Зови меня Еси Кудеси, а свое имя не говори, оно помешает мне тебя учить.

В другой ситуации я бы непременно кинулся выспрашивать, чем может помешать мое имя. И не следует ли мне тоже обзавестись прозвищами на разные случаи жизни? Но когда выяснилось, что передо мной не кто-нибудь, а «дядюшка Еси Кудеси», тот самый «прекрасный человек», о котором писала королю Кегги Клегги, мне стало не до вопросов. Я еще даже не начал думать, под каким бы предлогом с ним познакомиться, а он сам пришел, сообщив, будто я ему неоднократно «проснился». Бывают же чудесные совпадения! Или это сила моего желания встретить Еси Кудеси оказалась столь велика? Нет, все-таки вряд ли. Прежде ничего подобного не случалось, а то куча народу начала бы вздрагивать при встрече со мной — все, кого я очень хотел заполучить в собеседники, но постеснялся беспокоить наяву.

— Первый урок заключается в том, что спать можно и на ходу, — объявил Еси Кудеси. — Сними-ка тюрбан. И спрячь куда-нибудь подальше, до возвращения домой. Здесь он тебе не понадобится.

Пока я возился с дорожной сумкой, он выбрал из украшавших его голову шапок желтую с синим и зеленым узором. Сказал: «Наклонись» — и нахлобучил ее на меня.

И я, можете себе представить, тут же уснул. Не укладываясь при этом на траву, даже не пошатнувшись. Смутно, сквозь сон почувствовал, как мой учитель взял меня за руку. А потом мы куда-то пошли.

Вот честное слово, если бы я хоть немного подумал головой прежде, чем начинать рассказывать вам историю, выбрал бы какую-нибудь другую! Просто не сообразил заранее, что придется описывать великое множество вещей, для которых в обычном языке и названий-то нет. Впрочем, даже если бы вы в совершенстве владели хохенгроном, мне было бы ненамного легче. Потому что поди объясни то, чего сам практически не понимаешь. А только смутно помнишь, что с тобой это было, вернее, ты весь, целиком, был там — в неназываемом, зыбком, дрожащем, мерцающем, ускользающем, как только откроешь глаза.

С другой стороны, не прерывать же историю на середине. Поэтому придется как-то выкручиваться. Например, сказать вам, что я спал достаточно крепко, чтобы видеть сны. И при этом настолько неглубоко, что ощущал на своей руке легкие прохладные пальцы Еси Кудеси, чувствовал, как он увлекает меня за собой и мои ноги делают шаг за шагом по речному песку, по мягкой траве, по мелким круглым камням.

Снилась мне при этом настолько невероятная чушь, что я, не просыпаясь, думал: «Если это и есть специальный учебный сон, то чему, интересно, он должен меня научить? Просыпаться по собственному желанию — так, что ли? Отличная идея». Но полагал, что проснуться в самом начале первого урока будет как минимум невежливо, поэтому продолжал заниматься полной ерундой: доил желтую корову, норовившую превратиться то в котел, то в цветок, то в пылающий фонарь. Прекратить это безобразие можно было только одним способом: внимательно на нее смотреть и не давать сбить себя с толку, то есть помнить, что передо мной именно корова, как бы она ни выглядела в настоящий момент. Тогда ее первоначальный облик возвращался на место.

Вместо молока в мое ведро струилась лиловая тишина, зато вокруг стоял невероятный гвалт. Люди на площади затеяли дурацкую игру — кто кого перекричит, и каждый выкладывался из последних сил. Их вопли, достигая земли, превращались в разноцветные колеса, которые катались, то и дело сталкиваясь друг с другом, подпрыгивая, переворачиваясь и дребезжа. Все это отвлекало меня от коровы, но я очень старался сосредоточиться на работе, надоить полное ведро лиловой тишины — все-таки самый первый урок, и я не хотел вот так сразу разочаровать своего учителя.

Однако время шло, сон не прекращался; более того, в какой-то момент я заметил, что он, похоже, начался сначала. Лиловая тишина вдруг исчезла из ведра, осталась лишь жалкая лужица на дне. И вот это большое красное колесо уже катилось прямо мне под ноги, и корова в тот момент предприняла очередную попытку стать огромным оранжевым цветком на длинном, в человеческий рост, стебле, а на площади как раз кричали: «У-га-га», — ну точно, так все и было.

И тогда я решительно остановился, сдернул с головы шапку и сказал: «Все, хватит!» Вообще-то удивительный для меня поступок. Я довольно покладистый человек, а уж когда начинаю чему-то учиться, готов переносить любые трудности, особенно поначалу. Вон для Юхры Юккори сутки каменную смесь в котле мешал, практически не разгибаясь; а сколько овощей в свое время перечистил, постигая поварское искусство, вспомнить страшно. И ничего, выдержал как-то. Даже, помню, особо не ныл. А тут вдруг сорвался, на пустом месте практически. Подумаешь — сон про корову. Даже не кошмар.

Но мой учитель выглядел очень довольным.

— Смотри-ка, проснулся! Вот и молодец. Первое правило практикующего: если сон тебе не нравится, просыпайся. Всякий знает, что это легко сказать, да непросто сделать. У тебя получилось. Правда, сновидящему на ходу проснуться гораздо легче, чем пребывающему в покое. Посмотрим, что будет ночью.

— А я думал, надо терпеть, сколько смогу, если уж ты этот сон для меня выбрал, — сказал я. — А то вообще сразу проснулся бы.

— Зачем терпеть-то? — удивился Еси Кудеси. —
Ты же не послушанию пришел учиться, а снам. Сновидцу следует быть своевольным. Прости, что сразу
не сказал, думал, и так понятно. Хочешь есть?

Я кивнул, решив, что сейчас мы устроим привал
и перекусим. Не тут-то было! Мой учитель просто
напялил на меня другую шапку — красную с белыми
завитушками. И потащил дальше. Сквозь сон я почувствовал, что мы поднимаемся по довольно крутой
тропе, но спать это совершенно не мешало.

Теперь мне снилось ярко освещенное, просторное,
по тубурским меркам, помещение, в центре которого
был накрыт стол. Он буквально ломился от еды, которая выглядела чрезвычайно соблазнительно, однако аппетита у меня не вызывала. Кажется, я забыл
сказать одну очень важную штуку: обычно в моих
сновидениях нет запахов. Вообще никаких. Люди, я
знаю, редко обращают внимание на подобные вещи,
и даже я сам только задним числом, проснувшись,
вспоминаю, что во сне у меня не было обоняния.
И удивляюсь, что это казалось естественным, как
будто я был не я, а совсем другой человек, с иным
опытом, не привыкший полагаться на нос больше,
чем на глаза и уши.

А вот сейчас сразу сообразил, в чем дело. Видимо,
потому что спал на ходу совсем неглубоко.

Я остановился, снял шапку. Сказал:

— Вряд ли эта еда, которая мне снилась, съедобная.

— Верно, — обрадовался Еси Кудеси. — Как догадался?

— Так она не пахнет едой. И вообще ничем.

— Твоя правда, — удивленно согласился он. — Надо же! До сих пор мне никто так не отвечал.

— Просто я нюхач.

— Кто?

Пришлось объяснять. Еси Кудеси слушал внимательно, но, как мне показалось, без особого интереса.

— Таких я еще спать не учил, — заключил он. — Даже не знаю, будет тебе легче, чем другим, или труднее. Ну, поглядим.

И напялил на меня очередную шапку. Синюю, с коричневыми и желтыми завитушками.

До вечера я успел перемерить еще полдюжины шапок и увидеть столько же снов. Длинных и, честно говоря, совершенно дурацких. Я начал понимать, почему Кегги Клегги рассказывала королю, что первые уроки — скука смертная. Я вон и то затосковал. Хотя обычно вообще никогда не скучаю, даже на самых унылых лекциях прекрасно проводил время, принюхиваясь к сокурсникам, пытаясь перевести речь преподавателя на иррашийский или просто обдумывая свои дела. Видимо, штука в том, что во сне внутренней жизнью особо не поживешь. Сновидение, даже самое бестолковое, полностью захватывает внимание спящего.

Об этом я и сообщил своему учителю, когда он забрал у меня последнюю шапку и мы принялись искать подходящее место для ночлега.

— Так и есть, — согласился Еси Кудеси. — Для тебя и других новичков. В том и заключается большая часть подготовки, чтобы начать вести себя во сне в точности как наяву. И вниманием своим распоряжаться по собственному усмотрению. Ты и правда вовсе не так опытен, как я предполагал.

— Ну да. Никогда специально этим не занимался. В смысле сновидениями. Просто спал и, как все нормальные люди, видел сны. Некоторые — потрясающие, гораздо больше похожие на настоящую жизнь, чем большинство ее эпизодов. Но сам я ничего для этого не делал. Брал, как говорится, что дают. Просто иногда мне доставались настоящие сокровища. Везло!

— Сновидения тебя любят, это правда, — подумав, сказал мой учитель. — Главное, чтобы их любовь не оказалась чрезмерной.

— А то что?

— А то когда-нибудь сгинешь там целиком, — жизнерадостно пояснил Еси Кудеси. — Дело-то само по себе неплохое. У нас почти каждый о подобной судьбе мечтает. Но твоим землякам, я знаю, такая перспектива обычно совсем не нравится.

Его слова меня успокоили. Сгинуть — это не для меня. Я твердо верил в силу Обета Лаллориха. Благодаря ему я в свое время даже к обеду перестал опаздывать, а с играми, которые затевал Кипи Балье, рыжий мальчишка с улицы Грома, мало какие сновидения могут сравниться.

— ...хотя, конечно, чего только не бывает, — продолжал говорить Еси Кудеси, нанизывая на самодельный вертел здоровенные куски домашнего окорока, от соблазнительного благоухания которого у меня разум мутился. — Вот в прошлом году одна девчонка из Соединенного Королевства ко мне учиться приехала, столичная, как и ты. Так ей только этого и требовалось — сгинуть. Не признавалась, но я такие вещи сразу вижу... Ну и добилась своего, такие, как она, всегда добиваются. Правда, у нее предки из наших мест. Может, поэтому.

Я уж насколько был околдован окороком, а все равно насторожился.

— А что за девчонка-то? Я слышал, сюда одна моя бывшая однокурсница поехала, причем не куда-нибудь, а именно в Вэс Уэс Мэс. Как раз в прошлом году. И до сих пор не вернулась.

— Не Кегги Клегги, часом? — оживился Еси Кудеси.

Грешные Магистры. Все оказалось так просто. Никакого расследования. Никаких тонких интриг. Даже разнюхивать ничего не пришлось — сами пришли и все рассказали. Такой уж простодушный народ эти тубурцы, любителям детективов явно не сюда.

Но вслух я только и сказал:

— Ну да, она. Неужели правда сгинула? Вот жалко! Я-то надеялся с ней повидаться. — И, памятуя о конспирации, на всякий случай добавил: — Очень уж она мне нравилась, когда мы вместе учились. Но тогда к Кегги Клегги было не подступиться. Я надеялся, теперь все изменилось, и мы подружимся. А оно вон как.

— Может, еще и подружитесь, — оптимистично заметил Еси Кудеси. — Не наяву, так во сне. Некоторые сгинувшие становятся очень общительными

людьми, каждую ночь в чей-нибудь сон наведывают-
ся. Впрочем, в наших сновидениях девочка пока не
объявлялась, я всех специально спрашивал. Может,
своим родичам снится? Так тоже часто бывает.

Я молча пожал плечами. Бывает вообще все что
угодно. Вопрос в другом: мне-то что теперь делать?
Искать Кегги Клегги больше не имеет смысла. Сгинул человек в сновидении, на зависть доброй половине тубурских горцев, которые, по словам Еси
Кудеси, мечтают о таком исходе. Ладно, ничего не
попишешь. Остается надеяться, что ей понравилось.
Но тогда получается, мне надо возвращаться домой?
Ужасно обидно. А может быть, сэр Джуффин войдет
в мое положение и позволит задержаться хотя бы
на дюжину дней? А еще лучше — до лета. Никогда
не знаешь, какое умение понадобится завтра, и вдруг
в один прекрасный день я окажусь полезен Тайному
Сыску именно в качестве Мастера Совершенных
Снов?

Не то чтобы я сам в это верил. И уж тем более
не рассчитывал, что смогу убедить шефа. Но втайне надеялся, что в нем взыграет обычная практич-
ность. Если уж я все равно такой долгий путь про-
делал, почему бы не унести отсюда как можно больше сокровищ. А уже потом разбираться, нужны они
или нет.

Вместо успокоительного средства я принял четыре куска окорока, а потом извинился перед Еси
Кудеси, сказал, что должен побеседовать с домашни-
ми, и действительно сперва чуть-чуть поболтал с
Хенной, а потом послал зов сэру Джуффину Халли —
сколько можно тянуть.

«У меня новость! — выпалил я. — Плохая, зато совершенно потрясающая. Еси Кудеси говорит, что Кегги Клегги сгинула в сновидении. По его словам, со сновидцами это регулярно происходит, хотя с новичками вроде почти никогда...»

«Рад, что ты уже познакомился и поговорил с Еси Кудеси, — ответствовал шеф. — Только почему ты считаешь полученную информацию новостью? По-моему, это было понятно с самого начала».

«Что?!»

Ну, по крайней мере в тот миг мне наконец открылся подлинный смысл слова, которое употреблял сэр Макс в тех случаях, когда «удивился», «изумился», «был шокирован» и все прочие соответствующие выражения кажутся недостаточно сильными, — «офонарел».

«Скажи — только начистоту — неужели ты думал, будто бедную девочку держат в заложницах, чтобы получить выкуп? Или насильно отдали в жены какому-нибудь старейшине? Или просто убили, а труп закопали под цветущим кустом? И это после того, как я сказал, что Кегги Клегги определенно жива, но не способна пользоваться Безмолвной речью? Сэр Нумминорих, ты меня удивляешь».

Да чего уж там, я и сам себя изрядно удивил. Сколько думал о поисках Кегги Клегги, а что мне придется искать ее не наяву, даже в голову не пришло. Если, конечно, этот безмозглый твердый предмет, венчающий мое туловище, по-прежнему имел право именоваться головой. В чем я тогда здорово сомневался.

«Поскольку нам с самого начала было известно, что девочка поехала учиться на Мастера Совершенных Снов, единственное логичное предположение, которое можно сделать — что она заблудилась в каком-нибудь сновидении. Сама из него выбраться не умеет, а местное население очень за нее по этому поводу радо и на помощь не спешит. Как, скажем, у нас, в Угуланде, никто не считает, будто человека, добившегося больших успехов в занятии магией, надо от чего-то спасать. Хотя порой еще как надо. Но это мало кто понимает».

«Ой, — сказал я. И повторил: — Ой-ой-ой».

Давно у сэра Джуффина не было столь интеллектуального собеседника.

Но потом мой смятенный разум все же породил умеренно осмысленный вопрос:

«Но почему тогда вы послали за ней меня? Я же не Мастер Снов. Вообще ничего пока не умею».

«Ну так затем и послал — чтобы ты этому выучился, — безмятежно пояснил шеф. — А выучившись, нашел леди Кегги Клегги. Она у тебя вместо диплома. Как отыщешь — считай, выучился, можно ехать домой».

«Ой», — снова сказал я.

Но теперь уже не от стыда, а от радости.

Признался:

«Гадал, смогу ли выпросить у вас еще немного времени, чтобы поучиться. А получается, это часть работы, а не просто удовольствие».

«Ну да, — подтвердил сэр Джуффин. — Я-то, грешным делом, думал, ты сразу сообразил, зачем тебе учиться сновидениям».

«Не сообразил, — покаялся я. — Решил, для конспирации — если уж поиски у нас неофициальные».

«Значит, соображаешь ты хуже, чем я надеялся. Зато интуиция у тебя отличная. Собственно, это неплохо. Глупую голову я тебе, в случае чего, просто оторву. А интуиция никуда не денется».

В высшей степени оптимистический сценарий. Но я твердо вознамерился разрушить последние иллюзии начальства.

«Никакая это не интуиция. Просто выучиться на Мастера Совершенных Снов — моя давняя мечта. И, как только речь зашла о Тубуре, я сразу ухватился за возможность».

«Твоя жена на моем месте сказала бы: «Ну, зато ты красивый». А я даже и не знаю теперь, чем утешиться. С другой стороны, я рад, что посодействовал исполнению такой славной мечты. Надо же тебе как-то развлекаться, пока сэр Макс шляется неведомо где, вместо того чтобы каждодневно делать твою жизнь невыносимой, как положено настоящему учителю».

«Спасибо», — сказал я.

Хоть и понимал, что этого слишком мало.

— Тебе сообщили какие-то хорошие вести? — спросил Еси Кудеси, протягивая мне очередной ломоть окорока.

— Лучше не бывает.

— Даже не знаю, хорошо это или плохо, — неожиданно сказал он. — Многие считают, что счастливые люди редко становятся настоящими сновидцами — слишком уж крепко держатся за явь, где им хорошо. А вот те, для кого каждое пробуждение — мука, легки и бесстрашны, быстро уходят глубже всех. Уж им-то нечего терять.

— Думаешь, это правда?

То же самое я, кстати, и про магию слышал не раз. Дескать, счастливая жизнь только мешает погрузиться в нее целиком и достичь серьезных успехов. И всегда подозревал, что это заблуждение. Почему магия должна становиться альтернативой счастливой жизни, когда может быть просто наиважнейшей ее частью? И спрашивал себя: может, потому и натворили столько бед наши ныне распущенные Ордена, что никто из могущественных Магистров той эпохи даже не имел представления, что такое хорошая жизнь?

— Думаю, мы с тобой просто проверим это на практике, — улыбнулся Еси Кудеси. — В самое ближайшее время.

Ночью я спал без всяких учебных шапок. Мой учитель сказал, что хочет поглядеть, какие сны мне снятся без постороннего вмешательства. А сновидения, почуяв его внимание, тут же сбежались, чтобы продемонстрировать себя во всем великолепии; причем я совершенно уверен, что в их компанию затесались несколько Хенниных. Не удержались от искушения покрасоваться перед понимающим зрителем.

Словом, такой интересной ночки у меня давненько не было. Разве что в детстве, да и то далеко не каждый день.

А с утра вместо порции горячего питья я получил великолепный монолог на хохенгроне. Бодрит почище бальзама Кахара, при всем моем почтении к этому зелью.

— Как будто видишь много пестрого веселого как будто своего и как будто чужого. Как будто однако и глубокого сияющего плотного видишь немало как будто ты. Как будто различить не можешь как будто пьян долго забыл как будто себя как будто пьяным родился как будто вечно спишь. Как будто силен в темном сияющем как будто не слаб. Как будто пора просыпаться во сне как будто ты там есть как будто весь.

Еси Кудеси еще долго разглагольствовал в таком духе. Но смысл, я думаю, и так более-менее понятен. Если вкратце, он говорил, что помимо пустых необязательных снов я способен видеть так называемые «плотные» сновидения, которые считаются здесь величайшим сокровищем и единственной достойной целью всякого разумного человека. Мой учитель сожалел, что сам я пока не способен отличить одно от другого и веду себя во всех снах примерно одинаково — как пьяный невменяемый идиот. Но полагал, что у меня достаточно сил и способностей, чтобы быстро научиться «просыпаться во сне», то есть, не пробуждаясь, обретать обычную ясность сознания. Ради этого умения и затевается обучение мастерству Совершенных Снов. А все остальное — просто вспомогательные упражнения и побочные эффекты.

— Еще никогда не говорил с учеником на Ясной речи, — заметил он, завершив монолог. — От этого мне кажется, что ты понимаешь меня с полуслова. Интересно, так ли это на самом деле.

— Время покажет, — улыбнулся я.

...Честно говоря, я надеялся, что остаток пути мы просто пройдем, любуясь окрестными пейзажами, благо учебные шапки закончились еще вчера. Но Еси Кудеси полагал, будто время, проведенное учеником наяву, потеряно без пользы, зато повторение пройденного еще никогда никому не вредило. Поэтому снова напялил на меня давешнюю желтую шапку, взял за руку и повел.

Я-то как раз терпеть не могу повторять пройденное. Чего его повторять, если и так все ясно? Поэтому заскучал уже на второй минуте сна про корову. И подумал: а с какой стати я вообще участвую в этой тягомотине? Толкнул ногой ведро. Лиловая тишина разлилась, разом утихомирив всех орущих на площади. Я так обрадовался неожиданному успеху, что пустился в пляс. А потом поднял руку и помахал, подзывая лестницу. Сейчас я прекрасно помнил, что веревочная лестница, спущенная с неба, фигурировала в большинстве моих детских снов. Тогда достаточно было вспомнить о ней, и лестница тут же появлялась. По ней можно было удрать из любого кошмара. Или просто из неинтересного сна — как сейчас.

Лестница появилась как миленькая. Я был ужасно рад ее видеть. Словно старый друг пришел на помощь, которая сама по себе не так уж необходима — зато как же здорово, что мы снова вместе!

Я уже был готов ухватиться за нижнюю ступеньку, но Еси Кудеси меня разбудил.

— Очень хорошо, — сказал он. — Даже не ожидал от тебя. Именно так и следует поступать сновидцу, попавшему в обстоятельства, которые его по какой-то причине не устраивают. А иметь выход вроде твоего — редкостная удача. Эта лестница снилась тебе, когда ты был ребенком?

Я кивнул.

— Самые важные вещи случаются со сновидцем в детстве, — улыбнулся Еси Кудеси. — А потом целая жизнь уходит на то, чтобы вернуть себе хотя бы часть этих сокровищ. Тебя можно поздравить, сегодня ты обрел нечто по-настоящему важное.

Но если вы думаете, что это выдающееся достижение избавило меня от необходимости снова перемерить все остальные шапки, значит, вы еще не усвоили главный принцип тубурских учителей сновидений: «Для начала проделаем это всего сто раз, а потом повторим, да побольше — для закрепления успеха».

Хорошо хоть покормить меня он решил наяву. Развел костер, достал из походного мешка небольшой котелок, остатки окорока, какие-то корешки и принялся варить суп. А я, не поверите, снова задремал. Так устал спать в этих грешных шапках — описать не могу.

Потом мы снова отправились в путь и вечером пришли в Вэс Уэс Мэс, небольшой городок, возникший в результате слияния трех поселков. Таких красивых городов я в Тубуре до сих пор не видел. То ли местные жители тарунцев упросили строить и красить их дома, то ли сами выучились, но факт остается фактом, каждый домик тут был настоящим произведением искусства, а сады, разведенные прямо на крышах, пленили мое воображение — такая простая и эффектная идея, а никому до сих пор в голову не пришла, даже удивительно.

Еси Кудеси поселил меня в доме своей племянницы, ослепительно красивой женщины, такой же зеленоглазой, как он сам. Я сразу понял, что очень ей нравлюсь, такие вещи скрыть нелегко. И никак не мог решить, хорошо это или плохо. Потому что, с одной стороны, интрижки обычно мешают учебе. А с другой...

Я раздумывал об этом, сидя на низком кухонном табурете в ожидании ужина. Дядя с племянницей чистили овощи и вполголоса болтали о каких-то семейных делах: кузен Тали уехал в Анбобайру, бабушка Кеси, прохворавшая всю зиму, снова в порядке, с крыши не слезает, возделывает свой огород. Оба то и дело косились на меня — Еси Кудеси испытующе, его племянница кокетливо, чтобы не сказать страстно. Я пришел к выводу, что ее внимание мне гораздо приятней, чем хотелось бы признавать. Того гляди, все пойдет прахом — моя столь успешно начавшаяся учеба, задание сэра Джуффина, а там и семейная жизнь. И храбро сказал себе: «Ай, ладно, плевать».

Очень похоже на действие приворотного зелья, хотя в этом доме я еще ничего не ел и не пил. «Странно вообще-то, безмятежно думал я. — Даже интересно, как теперь все будет».

Очень хорошо и уютно было мне в этой жарко натопленной кухне. Ноги приятно ныли после целого дня ходьбы, тихие голоса, обсуждающие незначительные события из жизни незнакомых, но явно славных людей, умиротворяли. Для полного счастья не хватало еще какой-то малости, я никак не мог понять, чего именно — кружки горячей камры? Прилечь, вытянув ноги? Открыть окно? Помыться с дороги? Переодеться в домашнее? И только когда зеленоглазая красотка поставила на огонь небольшой котел и плеснула туда масло, до меня дошло, в чем дело. Запахи! Их тут не было вовсе. Как я сразу не заметил?

Я открыл рот, чтобы спросить — как могло случиться, что на этой кухне не пахнет даже еда? Но не смог издать ни звука. И подняться с табурета тоже не смог. Вообще ничего. Сидел как дурак, думал: что за нелепое колдовство? К чему оно? Какой в нем смысл, какая от него польза?

Хорошо, что мои мысли потекли именно в этом направлении. И просто замечательно, что мои старшие коллеги по Тайному Сыску успели не только научить меня разным полезным фокусам, но и вложить в мою голову некоторые фундаментальные представления о магии в целом. Потому что еще несколько лет назад я бы наверняка решил, что меня вероломно околдовали злые тубурские чародеи. А стоило немного подумать, и сразу стало понятно — нет тут колдовства. Самый обычный сон, потому и запахов никаких. Чему я удивляюсь?

— Самый обычный сон, — сказал я вслух.

Вскакивать не стал — зачем? Даже глаза открывать не спешил. Лежал на спине, жадно вдыхал ароматы — свежей травы, дыма, кипящего в котелке супа, собственного тела и горячей речной воды.

— Ого, — присвистнул Еси Кудеси. — Быстро же ты разобрался. Обычно до свадьбы вообще никто не просыпается. А большинство моих учеников благополучно досматривали этот сон как минимум до голодного года, когда жители города начинают поедать своих малолетних детей и приходится выбирать, кем из пятерых пожертвовать.

— И до такого доходит? — ужаснулся я.

— Еще и не до такого. Это только начало приятное, а чем дальше, тем хуже. Настоящее нагромождение абсурдных кошмаров, выходящих за пределы не только здравого смысла, но даже рядового безумия. Специально для того, чтобы помочь ученику захотеть проснуться. Но ты даже до первого неприятного эпизода не добрался. Как тебе удалось?

— Так запахи же! То есть полное их отсутствие. Я тебе уже говорил, я нюхач. Еще удивительно, что так долго принимал этот сон за чистую монету.

— Это как раз совершенно неудивительно, — отмахнулся Еси Кудеси. — В том и заключается смысл Великой Сонной Ловушки: во сне мы не просто забываем о себе, но получаем какую-то иную правду взамен забытой. Новую биографию, способности, привычки, сведения о мироустройстве — понимаешь, о чем я толкую?

— Наверное, — кивнул я. — Снятся не только внешние события, но и весь персональный контекст.

— Именно так, — подтвердил Еси Кудеси. И улыбнулся: — Ишь ты — «контекст». Не первый раз слышу это слово от учеников. Пора бы уже начать им пользоваться. Очень удобное, емкое.

И протянул мне ложку.

Я думал, разговор о Великой Сонной Ловушке завершен, но, когда суп был съеден, мой учитель сказал:

— В эту Ловушку так или иначе попадают все. И не единожды, можешь мне поверить. Даже самый опытный сновидец не застрахован от подобной ошибки. Ты, по сравнению с прочими, находишься в выгодном положении, отсутствие привычных запахов быстро подскажет тебе, что дело нечисто. Все-таки память тела, редко случается, чтобы ее наваждением совсем отшибло. Но перед сновидением, которое сумеет окутать тебя иллюзией аромата, ты будешь безоружен.

— А что, и так бывает? — удивился я. — Не помню, чтобы во сне хоть когда-нибудь чем-то пахло.

— Ключевое слово твоего высказывания «не помню», — усмехнулся Еси Кудеси. — А бывает вообще все. Впрочем, ты и сам это знаешь.

— Но как тогда разобраться? На что можно положиться во сне?

Он только плечами пожал. Вручил мне котелок и ложки, подбородком указал на реку — дескать, помой. А сам принялся разбирать костер.

Мы отправились дальше. На сей раз я получил передышку от шапок и, стараясь наверстать упущенное, вовсю глазел по сторонам. Только четверть часа спустя Еси Кудеси неожиданно заговорил:

— Конечно, полагаться во сне нельзя ни на что. Ни на какие приметы, я имею в виду. Только на самого себя. Надо, чтобы сновидец и тот, кто бодрствует, оказались одним человеком. В противном случае вся эта затея вообще не имеет смысла.

— Затея — в смысле моя учеба?

— В частности. Но я имел в виду сновидения в целом. Как не имеет смысла жизнь наяву, если с утра до вечера глушить себя до полного беспамятства вином или, скажем, каменным мхом.

— Это понятно. Но как? Если ты сам говоришь, что нам снятся не только события и обстоятельства, но и...

— Контекст, да, — подхватил он. — Единственный ответ — ты всегда должен быть сильнее навязанных обстоятельств. Держаться за себя обеими руками. Помнить, кто ты есть и какой в тебе заключён смысл. Не особо задумываясь о том, спишь ты сейчас или бодрствуешь. Пока помнишь себя, это совершенно не важно.

— И как этого добиться?

— Единого рецепта для всех не существует. Но мой опыт показывает, что избыток практики ещё никому не помешал.

— Ясно, — кивнул я. И, подумав, решительно сказал: — Давай тогда какую-нибудь шапку. Чего время зря терять? Только прибытие в Вэс Уэс Мэс хочу наяву увидеть. Разбуди меня, если сам к тому времени не проснусь.

— Хочешь сравнить с тем городом, который тебе снился? — понимающе улыбнулся Еси Кудеси. — Боюсь, ты будешь разочарован. Есть города, чья красота на виду, а есть такие, чьё великолепие надёжно скрыто в сновидениях. Вэс Уэс Мэс из их числа.

— И садов на крышах нет? — огорчился я.

— Почему нет? Есть. И сады, и огороды. На земле-то места мало.

— Тогда буди.

...Сады Вэс Уэс Мэса и правда были великолепны. Настолько, что я не обратил внимания на облупленные серые стены приземистых домов и полное отсутствие художественных росписей. Без них даже как-то спокойнее. Всегда был уверен, что за подобными зрелищами ездят в Тарун, а не в Тубур. Все должно быть на своем месте.

Красивой зеленоглазой племянницы у Еси Кудеси не оказалось. А если и была такая, он нас не познакомил. Привел меня в свой дом на окраине той части городка, которая называется Уэс, показал отведенную мне комнату без единого окна, больше похожую на кладовую, чем на спальню. Кровать занимала ее почти целиком, свободного места на полу едва хватило, чтобы поставить дорожные сумки, которые я наконец-то вытряхнул из пригоршни. Еси Кудеси не обратил на этот колдовской трюк ни малейшего внимания — то ли видел уже не раз, то ли просто был равнодушен ко всем проявлениям магии, творящимся наяву. Зато гостинцы мои оценил по достоинству. Особенно одеяла. Сказал, под угуландскими одеялами и сны особенные — сразу видно, что вещь из Сердца Мира.

Я решил, что надо поговорить об оплате учебы — прямо сейчас, пока я бодрствую. Подозревал, что в ближайшее время это будет случаться, скажем так, нечасто. Спросил:

— Сколько тебе заплатить за науку? У нас в Ехо некоторые говорят, что на куманского принца выучиться было бы дешевле, чем на Мастера Совершенных Снов.

— Врут, — отмахнулся Еси Кудеси. Подумав, добавил: — Нам-то эти враки только на пользу. Ваши часто с порога предлагают вдесятеро больше, чем самый жадный учитель постеснялся бы запросить. Нам здесь, по правде сказать, столько и не надо — захочешь, не потратишь.

— Так можно же закопать клад! — осенило меня. — А потом оставить записку внукам или правнукам с невнятными указаниями, чтобы помучились, разгадывая. Отличное будет развлечение потомкам. Ну и польза — если все-таки найдут.

— С кладами у нас стараются не связываться, — совершенно серьезно сказал он. — Если кто-то зарыл клад и внезапно умер, будет оставаться призраком, пока его клад не откопают. А призраком быть мало кому нравится. Это — по сравнению с настоящей жизнью и настоящей смертью — все равно что в учебной шапке спать. Тебе же не понравилось, верно?

— Нннну... так... — вежливо проблеял я.

— Вот и я о чем. Поэтому бродят ночи напролет, пристают к живым — вырой мой клад да вырой. А все от них шарахаются, и родные внуки в том числе. Очень печальная судьба!

На этом месте я не выдержал и полез за самопишущей табличкой. Грех такое откровение не законспектировать. А то с этими снами все из головы вылетит, буду потом локти кусать.

— А с деньгами сам смотри, — сказал Еси Кудеси. — Будь ты бедняком, я бы тебя бесплатно учил, еще и кормил бы за свой счет, очень уж интересно, что из тебя получится. Но бедняки таких подарков не привозят, это даже я понимаю. Так что заплати на свое усмотрение. Сколько не жалко.

К такому повороту я не был готов. И, поразмыслив, понял, что теперь у меня есть только один выход: отдать ему все, что я с собой взял, до последней горсти. Включая казенные деньги на обратную дорогу и свои, прихваченные на подарки домашним.

Так я еще никогда не поступал.

К деньгам у меня отношение чрезвычайно простое: мне нравится, когда они есть. Потому что очень уж не люблю ради них хлопотать. Да и не умею — опыта соответствующего нет. Бабушкино наследство позволило мне с ранней юности делать что хочется, не заботясь о выгоде. Сэр Макс, я помню, очень удивился, когда услышал, что я готов работать в Тайном Сыске бесплатно. А это было не бескорыстие, а просто дань сложившейся привычке не заботиться о заработке.

Однако у этой привычки есть и обратная сторона: для сохранения душевного равновесия мне необходим некоторый денежный запас. Выходя из дома без единой монеты в кармане, я чувствую себя неуютно — притом что у нас в Ехо почти все расходы можно преспокойно оплатить в конце года. Многие так и делают: некоторые всерьез опасаются дурацкой приметы, гласящей, будто частые прикосновения к деньгам вредят любовным делам, остальные считают, что так гораздо удобней. Но только не я. Необходимость помнить о долгах утомляет меня куда больше, чем самая монотонная работа, а в тот день, когда наконец отдаешь все сразу, невольно ощущаешь себя ограбленным.

А уж отправляясь в путешествие, я обязательно беру с собой вдвое больше денег, чем, по моим расчетам, может понадобиться. Просто чтобы спокойно наслаждаться жизнью, избавив себя от необходимости постоянно подсчитывать расходы.

До сих пор этот подход казался мне правильным. Вернее, я просто жил как мне нравится, не задумываясь, правильно это или нет. И вдруг понял, что время, когда можно жить, не задумываясь, прошло. Теперь все должно быть иначе. Еще не знаю, как именно. Самому интересно.

Но первый шаг уже был понятен.

Поэтому я достал кошелек с деньгами, приготовленными на обучение. И другой, с мелочью, на дорожные расходы в Тубуре. И третий, с остатками суммы, отложенной на ночлег в Изамоне. И деньги на подарки домашним. И плату для капитана корабля, следующего в Ехо. И напоследок — тот самый запас «на всякий случай», без которого я из дома ни ногой.

— Ты чего? — обомлел Еси Кудеси. — Не надо столько! Я же сказал...

— Ты сказал: «Дай, сколько не жалко». Именно поэтому я должен отдать тебе все. Это — не деньги. То есть, конечно, деньги — настоящие, не фальшивые, не вопрос. Но для меня это гораздо больше, чем просто деньги. Залог спокойствия, гарантия безопасности, возможность оставаться беспечным. Вот чего мне всегда было жалко, а теперь — нет. Даже забавно заплатить за обучение искусству сновидений своим недоверием к жизни. По идее, я должен отдельное спасибо тебе сказать — за то, что избавился наконец от этого груза. Если бы не ты, я бы еще долго не понял, как обстоят мои дела.

— Ты говоришь, как герой старинной легенды, — вздохнул Еси Кудеси. — И поступаешь также. Мне это нравится, хоть и не привык я к таким сложностям. А как же ты домой будешь добираться?

— Тоже мне проблема, — улыбнулся я. — Что ты — еды мне в дорогу не дашь? И в любом самом бедном поселке супу нальют и спать уложат в тепле, не пропаду. А дальше — по обстоятельствам. Например, встречу в порту старого приятеля с туго набитым кошельком. Или найду капитана, готового подождать с оплатой до прибытия — дома-то меня выручат. Или отправлюсь к нашему послу. Или ограблю какого-нибудь изамонского богача за то, что он пихнул меня локтем, — а что, тоже вариант. Разбойником я еще никогда не был, а ведь в детстве после одной маминой сказки полгода об этом мечтал! А может, просто усну здесь, а проснусь дома — весь, целиком? Так, говорят, тоже иногда бывает.

— Еще и не так бывает, — подтвердил Еси Кудеси. — Но учти, этому я тебя вряд ли научу. Хотя бы потому, что сам не умею. Разве что нечаянно. Или найдется учитель получше меня — ненаяву, так во сне. Но в таком деле гарантий быть не может.

— Это понятно. И совершенно неважно. Мне ужасно нравится, что вот прямо сейчас все это меня не тревожит, как будто кошельки по-прежнему при мне. Хотя их больше нет, я точно знаю. Потрясающее ощущение!

— Да я и сам вижу, что ты приобрел гораздо больше, чем отдал, — согласился мой учитель. — И поэтому принимаю твою оплату. Хоть и нечестно столько денег с ученика брать. Но — ладно. Придумаю, как с ними поступить.

Больше о деньгах мы не говорили. Я, признаться, вообще ни разу о них не вспомнил. И не потому, что вот так сразу стал возвышенным мудрецом, равнодушным к житейским делам, просто почти не просыпался. Еси Кудеси взялся за меня всерьез.

Настолько всерьез, что по Вэс Уэс Мэсу я прогулялся всего один раз — на следующий день после прибытия. Да и то только потому, что честно рассказал учителю о своей страсти к осмотру новых городов — дескать, любопытство мое так велико, что, пока не прогуляюсь, не успокоюсь. То есть нс смогу как следует сосредоточиться на учебе. Тот заверил меня, что еще как смогу — сновидения не наука какая-нибудь, а живое действие, сами захватят внимание целиком, и привет. Но погулять все равно отпустил — как я понимаю, просто из милосердия.

А что было потом, аж до самой середины лета, мне толком и рассказать нечего. Спал и видел сны, вот и все мои приключения. На очередной самопишущей табличке появилась всего дюжина новых записей, да и те — рецепты. Все-таки Еси Кудеси исправно будил меня, чтобы накормить, а свои кулинарные секреты разглашал, не торгуясь, лишь удивлялся, что сновидец в моем лице может интересоваться такой ерундой. Однако тем я, вероятно, и отличаюсь от настоящих сновидцев, что не готов довольствоваться одними снами, сколь бы захватывающим не оказалось это занятие. Я не умею быть одержимым, и в большинстве случаев это, как я понимаю, к лучшему. Но некоторые двери закрыты для меня навсегда, и тут уж ничего не поделаешь.

Оценивать собственные успехи мне сложно. Оценка зависит от критериев, а их у меня как не было, так и нет. Чему я действительно научился, так это помнить, кто я такой. Достигалось это многократным повторением упражнения, которое превратило меня в невероятного зануду: стоило мне заснуть, и я тут же начинал долдонить, вне зависимости от обстоятельств текущего сновидения: «Я — нюхач Нумминорих Кута из Ехо, мне столько-то лет, живу там-то, с женой, сыном и дочкой, мою маму звали...» Ну, уже представляете, да? Забегая вперед, скажу, что мне потом еще долго приходилось прикладывать известные усилия, чтобы не вести себя так наяву, особенно в момент смены обстановки. Скажем, когда выходил из гостиной на улицу. Или, наоборот, заходил — например, в Дом у Моста. А когда на город внезапно наползал густой туман — держите меня семеро! Очень уж похоже на сон. Но я продемонстрировал подлинные чудеса самоконтроля и держал язык за зубами, а то представляю, как бы я всем надоел.

Но главное, что метод сработал, и еще как. Какое-то время спустя мне уже и говорить ничего не требовалось, стоило заснуть, и на меня обрушивалось такое количество автобиографической информации, сколько я и наяву-то не всегда вспомню — уже без занудного проговаривания, все сразу, одним глотком.

Способность не забывать о себе во сне становится основой множества других умений — по собственному желанию просыпаться или переходить в другое сновидение, сознательно изменять некоторые из приснившихся обстоятельств, оставляя в неприкосновенности прочие, заблаговременно выявлять опасности и, напротив, находить источники силы и пользы, при помощи которых можно быстро избавиться от любой болезни и даже снять с себя чужие чары — например с каким-нибудь приворотным зельем или доставившим мне столько огорчений порошком, отбивающим нюх, я бы сейчас за полчаса крепкого сна разобрался.

А еще — определять глубину текущего сновидения и степень подлинности каждого конкретного события. Это особенно полезно, когда тебе вдруг толпами начинают сниться родные и друзья, которые рассказывают ужасные новости и требуют идиотских поступков. Никогда не забуду, как наваждение, принявшее облик сэра Джуффина Халли, приказывало, чтобы я немедленно убил своего учителя и съел его целиком. А другое, выглядевшее в точности как мой сын, заявляло, будто его настоящим отцом является прирученный демон-фэтан, и грозило в связи с этим завтра же уничтожить половину Ехо, начав, разумеется, с матери и сестренки. Такое впечатление, что пространство сновидений обожает подшучивать над новичками, и чувство юмора у него, мягко говоря, довольно своеобразное. В такой ситуации один выход — быстро наловчиться отличать иллюзии от событий, исполненных смысла, которые, надо сказать, большая редкость в жизни начинающего практика. Хотя за несколько подлинных встреч с Сонными Наездниками я бесконечно благодарен судьбе.

В отличие от пустых наваждений, эти гости не были щедры на советы и поучения, зато порой они показывали мне удивительные вещи — как я понимаю, просто в подарок, искренне радуясь, что я способен его принять и оценить по достоинству.

С другой стороны, «проснуться», то есть сознательно являться во сне разным людям и обсуждать с ними какие-то наши дела, я так и не выучился. Еси Кудеси, которому я приснился, чтобы напроситься в ученики, вбил себе в голову, будто такие фокусы я и без него умею проделывать, — досадная ошибка.

И о том, чтобы изменять во сне обстоятельства реальной жизни — лечить других людей, призывать демонов, строить города, находить заплутавших путешественников или, на худой конец, просто таскать домой приснившиеся сокровища, — я пока даже не мечтаю. Совершенно непонятно, с какой стороны ко всему этому подступаться. Хотя доподлинно известно, что такие мастера есть и их гораздо больше, чем принято думать, — многие просто не применяют свои умения на практике или делают это настолько осторожно, что никто ничего не замечает.

А вот чему я выучился легко и очень быстро, так это посылать своим знакомым сновидения-подарки. То есть просто хорошие сны, причем на определенную тему — например о море, горах или, скажем, Кумонском общегородском карнавале в честь начала сезона зимних дождей. А детали такого сна зависят от самого сновидца; оно и к лучшему, на все вкусы не угодишь. Хенне я чуть ли не каждую ночь посылал сны о тех временах, когда мы вместе ходили в учебные плавания, и она говорила, что радость от них почти компенсирует мое долгое отсутствие.

Максу я, кстати, тоже много раз посылал сны-подарки. Хоть и сомневался, что можно передать сон в Тихий Город и вообще хоть куда-то за пределы нашей реальности. Но решил — мне нетрудно, а если мой подарок не сможет попасть к адресату и случайно достанется кому-то другому, не беда. Хороший сон о прогулке в Тубурских горах никому не повредит.

Сам процесс выглядит довольно просто: в любом достаточно глубоком сновидении можно научиться видеть вещество, из которого оно состоит, и даже осязать его как вполне материальную субстанцию. Существует простая техника, которая позволяет сновидцу зачерпнуть пригоршню этого вещества, слепить из него нечто вроде круглого пирожка и швырнуть его изо всех сил назад через плечо, представляя, как этот подарок попадает в руки адресата. Что касается темы сновидения, она вкладывается в «пирожок» вместо начинки, и тут, конечно, приходится призывать на помощь внимание и воображение, без них сновидцу вообще ничего не удастся.

Именно эта нехитрая техника и лежит в основе искусства наших Мастеров Совершенных Снов. Просто умение, опыт и личное могущество, подкрепленное близостью Сердца Мира, позволяют им надолго сосредоточиться на создаваемом сновидении и тщательно продумать все его детали, а получившийся «пирожок» они не бросают через плечо, а аккуратно вкладывают в заранее приготовленную и добросовестно увиденную во сне подушку, которая потом может быть продана любому желающему.

Думаю, если бы я всерьез захотел сменить профессию, мне бы понадобилось несколько лет самостоятельных занятий, а лучше — еще одна поездка в Вэс Уэс Мэс к Еси Кудеси, но ничего принципиально невозможного я тут не вижу.

Кажется, я снова чересчур увлекся. Пора прекращать хвастаться. Просто имейте в виду, что я освоил еще множество разных умений, полезных и просто разнообразящих жизнь сновидца. И это не то чтобы свидетельствует о каких-то необычайных способностях, а просто нормально и закономерно. Человек, не забывающий о себе во сне, довольно быстро обнаруживает, что может там довольно много, даже если он неопытный новичок вроде меня. А опыт, приходящий только с многолетней практикой, делает его почти всемогущим. Или даже не почти. Собственно, поживем — увидим.

Так или иначе, но Еси Кудеси был мной чрезвычайно доволен, а кому и доверять в этом вопросе, если не ему.

Когда в один прекрасный день мой учитель объявил за завтраком, что намерен сделать небольшой перерыв в занятиях, я сперва просто не понял смысла его слов — так отвык разговаривать наяву о чем-то кроме сновидений. Машинально проверил, не снится ли мне происходящее, — в те дни я поступал так всегда, да и сейчас стараюсь не слишком расслабляться — меланхолично кивнул и продолжил жевать. Только пару минут спустя встрепенулся. Спросил:

— Так надо?

Он кивнул. Меня это совершенно удовлетворило.

— Меня не будет дня три-четыре, — сказал Еси Кудеси после того, как мы оба покончили с завтраком. — Разные городские дела. Я должен помогать старейшинам. А ты пока живи в свое удовольствие. Гуляй по Вэс Уэс Мэсу, можешь сходить в горы — ты же вроде хотел? В городе в эти дни будет довольно пусто, но трактир «Горный дом» не закроют. Я их предупредил, что тебя надо кормить и поить бесплатно, потом рассчитаемся. Так ты смотри не стесняйся. Позволь мне проявить гостеприимство.

— Если ты так ставишь вопрос, постараюсь съесть там как можно больше, — пообещал я. И был серьезен как никогда.

Такими вещами в Тубуре не шутят.

— Вот и договорились, — обрадовался мой учитель. — Надеюсь, ты хорошо проведешь время наяву. Но и во сне не забывай развлекаться. Ни в чем себе не отказывай. Считай, что это задание. Вернусь — проверю.

Встал из-за стола и ушел — как был, с непокрытой головой. А когда тубурский Мастер Снов выходит из дома без шапки, это означает, что он твердо намерен максимально сконцентрироваться на той части жизни, которую принято называть бодрствованием. Чтобы никакие смутные видения не отвлекали.

Я же продолжал сидеть за столом, в полной растерянности от неожиданно обретенной свободы. Впрочем, пять минут спустя у меня уже было столько прекрасных планов (включая непродолжительные познавательные путешествия в Кирваори и Шинпу), что на их осуществление понадобилось бы как минимум полгода.

Но здравый смысл все-таки возобладал, поэтому полдня я просто гулял по пустынным улицам Вэс Уэс Мэса, наслаждаясь немыслимо яркими летними ароматами, солнечным теплом и буйным цветением садов на крышах. А потом отправился в «Горный дом» и честно выполнил свой долг: навернул здоровенную миску супа с мясными и творожными клецками, добрую половину ягодного пирога, а в финале выпил чашку сидра — когда еще доведется. Учиться-то можно только на абсолютно трезвую голову, это опытным мастерам сновидений все равно, сколько было выпито за ужином.

Хозяева трактира, смуглые белокурые братья — старший выглядел моим ровесником, а младший почти подростком, но, если бы не солидная разница в возрасте, они казались бы близнецами, — были родом из Куанкуроха, большой страны на северо-западном побережье Чирухты, куда даже жители этого материка добираются только морем, не решаясь отдать себя во власть безумных ветров, поющих змей и переменчивых миражей Пустой Земли Йохлимы. Они приехали в Вэс Уэс Мэс всего семь лет назад, получив наследство от дальнего родственника, да так и остались, пленившись горными пейзажами, спокойным течением жизни и мягким нравом тубурцев.

В Куанкурохе я никогда не был и, конечно, мечтал туда попасть; собственно, до сих пор мечтаю. В «Энциклопедии Мира» Манги Мелифаро это государство описано как результат удивительного симбиоза предприимчивых воинов и аскетических интеллектуалов, объединенных не только взаимным уважительным интересом, но и совместной борьбой за свою землю с буйными йохлимскими ветрами, которые на протяжении многих тысячелетий рвутся к морю, и, если однажды осуществят свое намерение, камня на камне не оставят от зеркальных куанкурохских городов.

Естественно, я, забыв обо всем на свете, бросился расспрашивать братьев, которые, к счастью, оказались большими охотниками поговорить. И до позднего вечера рассказывали мне о величии древних куанкурохских университетов, выстроенных на морском побережье и помимо основной функции служащих гигантскими маяками.

Все куанкурохские города строились вокруг университетов, и облик каждого изначально определялся скорее эстетическими воззрениями ведущих профессоров, чем практическими соображениями. Кроме трех зеркальных городов, прославленных на весь Мир стараниями путешественников, в Куанкурохе есть город-лабиринт, где даже местные старожилы покидают дома без особой уверенности, что смогут быстро найти дорогу назад, и отмечают свой путь особыми опознавательными метками. А еще, например, город темных домов, построенных без единого окна; синий город, где все стены, мостовые и даже стволы деревьев выкрашены в цвет морской воды; скрытый город, который выглядит как огромный парк с большими рыночными площадями и несметным количеством люков, ведущих в подземные дома горожан и общественные здания.

А вот названий у куанкурохских городов нет — в древности тамошние ученые были уверены, будто безымянное не может быть разрушено, и давали имена только маленьким деревням, полагая, что их, в случае чего, легко отстроить заново, поэтому не так жалко. Позже они пересмотрели эту причудливую концепцию и признали ее ошибочной, но традиция оставлять города безымянными сохранилась до наших дней.

Но самое интересное и невероятное, что надо знать о жителях Куанкуроха, — все они умелые заклинатели ветров. Соответствующую подготовку проходят с раннего детства, а по достижении совершеннолетия поочередно проводят несколько дней в году на границе с Пустой Землей Йохлимой — вводят себя в транс и непрерывно читают заклинания, не позволяющие безумным ветрам вырваться за пределы невидимой ограды, возведенной первым куанкурохским царем Стражем Дрегги Валимой, и устремиться к морю, сокрушая все на своем пути. Старший из братьев-трактирщиков до отъезда успел неоднократно постоять на границе; по его словам, это было величайшее счастье и огромное наслаждение, единственное, о чем он тоскует в прекрасных тубурских горах, веская причина когда-нибудь вернуться домой.

Ох, ладно. Куанкурох — это совершенно отдельная тема. Нельзя пытаться рассказать о нем вот так, вскользь. На самом деле я только и хотел объяснить, почему допоздна засиделся в трактире и вернулся в дом Еси Кудеси уже затемно. Довольно важный момент, потому что при свете дня я бы вряд ли заметил, что на крыльце сидит призрак. А ночью увидел его издалека и радостно бросился навстречу, оглашая окрестности приветственными воплями: «Вот это да! Какой замечательный сюрприз!»

Это, мне кажется, предопределило наши дальнейшие отношения. И развитие событий. И вообще, получается, все.

Не подумайте, будто я восторженно отношусь ко всем призракам без разбора и рад видеть любого из них во всякое время суток, да так, что голову теряю. Просто я перепутал. Немудрено — пахнут они почти неуловимо и, в отличие от живых людей, примерно одинаково. А единственный призрак, с которым я был близко знаком, — мой тесть сэр Глёгги Айчита. И отношения у нас сложились настолько замечательные, что после того, как он отправился странствовать, я скучал по нашим долгим вечерним беседам и часто думал — вот бы сэр Глёгги как-нибудь зашел нас навестить. Но, зная обычаи призраков, которые, если уж пускаются во все тяжкие, раньше, чем через пару сотен лет, о родне не вспомнят, особо на это не рассчитывал. А сейчас сразу подумал: сэр Глёгги все-таки решил нас проведать, узнал от Хенны, что я в Тубурс, и отправился со мной повидаться. Призракам путешествие через море совершить — раз плюнуть. А найти нужного человека в чужой стране им проще, чем мне любимое лоохи в собственном шкафу отыскать.

Словом, другие варианты просто не пришли мне в голову. И зря — призрак был совершенно незнакомый. Огромный, как потомок эхлов, ослепительно красивый старик с седой бородой, заплетенной в длинную, до пояса косу, и великолепной гривой белоснежных волос, окутывавших его, как дополнительный плащ.

— Ты чего? — растерянно спросил он.

Мне было неловко признаваться, что я принял его за другого. Поэтому пришлось выкручиваться.

— Просто вы так великолепно выглядите, — от смущения я даже на вы перешел, хотя у тубурцев и, кажется, всех жителей Чирухты подобное вежливое обращение не принято. — И при этом сидите на пороге дома, где я сейчас живу. Поэтому я подумал, что вы пришли ко мне. Хотя, наверное, все-таки к хозяину. К Еси Кудеси, верно?

— К нему, — подтвердил призрак. — Хоть и мало надежды, что он станет со мной говорить.

— Вы старинные враги? — восхитился я.

Все-таки стоит мне немного расслабиться, и я начинаю вести себя как полный идиот. Нашел чему радоваться. Окажись призрак врагом Еси Кудеси, вряд ли мой восторг показался бы ему уместным.

Но обошлось.

— Мы даже не знакомы, — сказал призрак. — Просто тубурские горцы очень боятся привидений. И даже храбрецы не желают иметь с нами дела, потому что не доверяют. С пугливой старушкой из гугландской глуши договориться проще, чем со здешним народом. Уж я-то знаю, сам когда-то таким был. Сказали бы мне в ту пору, что в конце жизни добровольно, в здравом уме соглашусь стать призраком, в глаза плюнул бы, не сходя с места.

Я, слушая его, только глазами хлопал. Пытался осмыслить происходящее. Во сне — и то обычно легче освоиться. На всякий случай начал вспоминать: «Я — нюхач Нумминорих Кута из Ехо...» Это помогло собраться.

— Еси Кудеси ушел по делам. Сказал, дня на три-четыре. Но, может быть, вы хотите войти в дом? Я с удовольствием составлю вам компанию.

Ну хоть о вежливости вспомнил. И то хлеб.

— Как-то нехорошо в отсутствие хозяина в дом ломиться, — засомневался призрак. — Лучше останусь тут. Скверно, конечно, что я его не застал. Зря столько тянул. Хотя... — он безнадежно махнул прозрачной ручищей. Дескать, все равно без толку.

— Мне так жаль, — сказал я. Просто чтобы не молчать. И по той же причине решил представиться:

— Меня зовут Нумминорих Кута, я из Ехо. Учусь у Еси Кудеси искусству сновидений.

— И как успехи? — меланхолично осведомился призрак. Видно было, что спрашивает он исключительно из вежливости, а мысли его блуждают где-то далеко.

Но как только я перешел на хохенгрон — машинально, по сложившейся в последнее время привычке обсуждать свои сновидения с учителем на этом языке, — и от равнодушия гостя следа не осталось. Слушал меня очень внимательно и даже одобрительно кивал в некоторых местах.

— А ты не врешь, что из Ехо? — спросил он, выслушав мой лаконичный — на большее все-таки словарного запаса не хватило — отчет о достижениях.

— Да зачем бы мне врать? — удивился я.

— Понятия не имею. Просто Ясную речь там на моей памяти никто не знал. Я даже азы своим ученикам не смог вдолбить, как ни старался. Головы у угуландцев совсем на иной манер устроены, я так думаю.

— Женщины Ордена Часов Попятного Времени еще как знали, — возразил я. — А моя мама — одна из них.

— Твоя мать — одна из ведьм Мабы? — изумился призрак. — Тогда считай, ты мне почти родня. Мы с учителем твоей матери, можно сказать, дружили — насколько с этими чокнутыми угуландскими бессмертными колдунами вообще можно дружить. В найак играли часто. Это здешняя, горская игра. Я Мабу пристрастил, он любит учиться новым играм. А других партнеров у нас не было, так что пришлось крепко держаться друг за дружку.

— Ничего себе, — присвистнул я. — Но если вы дружили с самим Мабой Калохом, я наверняка знаю о вас из учебников истории.

— Обо мне в учебниках особо не пишут. И не потому, что я того не заслуживаю. Просто о делах вроде моих лучше вовсе не болтать. Безопасность короля важнее исторической правды. Мало ли что времена сейчас мирные, никогда не знаешь...

И тут до меня начало доходить. Все фрагменты информации сложились наконец в ясную картину. Я так и сел.

— Вы случайно не Эши Харабагуд?

— Неужели все-таки пишут? — огорчился призрак. — Это они зря.

— Не пишут, — успокоил я его. — Сколько я учебников перечитал, а о вас узнал только от начальника.

— Это кто же, интересно, у тебя начальник?

— Сэр Джуффин Халли, — гордо сказал я.

Обычно после такого заявления мои собеседники на какое-то время теряют дар речи — если, конечно, разговор происходит в Соединенном Королевстве. Здесь, в Тубуре, или в том же Изамоне именем шефа никого особо не проймешь. Но призрак-то, как я понял, был в курсе наших дел.

Однако реакция покойного Эши Харабагуда превзошла все мои ожидания.

Слышали бы вы, как он хохотал! Никогда прежде мне не доводилось видеть, как смеются призраки, — мой тесть был спокойным, даже флегматичным, с мягкими, изысканными манерами, от него бурного веселья ждать не приходилось. Может быть, еще и потому, что, хохоча, призрак окончательно перестает быть похож на человека? Сэру Глёгги Айчите, я помню, казалось, что даже кратковременная утрата человеческой формы несовместима с достоинством.

— Извини, мальчик, — сквозь смех простонал Эши Харабагуд. — Не хотел тебя обидеть! — И расхохотался еще пуще, окончательно рассыпавшись на тысячу сияющих клочков.

Я смотрел на него, разинув рот. Потому что, во-первых, зрелище незабываемое. А во-вторых, никак не мог понять — что такого смешного в том, чтобы работать на сэра Джуффина Халли?

Ну, главное, призрак доволен. А ведь какой был печальный, когда мы встретились.

Наконец он кое-как собрался — в буквальном смысле, то есть снова стал более-менее цельным силуэтом — и сказал:

— Так вот каковы нынче наемные убийцы! Впрочем, возможно, ты просто хорошо замаскировался. Тогда низкий тебе поклон. Уж насколько у меня на вашего брата чутье, а в тебе убийцу ни за что не распознал бы.

Я начал понимать причину его веселья. Вообразить меня убийцей — это, наверное, действительно очень смешно — для тех, кто хоть немного разбирается в вопросе.

— Я не замаскировался. Конечно, я не убийца. Просто нюхач. Зато, говорят, неплохой. А сэр Джуффин Халли теперь начальник Малого Тайного Сыскного Войска. То есть скорее спасает людей, чем убивает. Хотя, честно говоря, всякое случается.

— Ишь ты! — удивился Эши Харабагуд. — Давно мы с ним, выходит, не виделись. Когда становишься призраком, время воспринимается совсем иначе. Сто лет — пустяки, как прежде пара дюжин дней. Я бы вообще годы не считал, если бы не внуки и правнуки, которых следует навещать, — если уж так вышло, что я в некотором смысле все еще жив.

— А вы знаете, что Кегги Клегги пропала? — выпалил я. — Прямо здесь, в Вэс Уэс Мэсе?

— Ну а как по-твоему, зачем я тут околачиваюсь? — печально спросил призрак. И запоздало удивился: — Погоди, а ты-то откуда узнал? Вы — близкие друзья?

Я встал перед серьезной дилеммой. Сказать ему правду или продолжать играть в конспирацию? Эши

Харабагуд, как ни крути, хоть и покойный, а глава семьи. Которая, как мы помним, решительно возражает против поисков — совершенно непонятно почему.

«Ай, ладно, — подумал я. — В крайнем случае сэр Джуффин просто свалит все на меня. Скажет, сотрудник молодой, глупый, решил собственную авантюру служебным заданием объявить — просто для солидности. В итоге получу выговор и принесу официальные извинения всем, кто пожелает, тоже мне горе. А вот если не попробую заключить союз с Эши Харабагудом, каким-то невероятным чудом возникшим на моем пути, — вот за такое действительно голову откусить следует. И выплюнуть потом — вряд ли такая тупая башка может оказаться вкусной и полезной пищей».

— Значит, так, — сказал я. — Дело, как я понимаю, очень деликатное. Но лучше рассказать все как есть. Ваша семья не хочет искать Кегги Клегги, не знаю уж почему. И без их просьбы официальные поиски начинать нельзя. С другой стороны, есть люди, которые о ней беспокоятся. Не родственники, а просто друзья. Очень влиятельные. И они попросили нас... ну, скажем так, лично меня — съездить в Вэс Уэс Мэс и разузнать все, что можно. И, если получится, ее отыскать. Неофициально, просто как бывшую однокурсницу. Тем более мы и правда вместе учились в Королевской Высокой Школе. Даже сидели рядом.

— Да хранят тебя Темные Магистры, мальчик! — с чувством сказал призрак. — Я-то полагал, что остался совсем один и помощи ждать неоткуда. А в сновидения живых я теперь не ходок, вот в чем загвоздка. Только и могу, что присниться, кому пожелаю, да и то при условии, что сновидец сам этого хочет. Удобно для общения с внуками и встреч со старыми друзьями, но здесь, в Тубуре, бесполезное умение. Местные жители со мной ни во сне, ни наяву разговаривать не желают. К твоему учителю я уже просто так, от отчаяния пришел, все-таки он самый разумный и покладистый сновидец во всем Вэс Уэс Мэсе. А я не привык сдаваться. В безнадежной ситуации лучше совершать нелепые поступки, чем вовсе ничего не делать, это я знаю твердо.

— А вы тоже думаете, что Кегги Клегги в беде?

— Я не думаю. Я знаю. И имя беде — Чанхантак. Из-за этой грешной игры я в свое время уехал из Тубура и детей увез. А что толку, правнучку мой переезд не спас. Будь проклят день, когда Датчух Вахурмах оставил в Уэсе свою Сонную Шапку! А несчастных дурачков, принявших его дар, даже проклинать бессмысленно. И без моих проклятий влипли — хуже некуда.

— Вы мне все объясните? — спросил я.

— Будь уверен. Даже если слушать не захочешь, все равно придется. Ты — моя единственная надежда.

— А вы — моя. Я пока не понимаю, с какой стороны за это дело приниматься. Только и выяснил, что Кегги Клегги сама очень хотела «сгинуть», — так мне Еси Кудеси сказал. И добилась успеха.

— Еще бы она не хотела, — вздохнул Эши Харабагуд. — Многие талантливые сновидцы в молодости только о том и мечтают. Призвание, помноженное на великую страсть. А девочку еще и воспитывали соответствующим образом. Дескать, жизнь наяву не для тебя, и мечтать не смей, потому что иметь в каждом поколении хотя бы одного выдающегося сновидца — дело чести семьи. И раз твои бестолковые братья во сне даже собственные имена вспомнить не могут, значит, тебе за всех отдуваться. Я пытался втолковать Кегги Клегги, что сила настоящего сновидца в том, что одна его нога всегда твердо стоит на земле, а сердце честно поделено пополам между сновидениями и явью; выбрать что-то одно — себя обокрасть. Но я не мог оставаться рядом с ней все время, и родительское влияние в итоге оказалось сильнее. Стоило увозить детей на другой континент, чтобы уже в головах внуков закипела та же каша из романтических бредней, что под шапками их бестолковых чирухтских предков... Впрочем, ладно, что сделано, то сделано. Хоть сам Мир посмотрел, да и полезного совершил немало, — неожиданно заключил он. — А девочку мы с тобой теперь обязательно вытащим — если уж судьба чудом нас свела.

— Вот и мне кажется, что чудом, — кивнул я. — Даже не верится. Знали бы вы, сколько раз я уже успел проверить, не снится ли мне этот наш разговор! А теперь расскажите, что такое Чанхантак — если уж это, как вы говорите, имя беды.

— Но перевод-то тебе, надеюсь, не нужен? Сам понимаешь, в чем смысл?

— До какой-то степени. Слово составлено из глаголов «брать» и «смотреть» в ненастойчиво-повелительном наклонении, следовательно...

— Ну вот, а говоришь — «до какой-то степени». Все ты прекрасно понимаешь. «Бери и смотри».

— Все-таки без привычных грамматических форм я теряюсь. Язык-то чужой, и меня учили обязательно соблюдать все правила. Я твердо усвоил, что, скажем, без вступительного «как будто» любая словесная конструкция лишается смысла. Не говоря уже о порядке слов и обязательном интонационном рисунке каждой фразы.

— Ох уж мне эти учителя, — добродушно ухмыльнулся призрак. — Как же они любят все усложнять! Забывая при этом, что любой язык, в том числе хохенгрон, — просто инструмент человеческого общения. А люди несовершенны и привносят свое несовершенство во все, что делают. Своевременное понимание этого простого факта значительно упрощает жизнь. И позволяет избежать как лишних трудов, так и множества ошибок.

Великодушно дав мне время переварить эту революционную концепцию, Эши Харабагуд наконец принялся рассказывать.

— Чанхантак — это игра. Великая Тубурская Игра, как ее здесь все называют. Любимое развлечение, главная страсть и подлинный смысл жизни большинства тубурских сновидцев. В первую очередь жителей Вэс Уэс Мэса, но не только их. Принять участие в игре может любой совершеннолетний человек, будь он коренным тубурцем или любопытствующим странником, Сонным Наездником, неопытным учеником вроде тебя или полным болваном, за всю жизнь ни одного сна не запомнившим. Зовут играть, понятно, не всех. Строго говоря, вообще никого не зовут, в этом деле у нас каждый за себя. Поэтому приготовления всякий раз ведутся втайне. Но если сумел вызнать время и место новой игры, никто тебе слова поперек не скажет — присоединяйся, имеешь полное право.

— А в чем смысл игры? — нетерпеливо спросил я.

Вообще-то обычно я веду себя гораздо сдержанней. И уж точно не стану перебивать собеседника. Но в ту ночь меня натурально трясло от возбуждения. Можно, конечно, сказать, что я предчувствовал грядущий успех или просто поддался азарту поисков. Но я думаю, все дело в том, что Великая Тубурская Игра уже тогда взяла меня в оборот. Потому что Чанхантак, как и всякая настоящая игра, начинается задолго до того, как сделан первый ход. Философ сказал бы сейчас: «в час рождения игрока» — и был бы по-своему прав. Но на практике обстоит иначе. Уверен, лично я вступил в игру в тот момент, когда невежливо перебил Эши Харабагуда и вдруг заметил, что руки мои дрожат, как на первом вступительном экзамене и еще когда сэр Макс предложил мне работу в Тайном Сыске — больше я так не волновался.

Призрак тоже заметил мое состояние и удивленно покачал головой:

— Эк тебя разобрало. Смысл игры в Чанхантак состоит в том, что победитель получит Сонную Шапку Датчуха Вахурмаха, а остальные игроки — ее точные копии. И никто не узнает, какой шапкой завладел, пока не уснет.

— Я правильно понимаю, что Сонная Шапка Датчуха Вахурмаха — это очень круто?

— Неправильно. Но твою точку зрения разделяют все мои бывшие земляки. А если кто думает иначе, то помалкивает. Или уезжает отсюда, как я, устав спорить и не в силах безучастно наблюдать, как близкие друзья один за другим устремляются в бездну. Но таких, уверяю тебя, очень мало.

Немного помолчав, Эши Харабагуд сказал:

— Боюсь, без исторической справки тут не обойдешься. Ладно, слушай. Датчух Вахурмах жил примерно восемь тысяч лет назад и был самым могущественным сновидцем Чирухты. Если и были те, кто его превзошел, они окружили свои деяния тайной, поэтому сведения о них до нас не дошли. А о Датчухе Вахурмахе, к примеру, доподлинно известно, что он увидел во сне Пустую Землю Йохлиму и так полюбил яростные песни ее безумных ветров, что заставил свое сновидение овеществиться. А ведь прежде в тех местах было царство Джангум-Варахан, богатая и густонаселенная, если верить старинным хроникам, страна, чьи величественные города притягивали взоры самых искушенных путешественников, а быстроходные корабли держали в страхе всех прочих моряков, кроме разве что угуландских колдунов и арварохцев, которых хлебом не корми, дай лишний раз умереть в бою. Ближайшие соседи джангум-вараханцев постоянно пребывали, как говорится, в тонусе; доподлинно известно, что даже гордые чангайцы исправно платили им дань, хотя нынче их историки предпринимают невероятные — и нелепые, на мой взгляд — усилия, чтобы изъять эту информацию если не из исторических хроник, то хотя бы из школьных учебников. Нравы и обычаи джангум-вараханцев, судя по немногочисленным сохранившимся свидетельствам, оставляли желать лучшего, однако в тот день, когда Джангум-Вараханское царство бесследно исчезло с лица земли, уступив место гибельным пустошам, населенным лишь ветрами да миражами, никому в голову не пришло утверждать, будто джангум-вараханцы получили по заслугам. Одно дело поражение в войне, эпидемия или еще какая беда. И совсем другое — кануть в небытие по прихоти безмятежного сновидца из маленькой горной деревушки Уэс, который счел, что сумрачные пустоши милее его сердцу.

— Ничего себе, — присвистнул я. — Просто чирухтский Лойсо Пондохва какой-то!

— Сравнение понятное и даже ожидаемое, но некорректное, — строго сказал призрак. — Лойсо, насколько я его знал, руководила страсть к разрушению как таковому, а Датчух Вахурмах — сновидец-созидатель. В своем роде художник. Возможно, величайший из когда-либо рождавшихся. Потому и бед натворил немало, хотя злодеем отродясь не был. Напротив, по свидетельствам современников, добрейший, деликатнейший человек — в те редкие моменты, когда бодрствовал. Просто очень уж вдохновенный и, что особенно важно, лишенный любви и даже элементарного уважения к жизни — в этом все дело. Он просто не подумал, что джангум-вараханцы предпочли бы существовать и дальше, вместо того чтобы бесследно исчезнуть, любезно уступив место его бредовым видениям. Сам Датчух Вахурмах с детства сожалел, что иногда приходится просыпаться ради еды и нехитрого ухода за телом, которое, как ни крути, совершенно необходимо для того, чтобы видеть сны; в противном случае с радостью от него отказался бы. Собственно, так и вышло, просто много позже, когда Датчух Вахурмах создал сновидение, готовое принять человека целиком, погрузился в него и сгинул навек. Как по мне — на здоровье, дело хозяйское. Но, будучи человеком бесконечно великодушным, он, негодяй этакий, решил позаботиться о других. И оставил свою Сонную Шапку в той самой пещере для сновидений, откуда благополучно исчез. А к шапке прикрепил записку с правилами Великой Тубурской Игры Чанхантак, которые до сих пор соблюдаются неукоснительно.

— А что за правила-то? — спросил я, воображая зловещую и запутанную мистерию в духе рассказов об Эпохе Орденов и заранее содрогаясь. — Их можно хотя бы приблизительно описать?

— Да нет ничего легче, — отмахнулся призрак. — Лучшие мастера сшили несколько сотен точных копий Сонной Шапки Датчуха Вахурмаха. Перед началом игры отбирают нужное количество шапок, в точности по числу заявившихся игроков, сваливают их в кучу — и готово, налетай. То есть разбирай. Бери любую шапку, какая приглянулась, и смотри сон. Чанхантак.

— Вот так просто? — опешил я.

— А зачем какие-то сложности? Достаточно и того, что у всех игроков руки трясутся и щеки пылают почище, чем у тебя сейчас. И амулетами, притягивающими удачу, они обвешаны с ног до головы. И благословлениями предков заручились, не сомневайся. Потому что ставка, с их точки зрения, невероятно высока. Разобрав шапки, все улягутся спать и увидят обычные сны. Ну, или не очень обычные —

смотря каков сновидец. Но только один игрок — тот, кому досталась настоящая Сонная Шапка Датчуха Вахурмаха, — исчезнет под утро. Отправится в так называемый Вечный Сон, бесконечное путешествие, которое все тубурцы считают высшим счастьем сновидца и самой желанной разновидностью бессмертия. И только я знаю, что это — ловушка, рано или поздно уничтожающая всякого, кто туда попадет.

— А откуда вы знаете?

По идее, я — тот самый я, с которым знаком уже много лет, — в жизни не решился бы задать столь бесцеремонный вопрос. Но это я сейчас понимаю, а тогда и внимания не обратил на собственное поведение.

— Я там был, — сказал Эши Харабагуд. — Успел разобраться, что к чему. И, как видишь, вернулся. Это вполне возможно, если с самого начала поставить себе такую задачу. Впрочем, бывает и так, что сновидец просыпается, не предпринимая никаких усилий, даже против воли. Вечный Сон принимает не всех, от некоторых он избавляется, не знаю уж почему. И на таких чудом спасшихся, конечно, смотреть страшно. Они-то думают, будто по своей вине упустили величайший шанс, тратят жизнь на пустые сожаления о несбывшемся и тщетные попытки понять, что сделали не так. Двое, насколько мне известно, даже покончили с собой, хотя для тубурца самоубийство — дело совершенно немыслимое, на эту тему нам даже кошмары не снятся. Так что, пожалуй, лучше бы они не просыпались. Но это не мне решать.

— А каково там? — спросил я. — Действительно есть о чем сожалеть, проснувшись?

— Пожалуй, — подумав, признал Эши Харабагуд. — Но только не мне. Я, видишь ли, и сам был
при жизни сновидцем не хуже Датчуха Вахурмаха.
Только предпочтения у нас совсем разные. Он, как я
уже говорил, художник. А я скорее воин. Человек
дела и цели. И в сновидениях меня больше всего
привлекала возможность исподволь влиять на реальность. В Вечном Сне, где возможно все, зато
смысла в этих чудесах никакого, потому что они —
всего лишь пустые грезы медленно угасающего сознания, таким, как я, делать нечего. Вот охранять
вашего короля мне было по нраву, хотя любой мой
земляк счел бы подобные сновидения каторгой... Но
сейчас все это не важно.

Призрак надолго умолк. И молчал так значительно, что я не решился наседать на него с вопросами,
которых у меня было несколько миллионов — причем только для начала.

— Что тебе действительно нужно знать, — наконец сказал он. — Вечный Сон уничтожает своих сновидцев. Очень медленно, зато окончательно и беспо-
воротно. Я видел, как это происходит. Все иллюзор-
ное могущество, достающееся спящим, я употребил
на то, чтобы докопаться до правды. Нашел способ
заставить эту иллюзию показать мне, как она на самом деле устроена и за счет чего работает. Я вообще
дотошный. А разобравшись, пожелал проснуться, вот
и все. Мне кажется, дело не в моем сновидческом
искусстве, поначалу кто угодно может оттуда удрать,
достаточно сформулировать и высказать такое намерение. Просто больше никому в голову не пришло
бы добровольно отказаться от сокровищ Вечного Сна.

— Невероятно, — вздохнул я. — И как же хорошо, что сэр Глёгги в свое время объяснил мне, что призраки никогда не обманывают. Дескать, промолчать могут или, скажем, ловко сменить тему, но выдавать за правду то, чего никогда не было, — исключительно привилегия живых. Даже не знаю, за что нам такое счастье. Лично я бы с удовольствием без него обошелся, лишь бы не гадать при любом разговоре — врет, не врет? В общем, здорово, что вам я могу верить, не задумываясь. А то бы, наверное, чокнулся сейчас, пытаясь понять, что за игру вы ведете.

— Не знаю, кто такой этот твой сэр Глёгги, но он дело говорил. Хотя выучиться обманывать все-таки можно, особым образом складывая фрагменты правдивых утверждений так, чтобы в сумме получалась ложь. Довольно забавная логическая игра, я даже при жизни редко так отлично развлекался. Но сейчас мне не до игр. Мне девочку выручать надо.

— А Кегги Клегги потом не затоскует? — осторожно спросил я. — Ну, как все остальные? Которых выкинули из Вечного Сна.

— Я ей не дам. Буду рядом, сколько понадобится, а не пару раз в год, как раньше. Кто мог подумать, что эту упрямицу понесет в Тубур?! Я ей тысячу раз говорил, что никуда ездить не нужно. Что сам всему научу, когда придет время. Так нет же! Как с цепи сорвалась.

— Вообще-то ее король послал, — заметил я.

— Плохо ты знаешь Кегги Клегги, хоть и говоришь, что вы вместе учились. Если бы она сама не захотела в Тубур, никакой король ее не заставил бы. А скорее всего, у него бы просто не возникла идея куда-то ее посылать. Девочка умеет настоять на своем, не пререкаясь, — в тех редких случаях, когда хоть чего-нибудь хочет. Но с этим у нее, конечно, плохо — я имею в виду желания. Слишком рано начала жить во сне и, как большинство талантливых сновидцев, утратила интерес к жизни наяву. Я, как ни бился, не сумел это исправить. Да и вряд ли призрак способен научить любви к жизни. Но уж от полного отчаяния я ее избавлю, будь спокоен. Объясню, что к чему. Не поверит — у меня и доказательства найдутся. Хвала Магистрам, голова у девочки светлая. Разумные аргументы всегда на нее действовали.

— Ладно, — кивнул я. — Тогда, получается, все в порядке. Осталось понять, как ее разбудить. Нетривиальная задача, когда спящего тела, которое можно хорошенько потрясти или просто отволочь к сэру Джуффину, нигде нет. У меня никаких идей, зато у вас они наверняка есть. Чем я могу помочь?

— Мне нравится твоя деловитость, — улыбнулся Эши Харабагуд. — И сновидец ты хороший. Очень неопытный, зато сильный, это сразу видно. Думаю, у нас есть шанс. И неплохой.

— Мне придется туда заснуть? — прямо спросил я. — Увидеть Вечный Сон Датчуха Вахурмаха? Попробовать найти там Кегги Клегги, а потом проснуться, да еще и вместе с ней? Совершенно не представляю, как все это провернуть. Но, наверное, такие вещи понимаешь по ходу дела, да?

— Ну как тебе сказать. Что-то, может, и понимаешь, но по большей части, наоборот, перестаешь. Сновидение — не лучшее место для размышлений, а уж Вечный Сон и подавно. Но не беспокойся, что делать, я тебе подскажу. Все гораздо проще, чем ты наверняка думаешь. Самому главному умению — не забывать о себе — ты уже выучился, если верить твоим же словам. Значит, и инструкцию мою запомнишь, никуда не денешься.

— В обычных снах я уже всегда вспоминаю задания, которые учитель дал наяву, — сказал я. — Это упражнение мне с самого начала неплохо давалось. Но Вечный Сон — это же, наверное, совсем другое?

— Поначалу очень похоже, только возможностей гораздо больше. Вот, кстати, единственная серьезная опасность. Ты как, любишь помечтать?

— Ох, да, — признался я. — Куда больше, чем, как говорят, положено в моем возрасте. Даже жена иногда надо мной смеется, хоть и понимает меня лучше, чем все остальные.

— Вообще, мечтательность — прекрасное качество для сновидца, — заметил Эши Харабагуд. — Но в Вечном Сне она может обернуться против тебя. Ладно, будем надеяться, что чувство долга все-таки возьмет верх. Вряд ли ты совсем уж безответственный, если твой начальник Кеттариец до сих пор тебя не выгнал. Он не любит тех, на кого нельзя положиться. Говорит, ему себя такого более чем достаточно.

Я невольно улыбнулся. И не стал объяснять, что чуткий нос вроде моего, к которому прилагается хоть какой-то намек на мозги, такая большая редкость, что мне бы, пожалуй, даже замашки несовершеннолетней куманской принцессы простили. Особенно сейчас, когда все коллеги, начиная с шефа, считают меня чем-то вроде сувенира, оставшегося на память от сэра Макса. Все-таки именно он меня в Дом у Моста привел.

— Для начала тебе придется выиграть, — озабоченно сказал Эши Харабагуд. — Но не вижу особых сложностей. Место и время ближайшей игры я уже знаю. Если ты придешь туда послезавтра утром и заявишься как игрок, никто тебе слова поперек не скажет.

— Странно, кстати, что Еси Кудеси меня с собой не взял, — сказал я. — Он же наверняка туда пошел. Сказал, должен помочь старейшинам. Теперь ясно, что с организацией игры.

— Ничего странного. Думаю, он из тех, кто считает, что Чанхантак — развлечение не для новичков. Для тубурца это верх здравомыслия. Молодец твой Еси Кудеси, повезло тебе с ним.

— Но Кегги Клегги он все-таки позвал играть. А она тоже совсем недолго прозанималась.

— Не факт, что именно он. Пригласить Кегги Клегги мог кто угодно из местных, уж они-то всегда в курсе дел. А скорее всего, девочка сама все разузнала, проследила за учителем, пришла по его следам и попросилась в игру. Запретить-то никому нельзя, будь он хоть трижды твой ученик, это против обычаев. И выигрыш ее меня совсем не удивляет. Помню, как сам победил, играя в Чанхантак. До сих пор уверен, что шапка Датчуха Вахурмаха сама прыгнула мне в руки, хотя со стороны казалось, будто это я ее взял. Похоже, Вечный Сон сам выбирает себе сновидцев помоложе и поспособнее. Видать, вкусные они — устоять невозможно.

Меня невольно передернуло. Очень уж не понравилось определение «вкусные».

— А что надо сделать, чтобы выиграть? — спросил я. — Или, думаете, эта грешная шапка сама меня выберет, как Кегги Клегги?

— Может, и выберет. Но гарантий нет, — сказал призрак. — Полагаться на ее решение мы в любом случае не должны. Я сам укажу тебе нужную шапку.

— Это как? — изумился я.

— Да очень просто. Мое нынешнее зрение, хвала Магистрам, позволяет отличить подлинный волшебный предмет от самой умелой копии. Игра начинается при дневном свете, когда меня почти не видно. Но если ты будешь очень внимателен, наверняка что-нибудь да разглядишь. Лишь бы тебя никто не опередил. Все-таки порядок устанавливается жребием.

— А если вас еще кто-нибудь заметит?

— Вряд ли. Но даже если и так, шум поднимать не станут. Благо в правилах Великой Игры, составленных Датчухом Вахурмахом, четко сказано: после того, как Чанхантак начался, все внешние события и происшествия должны приниматься как должное, ибо они больше не имеют самостоятельного значения, а являются частью игры.

Будь я философом, тут же засел бы писать трактат: «После того как человек родился, все внешние события и происшествия должны приниматься им как должное, ибо они не имеют самостоятельного значения, а являются частью игры, в которую он вступил». Вряд ли мой труд хоть кому-то помог бы изменить свою жизнь к лучшему, зато шума в ученых кругах наделал бы — вообразить страшно. А философам обычно того и надо.

Но свой единственный шанс стать философом я упустил давным-давно, еще на восьмом году обучения в Королевской Высокой Школе, когда пришло время выбирать гуманитарную специализацию. Все к лучшему — вместо того, чтобы спешно приниматься за главный труд своей жизни, я задумался. А немного подумав, спросил:

— Слушайте, а зачем мне вообще лезть в эту грешную игру? Где-то эти шапки хранятся. В погребе, в сарае, в пещере — не важно. Где-нибудь они сейчас лежат, это главное. Не извлекают же их из иного мира всякий раз перед началом игры?

— Конечно, нет, — согласился Эши Харабагуд. — А к чему ты ведешь?

— Ну как? — я даже растерялся от такой его непонятливости. — Можно взять шапку прямо сейчас, не дожидаясь игры и не беспокоясь, что кто-нибудь меня опередит.

— То есть украсть? — он выглядел потрясенным. — Ну ты даешь! Я за всю жизнь ни разу ничего не украл. Даже не думал об этом никогда.

Я, честно говоря, тоже никогда не крал, разве только плоды из чужих садов таскал в детстве, но вряд ли это считается. Однако после признания Эши Харабагуда почувствовал себя матерым уголовником. По крайней мере думать о кражах я был способен без малейшего содрогания.

И отстаивать свое безнравственное предложение тоже был готов.

— Вообще-то кража — это когда забирают навсегда. А мы возьмем шапку всего на несколько часов. Потом я исчезну, а шапка останется, правильно?

— Ну да, — согласился призрак. И неожиданно добавил: — Ты вообще молодец, что сообразил. Мне как-то в голову не пришло, что шапку можно взять еще до начала игры. А все почему — тубурское воспитание. Ничем его потом не перешибешь, хоть годами с картежниками и карманниками якшайся.

— Ага, — обрадовался я. — Значит, это не только вы, а все тубурцы такие? Не воруют и даже не помышляют об этом? Но тогда шапки, наверное, не очень хорошо охраняют?

— У нас тут вообще ничего не охраняют, — подтвердил Эши Харабагуд. — Максимум — на замок запрут, если очень уж ценная вещь. Но и это, по-моему, только из-за приезжих.

— А я как раз могу открыть любой замок, — похвастался я. — Мама научила.

— Шикарное образование она тебе дала, как я погляжу, — хмыкнул призрак. — Ладно, раз так, пойду разузнаю, где лежат эти грешные шапки. А ты пока постарайся хорошенько выспаться. Тебе предстоит непростое дело.

— Делать которое придется во сне, — улыбнулся я. — Хорошенько выспаться, перед тем как лечь спать, — отличный рабочий график.

— Звучит действительно забавно. Но, когда ложишься спать усталым, управлять сновидениями гораздо труднее, — заметил Эши Харабагуд. — Слишком велико искушение послать все к Темным Магистрам и просто отдохнуть.

...Потом призрак отправился искать склад шапок, а я вошел в дом и послал зов сэру Джуффину. Глупо было бы ежедневно сообщать ему о всяком своем чихе, а сейчас, когда все наконец-то завертелось, затаиться, подготавливая сюрприз.

Хотя соблазн был велик.

Шеф слушал меня внимательно, не перебивая вопросами, даже не комментируя. Так что я даже пару раз спросил: «Вы еще тут?» Очень уж на него не похоже.

«Ну что, если уж везет, так везет, — заключил сэр Джуффин, после того как я наконец завершил подробный пересказ давешней беседы. — Помощник тебе сыскался — лучше не бывает. Я, конечно, очень рассчитывал на своевременное появление Эши Харабагуда. Но при этом совершенно на него не надеялся. У странствующих призраков обычно хорошее чутье на неприятности, но скверное чувство времени; я бы не удивился, если бы старик объявился лет через сто и поднял крик: «Что стряслось с моей любимой правнучкой?!» Но Эши и тут оказался выше всяких похвал. Всего-то на полгода задержался, говорить не о чем».

«А что вы думаете по поводу всего остального? — спросил я. — Как вам нравится история про Вечный Сон? Мне до сих пор немного не верится. Хоть и знаю, что призраки не врут».

«Зря ты так уверен. У некоторых очень даже неплохо получается. Хотя Эши определенно не из их числа. Он тебя не обманывает. Что, впрочем, не означает, будто каждое его слово непременно правда. Любой человек может заблуждаться, мертв он при этом или жив, не имеет значения... Но историю про-

исхождения Пустой Земли Йохлимы старик изло-
жил тебе верно. Кстати, знаешь ли ты, что нынешние
укумбийцы — потомки нескольких сотен джангум-
вараханских купцов и пиратов, которые были в море,
когда их родина исчезла с лица земли?»

«Впервые слышу».

Я был потрясен.

«Все же удивительные люди преподают историю в
наших учебных заведениях, — вздохнул шеф. — В один
прекрасный день мое терпение лопнет, и я попрошу
короля назначить меня Почтеннейшим Начальником
Всеобщего Образования. Великих чудес не обещаю, но
по крайней мере после этого всякий человек, закончив-
ший полдюжины учебных заведений, будет знать хотя
бы основные факты древней истории».

«И ведь ни в одной книге об этом ни слова не
написано, — наябедничал я. — Знаете, сколько я сверх
программы перечитал?»

«Догадываюсь. Ты не виноват в своем невежест-
ве, сэр Нумминорих. До книг, где написаны толковые
вещи, студенту вроде тебя до сих пор было не добраться. Надеюсь, в ближайшее время нам удастся
изменить сей прискорбный факт».

«Было бы здорово, — сказал я. — А то стоит поговорить с каким-нибудь сведущим человеком, и я
сразу перестаю понимать, чем занимался все годы,
пока думал, будто серьезно изучаю историю... Но,
слушайте, неужели царство Джангум-Варахан просто исчезло, и все? Я имею в виду, от него даже руин
не осталось?»

«Ни следа. Исчезло все, включая подводные сады
и подземные темницы. Даже состав почвы поменял-

ся. Была плодородная земля, как у нас в Ландаланде, а теперь — девяносто четыре разновидности песка, и привет. Я лично знаком с несколькими свидетелями этого великолепного в своей бессмысленности события. И после их рассказов совершенно не сомневаюсь, что от Датчуха Вахурмаха можно ожидать примерно того же, что от нашего короля Мёнина. То есть абсолютно чего угодно. Включая волшебный сон, с аппетитом пожирающий своих сновидцев, и веселую игру, в ходе которой вдохновенные корнеплоды азартно сражаются за право быть покрошенными в суп, — почему нет».

«Трудно это принять, — признался я. — Только начал по-настоящему заниматься сновидениями. Ощутил их полноценной частью своей жизни и полюбил как саму жизнь. И вдруг — бумц! — узнаю вот такое. Даже желание учиться дальше прошло. Думал, передо мной чудесное неизведанное пространство, чутко откликающееся на всякое душевное движение. А там, выходит, капканы по всем углам».

«Ну и что? — удивился шеф. — Эка невидаль — капканы. Неужели ты перестал любить жизнь после того, как почитал учебники истории? Одни наши дурацкие войны чего стоят. И ладно бы только они. Вон в Куманском Халифате, куда мы все так любим ездить ради отдыха и наслаждений, до сих пор можно купить раба — настоящего живого человека, не глиняного болвана, специально вылепленного для мелких услуг. А на границе с Красной Пустыней, прекрасней которой мало что есть в этом Мире, зачем-то живут дикие каннибалы, наделенные к тому же интеллектом табуретки. Но знание всех этих фактов почему-то не лишает тебя желания жить дальше. И решимости организовать свою жизнь так, что в ней не будет места ни рабству, ни дурацким войнам, ни каннибализму, ни прочей неприятной ерунде».

«Ваша правда. Но...»

«Никаких «но». Грош цена всем твоим успехам в учебе, если ты до сих пор не понял главного: жизнь и сновидения — одно и то же. Никакой разницы нет. Точнее, разница иллюзорна. И может ввести в заблуждение только новичка».

«Но я и есть новичок», — напомнил я.

«Быть введенным в заблуждение — твое право, но не священная обязанность. И на твоем месте, сэр Нумминорих, я бы этим правом пренебрег».

«Ну и денек, — вздохнул я. — Сразу столько всего перевернулось с ног на голову!»

«Да, — согласился сэр Джуффин. — На редкость удачный день. Надеюсь, ты продолжишь в том же духе и благополучно провернешь дело, в которое лично я вряд ли рискнул бы ввязаться».

«Чтооооо?!» — изумленно переспросил я.

«Что слышал. Ни за что не сунулся бы в сновидение столь выдающегося безумца, каким был Датчух Вахурмах. Но ты, сэр Нумминорих, другое дело. У тебя есть твой дурацкий Обет Лаллориха. Как бы я ни потешался над этим фактом, однако вынужден признать, что до сих пор не известно еще ни одного случая, когда Обет Лаллориха был бы нарушен. Поэтому я уверен, что ты вернешься. А остальное меня не очень беспокоит. Чокнешься — вылечим, заворожат — расколдуем, убьют — воскресим».

«А если это сновидение меня съест, вы дадите ему слабительное, — вздохнул я. — Всегда знал, что с вами можно ничего не бояться, сэр».

«Какой хороший мальчик, — умилился шеф. — Когда вернешься, с меня конфета».

«Только не светящаяся, — попросил я. — Они, оказывается, совсем невкусные».

Призрак Эши Харабагуда вернулся около полудня. Я к тому времени успел не только выспаться, но и начать беспокоиться. Зов-то ему не пошлешь. Однако, хвала Магистрам, явился — совершенно невидимый при солнечном свете, но, как мне показалось, довольный. И в дом согласился войти без лишних уговоров. Видимо, активная подготовка к участию в ограблении помогает избавиться от излишней церемонности. Если Его Величество Гуриг Восьмой когда-нибудь захочет перевоспитать всех своих придворных разом, я подскажу ему отличный метод.

— Потерял много времени, — с порога сказал Эши Харабагуд. — Сперва был уверен, что шапки еще в Вэс Уэс Мэсе. Игра-то только завтра после полудня начнется. Но нет, их уже увезли. А там сложили в сарай, специально по такому случаю построенный. То еще хранилище, дунешь — развалится. Но сам факт! Раньше-то просто кидали мешки на поляне, никто и не думал к ним прикасаться до начала игры. В общем, можем идти. Только не могу решить, когда лучше там появиться? Днем меня не видно, а ночью тебя труднее разглядеть.

— Давайте в темноте. Вас-то они, в случае чего, просто испугаются. Что, возможно, даже к лучшему — паника отвлечет внимание. А меня спросят, на кой я тут шляюсь. И тогда придется присоединяться к игре, кидать жребий, ждать своей очереди, рискуя, что шапка достанется кому-то другому. А потом, чего доброго, сидеть в Вэс Уэс Мэсе до новой игры. Кстати, как часто они проводятся?

— От двух до пяти раз в год. Логики в расписании Великой Игры лично я так и не обнаружил. Но почти уверен, что это как-то связано с фазами луны. Или еще с чем-нибудь в таком роде. В астрологии я ничего не смыслю, но точно знаю, что есть дни, особо благоприятствующие глубокому погружению в сновидения.

— Слушайте, так, может, в другие дни шапка не подействует, сколько в ней ни спи?

— Никогда об этом не задумывался. А ведь скорее всего так и есть.

— Тогда без вариантов, надо идти ночью. Если меня заметят, кучу времени можем зря потерять.

Вообще-то я сразу прикинул, что, потратив это время на учебу, мог бы гораздо лучше подготовиться к предстоящему делу. С другой стороны, с тем же успехом можно утверждать, что, роди меня мама на пару лет позже, я бы гораздо лучше подготовился к жизни. А это, конечно, абсурд.

Я хочу сказать, единственный показатель нашей готовности к любому событию — тот факт, что оно с нами произошло. А все остальное — просто разговоры.

— Ты прав. Раз так, выйдем после заката, — решил Эши Харабагуд. — Место завтрашней игры совсем рядом с городом, часа за два доберемся. Там, правда, попадаются довольно сложные участки пути, но ты же угуландец, тебе все равно — при свете идти или в темноте, верно?

— Почти все равно, — кивнул я.

— Вот этой вашей способности я при жизни ужасно завидовал, — неожиданно признался призрак. — Сам-то в темноте только ощупью передвигался, да и то неуверенно. Терпеть не могу быть беспомощным.

Я вспомнил, как чувствовал себя, временно лишившись нюха, и энергично закивал.

— А теперь слушай меня внимательно, — сказал Эши Харабагуд после того, как я под его присмотром уничтожил на завтрак добрую половину припасов хозяйственного Еси Кудеси. Это чудовищное пиршество называлось «плотный завтрак» и теоретически должно было придать мне сил.

Я встрепенулся и обратился в слух. Честно говоря, очень нервничал. Вот объявит он сейчас: «Во сне ты должен совершить тройной переповорот Туйявранги со сквозным просвистом» или: «От тебя всего-то и требуется — вывернуть края сновидения наизнанку, оставив в неприкосновенности его центр». Или еще что-нибудь этакое невообразимое, чего я не просто не умею, но даже за двадцать лет прилежных занятий не научусь. И плакала тогда наша миссия.

Но ничего такого ужасного Эши Харабагуд не выдал.

— Все, что от тебя требуется, — это сохранять ясность сознания и помнить о себе, — сказал он. —

И обо мне. То есть обо всем, что было и еще будет сказано с момента нашей встречи. Это понятно?

— Это и в обыкновенном учебном сновидении важно, — согласился я. — Иначе никакого смысла его смотреть.

— Совершенно верно. Просто ставки еще никогда не были так велики. А больше никакой существенной разницы. Кроме, конечно, соблазнов. Учебные сны, я знаю, бывают приятные и не очень. Но в целом ничего особенного. В любой момент можно проснуться, ни о чем особо не сожалея.

— Ннннннуууууу, это как сказать... — протянул я. Потому что проснуться-то я и правда могу в любой момент. Но «ни о чем особо не сожалея» — это не мой случай. Очень уж все интересно!

— Ясно, — вздохнул Эши Харабагуд. — То ли на учебные сновидения тебе до сих пор везло, то ли ты слишком страстный и увлекающийся сновидец.

— Скорее второе, — признался я. — Но это не беда, я умею брать себя в руки. И хорошо знаю слово «надо».

— Дело в том, что таких захватывающих приключений и небывалых переживаний, какие ждут тебя в Вечном Сне, в твоей жизни до сих пор не было — ни в сновидениях, ни тем более наяву. Все самые несбыточные мечты принесут тебе на золотом подносе. Даже те, которые ты никогда не мог сформулировать. Собственно, их — в первую очередь. Но ты должен сказать себе: «Потом».

— Мне придется сказать: «Никогда», — поправил его я. — Но, думаю, все равно справлюсь. Достаточно вспомнить, что в финале меня съедят, и все как рукой снимет.

— Будем надеяться. Потому что положиться в этом деле ты можешь только на себя. Помощников в Вечном Сне у тебя не будет. За шиворот от этого корыта никто не оттащит, только сам.

— Это я тоже запомню. Что дальше?

— Ты должен понимать, что твое могущество в этом сновидении беспредельно. О таком даже Сонные Наездники не смеют мечтать — потому они всегда первые среди желающих сыграть в Чанхантак. Со всей страны съезжаются. Но им редко везет. Слишком опытные, чтобы Вечный Сон ими заинтересовался... Впрочем, ладно. Речь не о них, а о тебе. Так вот, вспомнив о своем могуществе, ты должен пожелать найти Кегги Клегги. Увидеть, как она сейчас поживает и что поделывает. В смысле что ей снится. И тебе не откажут. Просто не смогут отказать. И тогда...

— Но где гарантии, что мне покажут настоящую Кегги Клегги, а не ее точную копию?

— Гарантией тут может быть только твое намерение увидеть именно ее, а не иллюзию. К тому же возможности проверить никто не отменял. А этому тебя уже научили. Я заметил, ты даже меня вчера проверил на всякий случай — не мерещусь ли. Вот и молодец, всегда так поступай.

— Ясно, — кивнул я. — То есть обычная проверка в Вечном Сне работает.

— Ну да. Это же просто сновидение. Правда, чужое, а не твое. И слишком глубокое. Но общих правил это не отменяет.

— Уже легче. А что мне делать после того, как я встречу Кегги Клегги? Хватать ее и кричать, что хочу вместе с ней проснуться?

— Ни в коем случае. Криками делу не поможешь. Если даже проснешься, то один. То есть, конечно, всякое может случиться, еще и не такие чудеса бывают. Но сам по себе метод никуда не годится, не стоит рисковать. Что тебе нужно сделать в первую очередь — это разбудить Кегги Клегги. К счастью, есть надежный способ это сделать — мой стишок.

— Стишок?!

Я ушам своим не поверил.

— Да, просто стишок — из тех, что взрослые часто сочиняют, когда хотят развлечь детей. Видишь ли, когда Кегги Клегги была совсем маленькой, я за нее очень боялся. Потому что талант к сновидениям у девочки врожденный, и уносило ее поначалу очень далеко. А учить эту кроху самоконтролю было бесполезно — она и слов таких еще не знала. Маленького ребенка и наяву-то к порядку особо не призовешь, не утихомиришь. А уж во сне и вовсе немыслимо.

Я вспомнил своих детей и энергично закивал. Какой уж тут самоконтроль, действительно. Это умение приходит гораздо позже, да и то не ко всем.

— Такие гениальные младенцы-сновидцы часто умирают, не прожив даже первую дюжину лет — если в один прекрасный день засыпают так глубоко, что не могут вернуться. Тот же эффект, что у Вечного Сна, только тело никуда не исчезает — а толку-то от него, все равно не разбудишь, даже лучшие знахари обычно оказываются бессильны... И что мне было делать? Я уже тогда был призраком, а значит, лично сопровождать Кегги Клегги в сновидениях никак не мог. А от других взрослых, начиная с собственной бабки, которая, между прочим, была одной из лучших моих учениц, маленькая негодница мгновенно удирала. Никто не мог угнаться за ней в сновидении, очень уж шустрая девчонка! И тогда я отправился к своему приятелю Мабе Калоху. Попросил его придумать заклинание, способное разбудить Кегги Клегги, как бы крепко она ни спала. Очень надеялся, что он поможет по старой дружбе. И еще потому, что задача сама по себе интересная, хоть и простая на первый взгляд. Когда еще появится повод испытать себя в совершенно новом деле? И Маба с восторгом ухватился за такую возможность. Сказал — всю жизнь имел дело с часами, а ни одного будильника так и не создал. Непорядок! В общем, правильно я все рассчитал, когда решил к нему обратиться.

— Ого! — присвистнул я. — Так это сам Маба Калох сочинил стишок для Кегги Клегги?

— Нет, стишок пришлось сочинять мне, а Маба Калох просто наделил его особой силой — после того как вдоволь потешился над моими творческими муками. Не представляешь, как я тогда намаялся! В жизни стихов не сочинял, даже для собственных детей, ими-то больше жена занималась, а внуки и вовсе без меня росли... Но я очень старался. И вышел у меня вот такой стишок:

Кегги Клегги, дснь и ночь,
          чей ты сын и чья ты дочь?
Кегги Клегги, свет и тьма,
          между ними — ты сама.

Кегги Клегги, сон и смех
                лучше всех иных потех.
Кегги Клегги, звон и гром,
                кто твой ветер, где твой дом?
Кегги Клегги, не зевай,
                убегай и улетай
                        сразу в тридцать семь сторон.
Кегги Клегги, это сон!

— Неужели правда первый раз в жизни сочиняли? — удивился я. — И сразу вот так гладко?

— В первый, в первый. Не забывай, призраки не лгут. Только не сразу, а после нескольких тысяч неудачных попыток. Трое суток над ним бился, без перерывов, благо ни спать, ни есть, ни курить призракам не требуется... Ну, еще Маба чуть-чуть помог. Например, тридцать семь сторон — это его предложение. Сказал, хорошее магическое число; правда, забыл, в чьей именно традиции, — да и какая разница? Главное, что слогов сколько надо и рифмуется со словом «сон». Я-то «в четыре стороны» туда пытался приладить, и ничего не получалось. Самое трудное дело в моей жизни этот стишок, до сих пор удивляюсь, что справился.

Я сочувственно покачал головой. А про себя подумал: ну и ну. Вот так встречаешь однажды призрак королевского телохранителя, тысячи раз спасавшего Гурига Седьмого от нападений лучших сновидцев-убийц Эпохи Орденов, и вдруг выясняешь, что самым трудным своим делом он считает сочинение короткого детского стишка.

— А почему сейчас стишок не действует? — спросил я.

— Да потому что Кегги Клегги здесь больше нет. В Вечный Сон уходят целиком. А заклинание воздействует на тело. Так с самого начала было задумано — до детского ума поди еще докричись, а тело — вот оно, в спальне. Будить надо именно его. В том и состоит твоя задача: оказаться рядом с Кегги Клегги и прочитать мой стишок — полностью, не останавливаясь и не запинаясь. Это, учти, очень важно — впрочем, как с любым сильным заклинанием. А потом, когда она исчезнет, тебе придется выбираться самому. Я уже говорил, поначалу достаточно простого желания. Совершенно в этом уверен. Поэтому ты справишься — если захочешь, конечно. Обязательно надо захотеть!

— Думаю, я захочу. Сновидения — это ужасно интересно и здорово. Но штука в том, что моя жизнь наяву — это тоже интересно и здорово. Глупо было бы от нее отказываться.

— Звучит просто отлично, — улыбнулся призрак.

Нет ничего труднее, чем идти ночью по горному бездорожью, взяв в проводники призрака. Все, чем он может помочь путнику, — это указывать направление, не заботясь о том, способен ли живой, то есть обладающий физическим телом человек протиснуться в трещину между скалами, забраться на вертикальную стену или перепрыгнуть через трехметровую расщелину. Потом, задним числом, Эши Харабагуд искренне извинялся за каждый свой промах, но это не мешало ему пять минут спустя тащить меня в очередную пропасть, в полной уверенности, что перелететь через нее для меня — пара пустяков.

Ночное зрение — штука хорошая, но в подобной ситуации и оно не слишком помогает. Как и острый нюх. Хотя, если бы не они, я бы, пожалуй, просто не выжил в ходе этой прогулки. А так добрался до места за несколько часов до рассвета, практически целый и невредимый. Несколько дюжин царапин, разбитое колено и растянутое запястье не в счет.

Зато нет ничего легче, чем совершить кражу со взломом на глазах у доброй сотни тубурских сновидцев. Ну как — на глазах. Понятно, что все они безмятежно спали, растянувшись кто на прихваченных из дома одеялах, кто просто на траве, а несколько дежурных, оставленных у костров, грезили наяву. Во всяком случае, они не заметили не только чрезвычайно осторожного меня, но и призрак Эши Харабагуда, который столь ярко сиял в лунном свете, что спрятаться не смог бы при всем желании. Коротко посовещавшись, мы решили, что призраку следует как можно быстрее пересечь открытое пространство и скрыться в хлипком, на скорую руку сколоченном сарае для хранения шапок. А я останусь в укрытии и погляжу, что будет. Мы оба очень надеялись, что появление призрака сочтут каким-нибудь чудесным знамением, и шум поднимать не станут. Или, напротив, перепугаются и разбегутся — тогда я смогу пробраться в сарай, воспользовавшись всеобщей паникой.

Однако все оказалось еще проще. Я стал единственным свидетелем стремительного полета сияющего призрака через окруженную лесистыми горами не то крошечную долину, не то огромную поляну, которой выпала честь стать очередным плацдармом Великой Тубурской Игры Чанхантак. Сидевшие у костров дежурные вообще ничего не заметили. Боюсь, для того чтобы привлечь их внимание, нам с Эши Харабагудом пришлось бы устроить настоящее цирковое представление, да и тогда успех пришел бы к нам далеко не сразу.

После этого я, конечно, порядком осмелел — чтобы не сказать обнаглел. Но все же взял себя в руки и убедил прокрасться к сараю тайком, а не отправиться туда вприпрыжку, насвистывая на ходу. До сих пор горжусь проявленной выдержкой. И до сих пор уверен, что предосторожности были, мягко говоря, излишними.

Ну, зато в кои-то веки удалось применить на практике свое мастерство взломщика — одним прикосновением мизинца вскрыть здоровенный навесной замок, явно произведенный в Соединенном Королевстве лет этак сто пятьдесят назад. То есть с применением Очевидной магии. Не хочу обижать неизвестного мастера, вполне возможно, в Ехо мне пришлось бы изрядно повозиться с его изделием. Возможно, оно даже успело бы пронзительно заверещать, такие простые дешевые замки тем и хороши, что характер у них тяжелый, несговорчивый и паниковать они начинают задолго до того, как потенциальный взломщик приблизится к двери на расстояние, позволяющее действовать. Но мало ли что было бы в Ехо. Вдали от Сердца Мира и более серьезные талисманы утрачивают силу. А наивные иностранцы упорно скупают это добро на Сумеречном Рынке и волокут домой в надежде на магическую защиту — все-таки настоящая волшебная вещь из самого Угуланда! Хоть образовательные брошюры в порту всем прибывшим раздавай — жалко же бедняг.

Но сейчас мне это было только на руку. Я открыл дверь, кое-как сколоченную из обломков старых досок, переступил условный порог и тут же наткнулся на новую стену — на сей раз меховую. В отличие от стен сарая, штабеля совершенно одинаковых шапок производили впечатление настоящей монолитной твердыни. Я как-то даже засомневался, сможем ли мы обнаружить в этих грудах нужную. И, самое главное, ее извлечь. Особенно если она лежит где-нибудь внизу.

— Вот здесь, — деловито сказал призрак, не только рукой, но и всем своим сияющим телом указывая куда-то в середину меховой кучи. — Четвертая сверху.

Я вздохнул и принялся разбирать аккуратные ряды шапок, постепенно углубляясь в указанном направлении. А как еще.

Когда чудесная Сонная Шапка Датчуха Вахурмаха наконец оказалась у меня в руках, я не почувствовал ничего, кроме легкой растерянности.

— Надо же, почти новая, — сказал я своему компаньону. — Ей вот так навскидку не то что восьми тысяч лет — полусотни не дашь.

— Ну так волшебная же вещь, — напомнил призрак. — Что ей сделается. Это копии чуть ли не раз в дюжину лет приходится заново шить — они-то, будь уверен, стареют.

— Ясно, — вздохнул я.

И стал складывать раскиданные шапки. Очень надеялся, что смогу расставить все как было и никто не поднимет тревогу.

— Что теперь? — спросил я, после того как мы с Эши Харабагудом порядком удалились от лагеря ограбленных нами сновидцев. — В смысле где я должен лечь спать? И когда? Прямо сейчас?

— Я как раз собирался отвести тебя в одно хорошее место, — откликнулся он. — В мою пещеру для сна. На самом деле не имеет значения, где ложиться, лишь бы не побеспокоили. Но я все равно думаю, что пещера, в которой я сам когда-то проснулся от Вечного Сна, — хорошее место. Лучше всех прочих.

— Еще бы, — согласился я. — Если стены этой пещеры уже становились свидетелями подобного события, они могут мне помочь.

— Ты очень правильно все понимаешь, — кивнул призрак. — Даже удивительно обнаружить подобную мудрость в столь молодом человеке.

Я не стал объяснять ему, что для понимания таких штук совсем не нужна какая-то особая мудрость. Достаточно быть более-менее опытным антикваром. Занимаясь старыми вещами, довольно быстро узнаешь, что самые лучшие талисманы получаются из обычных предметов, долгое время принадлежавших какому-нибудь счастливчику, а еще лучше — нескольким по очереди. А старые воины, вышедшие живыми и невредимыми из многих сражений, иногда дарят молодым товарищам кольца или просто отрезают для них куски от своих поясов — делятся удачей, которая помогла им уцелеть в боях, и это обычно работает. А знающие люди готовы вдвое переплатить за мебель, хозяева которой жили долго, дружно и счастливо; кстати, за возможность купить их дома порой ведутся нешуточные сражения, и цены взлетают до небес. Сам-то я недвижимостью никогда не занимался, но знакомых в этой среде у нас с Хенной немало.

В общем, сколько бы ни утверждали, что ничего похожего на сознание у неодушевленных предметов и помещений нет, но память у них все-таки явно имеется. И какое-то подобие воли, позволяющее влиять на события. Ужасно интересно все это, вот что я вам скажу.

Потом призрак еще несколько часов гонял меня по горным дорогам. Вернее, по полному их отсутствию. Но я уже твердо усвоил, что выполнять указания моего проводника можно только после тщательной проверки, а он кое-как научился делать скидку на мои скромные возможности, так что на сей раз риск был сведен к минимуму, даже мои локти и колени уцелели в этом походе, а это в данных обстоятельствах вполне приравнивается к чуду.

Но вымотался я изрядно. Поэтому, когда мы добрались наконец до пещеры, расположенной в нескольких метрах над землей, и я благополучно туда вскарабкался всего после третьей попытки, Эши Харабагуд сказал:

— Сперва просто поспи. Без шапки. В таком состоянии я тебя не то что в Вечный — в простой учебный сон не отпустил бы.

Я не возражал. Вытряхнул из пригоршни заранее припасенные одеяла, расстелил их на каменном полу, упал и уснул прежде, чем успел укрыться.

Сперва мне снилась всякая чепуха, как часто бывало до начала обучения. Я, конечно, все равно сразу вспомнил, кто я такой, в каких обстоятельствах уснул и что мне вскоре предстоит сделать. Некоторое время оставался на приснившейся мне лужайке и снисходительно наблюдал за мельтешением разноцветных бабочек с лицами моих друзей, но потом решил, что для полноценного отдыха мне требуется хороший, длинный сон о море. И тут же обнаружил, что сижу на берегу. Вода была молочно-белая, а темный песок отливал синевой, но несоответствия меня не смущали — собственно, тем и хороши сны, что все выглядит не как положено, а как ему самому заблагорассудится. С детства их за это любил.

Довольно долго никаких событий не было. Я сидел, смотрел на море, слушал, как оно шумит, думал: как все-таки жаль, что мне никогда не снятся запахи. Особенно сейчас, у моря, где нюхать — даже не половина, а добрые три четверти удовольствия; впрочем, ладно, и так неплохо. Вернее, просто прекрасно.

И тут мой покой был нарушен. И уединение заодно.

— Ну ты даешь. — Еси Кудеси уселся рядом со мной на синий песок и дружески пихнул меня локтем в бок. — Такого у нас еще не было — чтобы Сонную

Шапку Датчуха Вахурмаха перед самым началом игры украли.

Сказать, что я тогда растерялся, будет изрядным преуменьшением. Вероятно, придется в очередной раз воспользоваться термином сэра Макса и признать, что я натурально офонарел.

— Ну а как ты думал, — ухмыльнулся мой учитель. — Если я сплю, значит, ничего не вижу — так, что ли? Я же Сонный Страж. Потому и ушел, бросив наши с тобой занятия, что меня старейшины позвали игру охранять. Я у них на хорошем счету.

Если существует слово, имеющее то же значение, что «офонарел», но описывающее следующую, еще более сокрушительную стадию этого состояния, имейте в виду, что именно оно со мной и случилось. Я только и смог, что спросить:

— Но почему ты меня не остановил?

— А зачем? Шапка и так никуда не денется. Ты уснешь, она останется. Конечно, у нас так поступать не принято. Если бы кто-то из наших взял общее сокровище без спроса, всей его семье пришлось бы уехать или годами сгорать от стыда, такие события долго не забываются. Но для тебя наши обычаи — пустой звук, как для меня законы твоей страны, это понятно. Так что наказывать тебя смысла нет, да и не в моей это власти. Гораздо важнее разобраться, кто ты и чего хочешь. Я вот с весны тебя учу, а так этого и не понял. Хоть и сразу смекнул, что не так ты прост, как кажется. Но что тебе в Вечный Сон удрать приспичило, мне даже в голову не приходило. Не похож ты на человека, который решил сгинуть. Слишком твердо стоишь на земле — всего одной ногой, но и этого достаточно, когда так сладко стоится.

— Да не хочу я сгинуть, — честно сказал я. — Только посмотрю, как оно там, и сразу проснусь. Думаю, я сумею.

— Может, и сумеешь, — согласился Еси Кудеси. — Как твой учитель, я бы на тебя, пожалуй, поставил. Но не очень много. Дюжину ваших горстей.

— Коронку, — машинально уточнил я.

— Что?

— Дюжина горстей — это коронка. Дюжина коронок — корона, самая крупная монета.

— Ясно. А ты молодец, даже такие вещи во сне помнишь.

— Ты же сам меня научил. Очень хорошо научил, спасибо тебе.

— Не спешил бы так в Вечный Сон, я бы тебя еще куче разных штук научил, — флегматично заметил он. — Может, еще передумаешь?

— Нет. Не передумаю. Мне... В общем, это не каприз, а работа. Можно сказать, мой долг. Но теперь ты мне, наверное, не дашь поспать в шапке?

— Я тебе препятствовать не буду, хоть и следовало бы. Но мне Датчух Вахурмах не велел.

Наяву я, вероятно, сошел бы с ума — вот ровно на этом месте. Но в сновидении человек обычно гораздо устойчивей к потрясениям, это я уже не раз замечал.

Поэтому вместо того, чтобы с хохотом побежать по пляжу, расшвыривая по сторонам каких-нибудь разноцветных жаб, порожденных моим помутившимся рассудком, я просто спросил:

— Это как такое может быть? Он же у... ушел в этот свой Вечный Сон. Восемь тысяч лет назад.

— Что совершенно не мешает Датчуху Вахурмаху сниться, кому он сочтет нужным. Лично мне он снился уже не раз. Дважды предупреждал об опасности, но чаще просто дразнил и подшучивал, он это любит. А вот пожелание высказал впервые. Велел не останавливать тебя. Поэтому не буду. Я, собственно, приснился тебе только в надежде разобраться, зачем ты это затеял. Может, тогда я пойму...

— Поймешь что?

— Не знаю, — безмятежно ответил Еси Кудеси. — Хоть что-нибудь.

И тогда я решил, что просто обязан сказать ему правду. «Понять хоть что-нибудь» — очень важная человеческая потребность. Возможно, не как воздух, но примерно как сон и еда.

— Я должен выручить Кегги Клегги. Это, во-первых, задание. Ты же знаешь, я в Тайном Сыске служу. А во-вторых, ее прадед очень просил. Считает, что она там пропадет.

— Прадед — это тот мертвец, с которым ты подружился? — нахмурился Еси Кудеси. — Нечего сказать, хорошая компания для молодого сновидца, — ворчливо добавил он.

— У нас, в Ехо, совсем иначе относятся к людям, которые стали призраками, — объяснил я. — Ну, при условии, что они сами никому не вредят.

Что при этом Кодекс Хрембера запрещает всем призракам, вне зависимости от их манер и намерений, находиться в столице Соединенного Королевства, я говорить не стал. Все-таки это, по-моему, большая глупость. И не я один так думаю.

Впрочем, на сегодняшний день эта статья законодательства уже просто часть истории. И хвала Магистрам.

— В любом случае это твое дело, с кем дружить, — отмахнулся Еси Кудеси. — Значит, говоришь, Кегги Клегги? С самого начала предчувствовал, что добром ее участие в игре не кончится. Но что было делать? Шапку-то она не крала, как ты, а честно выиграла. Новички вообще часто выигрывают; хотел бы я знать почему.

— Я хоть немного помог тебе разобраться? — спросил я.

Мой учитель покачал головой:

— Похоже, я только еще больше запутался. Думал, у тебя в Вечном Сне какое-нибудь великое дело, а ты туда девчонку искать лезешь. Которая, между прочим, сама только одного и хотела — сгинуть там навек. Если ты ее все-таки разбудишь, она тебя проклянет, помяни мое слово. Было бы ради чего хлопотать. И при этом сам Датчух Вахурмах за тебя вступился — поди тут хоть что-то пойми... Ладно, по крайней мере теперь я точно знаю, куда приходить за шапкой. Тоже неплохой результат.

Еси Кудеси исчез из моего сна так же внезапно, как появился. А я еще немного посидел на морском берегу и дал себе команду просыпаться — пока мне на голову не свалилась остальная Сонная Стража. Магистры ведают, сколько их там на самом деле. Может, вообще все?

...— Представляете, — сказал я призраку, — нас все-таки засекли. Мой учитель Еси Кудеси, оказывается, Сонный Страж. И все распрекрасно видел, просто не наяву, а...

— Сонный Страж? — изумился тот. — Ну ничего себе мы влипли! На моей памяти Сонные Стражи игру не охраняли. О них вообще только тогда вспоминали, когда у соседей начиналась война или другие беспорядки. Ставили на границе, чтобы нас чужая беда ненароком не задела. Но в мирное время? На поляне для игры в Чанхантак?! Даже не верится. Чего это они?

— Не знаю, — сказал я. — Может, просто предчувствовали ограбление?

— Но как ты вообще тут проснулся? — спросил Эши Харабагуд. — И почему шапка на месте? Вы что, сражались? И ты победил?!

— Ну что вы, — невольно улыбнулся я. — Никто не сражался. Просто поговорили. Еси Кудеси сказал, ему сам Датчух Вахурмах приснился и велел мне не мешать. Так что все в порядке. Но надо бы мне засыпать поскорее. А то сюда, того гляди, за шапкой заявятся, а я еще не сгинул. Неловко получится.

— Знаешь, — мрачно сказал Эши Харабагуд, — не надо тебе засыпать. Не нравится мне больше эта затся. Я тебя чуть не погубил, прости. Посылать в Вечный Сон новичка — не просто глупость, а безумие. О чем я вообще думал? Вместо того чтобы отправиться в Ехо, поговорить со старыми друзьями... Среди них опытных сновидцев не меньше, чем здесь, в Тубуре, глядишь, и был бы толк.

Я совсем растерялся.

— Вы чего? Мы же все так хорошо придумали. И вы сами сказали, что я наверняка справлюсь.

— Мало ли что я сказал. Выдавать желаемое за действительное — обычная человеческая слабость. Думаешь, мертвые не ошибаются?

До меня начало доходить.

— Вам не нравится, что Датчух Вахурмах велел не отбирать у меня шапку? Думаете, это ловушка?

— Ну а что еще, — устало вздохнул призрак. — Очень уж лакомый ты кусок. Я должен был это предвидеть. Ладно, хорошо хоть сейчас опомнился.

— Да ну, не может быть, — сказал я. — Почему сразу «ловушка»? Может, он просто познакомиться хочет. И развлечься как следует. Сами же говорили, Датчух Вахурмах не был злодеем. Скорее, художником. Смотрите: восемь тысяч лет люди играли в Чанхантак по его правилам, не отступая от них ни на шаг. Такое кому угодно надоест. И вдруг прихожу я с намерением вытащить из Вечного Сна Кегги Клегги, причем против ее воли. Да еще и шапку спер, вместо того чтобы честно играть. На его месте я сам бы лопался от любопытства, как все пройдет и что будет потом.

— Думаешь?

В голосе Эши Харабагуда звучало сомнение. Но мрачность, хвала Магистрам, уже начала его покидать.

— Уверен. Мы же говорим о человеке, который потратил жизнь на то, чтобы видеть сны. И употребил все свое могущество, чтобы сделать этот процесс бесконечным. Значит, больше всего на свете Датчух Вахурмах любит, когда ему интересно — а какой еще толк может быть от его Вечного Сна? Ну, по большому счету? Значит, и я ему нужен не как добыча, а в качестве развлечения. Может, он еще и помочь захочет — просто потому, что до сих пор ничего подобного в его Вечном Сне не случалось. И тогда получается, мы упускаем совсем уж хороший шанс! Ужасно обидно.

— Ну уж — помочь, — проворчал призрак. — Ишь, размечтался.

— Там видно будет, — отмахнулся я. — Чего зря спорить. В любом случае я бы предпочел попробовать. К тому же я дал жене обещание, которое случайно оказалось могущественным Обетом Лаллориха — не умирать и не исчезать, пока не вырастут дети. То есть еще примерно сорок лет. Сэр Джуффин считает, это хорошая гарантия, и я ему верю.

— Обет Лаллориха — это действительно неплохая гарантия, — удивленно согласился Эши Харабагуд. — Не думал, что у тебя такая хорошая защита.

— А позвать на помощь ваших друзей — это отличная идея, — улыбнулся я. — Если у меня ничего не получится, пусть они нас с Кегги Клегги вытаскивают. Какая разница, одного или двоих?

Мы помолчали. Наконец Эши Харабагуд спросил:

— Очень хочешь попробовать?

— Конечно. Ужасно интересно, как все будет. И зачем я понадобился Датчуху Вахурмаху — это теперь отдельный вопрос. Если не усну в его шапке, так и не узнаю.

— Понимаю, — кивнул он. — Ладно, тогда давай, пока я снова не передумал. Этот твой обет — штука хорошая, но если я еще полчаса подумаю, усомнюсь и в нем.

— Я сам в чем угодно усомнюсь, если полчаса подумаю, — признался я. — Так что лучше и не начинать.

Взял Сонную Шапку Датчуха Вахурмаха и опять ничего не почувствовал — ни страха, ни священного трепета, ни непреодолимого желания немедленно ее надеть, ни даже какого-то особенного запаха — кроме множества ароматов, способных рассказать разве что о хранилище, где она лежала, телеге, в которой ехала, и нескольких людях, недавно державших ее в руках. Запаха Кегги Клегги, кстати, я не учуял, хотя она, по идее, спала в этой шапке сравнительно недавно, в начале зимы. Подумал: может быть, человек уходит в Вечный Сон настолько полностью, что даже запахи забирает с собой? Удивительно в таком случае, что память о нем все-таки остается. И последствия всех сделанных наяву дел.

Очень интересно.

А потом я лег на свои одеяла, надел шапку и мгновенно заснул, как в яму провалился, даже глаз толком закрыть не успел.

Но мне тогда показалось, наконец-то проснулся.

Все вдруг встало на свои места.

Я сидел на песке, среди серебристых песчаных дюн, лицом к перламутрово-белому пасмурному небу и наслаждался, вдыхая лучшую в мире смесь ароматов: влажный песок, два дождя, недавний и будущий, горькая степная трава. По привычке вспомнив свою

памятку: «Я — нюхач Нумминорих Кута из Ехо...» —
снисходительно усмехнулся. Как мало, оказывается,
я знал о себе до сих пор. Весь этот так называемый
«персональный контекст» — капля в море. Вернее, в
целом океане информации, которая наконец мне открылась. Под личиной Нумминориха Куты, заворо-
женного своими скромными способностями нюхача,
вечного студента, самого бестолкового из Тайных
Сыщиков, веселого мужа и не слишком строгого отца,
скрывалось Я — самое могущественное существо во
Вселенной, создавшее этот Мир из собственного
дыхания, а потом отказавшееся от власти над своим
творением, потому что власть — это неинтересно.

Я и сейчас так думал. Когда ты беспредельно
всемогущ, играть приходится в одиночку, потому что
других равных тебе игроков нет. А подобное положение вещей быстро надоедает, поэтому лучше заранее придумать, кем прикинуться, когда заскучаешь.

«Можно предположить, будто сейчас я просто
сплю и вижу сон, — подумал я. — А чепуха, которую
я решил какое-то время полагать правдой о себе,
пусть по-прежнему считается правдой. Вся дурацкая
человеческая биография, включая сэра Макса, нашего с ним начальника, учителя снов и приятеля-при-
зрака. Забавные персонажи, глупо было бы их отме-
нять. И вся та ерунда о Вечном Сне, которую мне
рассказывали, пусть тоже продолжает считаться
правдой. Абсурдная нелепость, но в таком деле, чем
хуже, тем лучше. Потому что сразу опять становится
интересно. Как будто я — просто запутавшийся дурачок, заснувший в шапке какого-то древнего психа
и позволивший сбить себя с толку. Как будто мне

снова непонятно — причем сразу все. И возможно, даже опасно? Очень здорово! Именно то, что надо».

Это, как я сейчас понимаю, и спасло мою миссию от полного провала на первом же этапе. Никогда не знаешь, какая из слабостей окажется самой сильной твоей стороной. Моей опорой в Вечном Сне стали легкомысленная любовь к развлечениям и готовность сыграть в любую предложенную игру, лишь бы было интересно. Вместо того чтобы упиваться иллюзией собственного всемогущества, я тут же принялся придумывать, как бы от него не заскучать. И решил для начала заняться делом, которое в тот момент казалось мне такой же нелепой, зато забавной выдумкой, как вся предыдущая жизнь некоего Нумминориха Куты, великого, только вообразите, нюхача! Как же меня это тогда смешило, знали бы вы.

Я понял, что уже какое-то время хохочу во весь голос. От моего смеха поднялся ветер, а дюны изменили форму, и я подумал, что бесконечно могущественному существу вроде меня надо быть осторожней, но совершенно не мог держать себя в руках, смеялся и смеялся, пока небо не обрушилось мне на голову дождем серебристого песка, и тогда я наконец вскочил, отряхнул с себя холодную небесную пыль и побежал, громко вопя: «Я — Нумминорих Кута, аммабердин из Триста Тринадцатого созвездия Ау, всемогущий нюхач из Ехо, бирбикан палаверы, я нечаянно создал этот прекрасный мир, играя в Нау Уррагат, когда чихнул, подавившись звездной солью» — и прочую чушь в таком роде. И постепенно приходил в себя, словно бред выводился из организма криком, как отрава рвотными пилюлями.

...И вдруг я понял, что проснулся. Удивился, что, оказывается, способен спать не только на ходу, но и на бегу. Остановился. Сказал себе: «Чуть не попался, дурак. Создатель вселенной, понимаешь, выискался. На мелочи, стало быть, не размениваемся, ну-ну». Принялся вспоминать: «Я — нюхач Нумминорих Кута из Ехо...» — и дальше по списку. С этим вроде бы все было в порядке. Оставалось понять, что я делаю в незнакомом городе, на улице, застроенной высокими домами без единого окна... Грешные Магистры, неужели я Куанкурохе? Когда представлял себе их город темных стен, не подозревал, что это настолько величественное зрелище, думал, строения там невысокие, как в тубурских селениях... Так, стоп. Вот это уже ближе к делу. Совсем недавно я был в Тубуре. Или мне снилось, что я там был? В последнее время мне так много всего снилось, что немудрено запутаться. Но теперь-то я точно проснулся. Или нет?..

Я сидел прямо на мостовой, прислонившись спиной к теплой от солнца стене, и вспоминал. Видел слишком много снов — ну да, правильно, потому что учился искусству сновидений. Уже хотя бы поэтому логично предположить, что сейчас я тоже сплю. Мало ли что мне кажется, будто проснулся. Когда просыпаешься по-настоящему, обычно прекрасно знаешь, где находишься, почему и зачем — если только не хвораешь. Но, может, я действительно заболел? Поехал в Куанкурох и заболел, бредил всю дорогу — вот же напасть!

Так, еще раз стоп. Если бы я заболел, меня бы не отпустили с корабля в город. Еще чего. На каждом корабле Соединенного Королевства есть знахарь, и совсем бестолковых на морскую службу не берут. Значит — что? Значит, будем считать, что я сплю. Мой учитель Еси Кудеси часто говорил, что лучше вообще всегда считать себя спящим. Если даже на самом деле бодрствуешь, никаких неприятностей от такой концепции не будет, разве что станешь вести себя осторожнее, чем обычно, но это не беда... И снова стоп. Еси Кудеси из тубурского городка Вэс Уэс Мэс. Вот кто-кто, а он совершенно точно есть наяву. «Дядюшка Еси Кудеси, прекрасный человек», — так рассказывала о нем королю Кегги Клегги, которая... Ага! Вот оно. Наконец-то. Вспомнил. Живем.

Я еще долго собирал воедино свои разрозненные воспоминания, сидя на пустынной улице, которая, в конце концов, так от меня устала, что превратилась в большой библиотечный зал, но я не обратил на эту трансформацию никакого внимания. Сон — он и есть сон, не следует ждать от него постоянства. Опора всякого сновидца — он сам. Больше ни на что нельзя полагаться.

На себя, впрочем, тоже нельзя, это я уже начал понимать.

— Ладно, — сказал я вслух. — Как бы там ни было, а я сюда не развлекаться пришел. И не оттачивать мастерство сновидца. Это уже не урок, это работа. Мне нужно увидеть Кегги Клегги. Настоящую. Такую, какова она здесь.

Ничего не произошло, только с ближайшего стеллажа к моим ногам упала книга. Я подумал: возможно, в книге найдется ответ на мой вопрос? И открыл ее наугад.

...Там была цветная иллюстрация: укумбийская шикка, несущаяся по морю на всех парусах, нарисованная столь умело, что мне казалось, синий вымпел, подвешенный к мачте, колышется на ветру, и волны бьются о борт, и молодой капитан, стоящий на палубе, подмигивает мне, как старому приятелю, еще немного, и в лицо полетят брызги, а потом в библиотечный зал ворвется свежий морской ветер, и этот пьянящий запах, всегда сводивший меня с ума... Я вдыхал его полной грудью, забыв обо всем, а капитан корабля с любопытством меня разглядывал.

— Кто ты? — спросил он. — Откуда взялся? Я тебя вроде не хотел.

Эх, где же он был раньше со своими вопросами! Еще недавно я мог сообщить любому интересующемуся, что являюсь аммабердином из Триста Тринадцатого созвездия Ау, что бы это ни означало, а потом чистосердечно признаться, что я и есть творец Вселенной, и попросить не сердиться на меня за этот давний грех, совершенный в минуту слабости.

А теперь молча смотрел на капитана и думал: «А действительно, кто я? И откуда взялся? Очень хороший вопрос».

Но привычка — великое дело. Поэтому я сказал:

— Я — нюхач Нумминорих Кута из Ехо...

И, хвала Магистрам, начал кое-что вспоминать.

— А ведь точно! — и капитан расхохотался. — Нумминорих Кута, подумать только. Даже в голову не приходило, что я по тебе скучаю! Но, видимо, так оно и есть. Иначе с чего бы ты здесь объявился?

Я заглянул в его веселые глаза цвета темного золота, и все сразу встало на свои места. Вот как, оказывается, развлекается Кегги Клегги в Вечном Сне. Всегда знал, что она — отличная девчонка. Хотя даже не подозревал, до какой степени.

Но это открытие, хвала Магистрам, не затмило мой разум настолько, чтобы забыть о проверке. По всему выходило, она — самая настоящая. Вернее, он. Но какая разница, кем человек кажется во сне. Тем более в собственном. Да еще и Вечном.

Пока я проверял и раздумывал, язык мой болтал без остановки. За что ему, конечно, большое спасибо. Разговоры в сновидении всегда помогают мне собраться. Видимо, потому, что разговаривать я учился наяву, причем в сравнительно позднем возрасте, и всякий раз, когда берусь за это дело, становлюсь собой, насколько это вообще возможно.

— Если тебе нужен помощник, имей в виду, я закончил Высокую Корабельную Школу. Правда не с отличием. Но только потому, что слишком уж люблю море. Как вдохну этот запах, башка от счастья совсем отключается. И как в таких условиях экзамены сдавать? Но я все равно справился. Вполне могу тебе пригодиться.

— В голову не приходило, что мне может понадобиться помощник, — задумчиво сказал капитан. — Но, получается, нужен? Если уж ты здесь.

Мне была понятна и близка эта логика избалованного сновидца, уже привыкшего к тому, что сновидения подчиняются его воле, но еще не научившегося отслеживать собственные желания, а потому регулярно удивляющегося их немедленному осуществлению — как? Что это? Откуда взялось? Выходит, именно этого я и хотел? Ну ладно, тогда ура.

Сам так порой рассуждаю, причем даже наяву. Хотя этому меня совершенно точно никто не учил, даже мама.

— На самом деле тебе не нужен помощник, — сказал я. — И по мне ты не скучаешь, даже не вспоминаешь никогда. Да и с чего бы? Мы не были друзьями. Штука в том, что ты скучаешь по прадеду, который не может сюда прийти. В такие глубокие сновидения призракам ход заказан. Поэтому Эши прислал сюда меня.

— Что?! — Капитан нахмурился и отступил на несколько шагов, будто опасался, что я могу его покусать. — Ты говоришь ерунду. Моего прадеда звали Хьярма Дикий Лис, он погиб в сражении шестьдесят с лишним лет назад, но перед этим успел научить меня правилам Морской Охоты, наиважнейшее из которых гласит: «Капитан ни о ком не скучает, пока стоит на палубе своего корабля».

— Хорошее правило, — улыбнулся я. — Сам иногда жалел, что не родился укумбийцем.

Капитан ухмыльнулся, довольный моей похвалой. И тогда я, не меняя интонации, принялся читать стишок Эши Харабагуда:

> Кегги Клегги, день и ночь,
> чей ты сын и чья ты дочь?
> Кегги Клегги, свет и тьма,
> между ними — ты сама.

Слышали бы вы, как он взвыл.

Сэр Мелифаро, чья счастливая в целом судьба несколько омрачена тем обстоятельством, что в число его служебных обязанностей входит истребление сортирных демонов, регулярно устраивающих нашествия на дома жителей Ехо, несколько раз брал меня на охоту. Не то чтобы ему требовалась моя помощь, просто мне было интересно поглядеть, а ему — веселее в компании. Сортирные демоны, как я понял из его объяснений, питаются человеческим страхом, поэтому и нападают на людей именно в туалетах, где мы обычно чувствуем себя в полной безопасности, не ждем подвоха и, в случае чего, пугаемся гораздо сильнее, чем в иной обстановке. В арсенале этих удивительных существ есть множество способов напугать беззащитного человека, и в их число входит ужасающий рев. Я слышал его всего один раз, издалека, и вряд ли когда-нибудь забуду.

Так вот, капитан орал так, словно прошел полный курс обучения у сортирных демонов и был лучшим в своем выпуске. Мне понадобилось несколько секунд, чтобы понять составлявшие вопль слова и осознать их смысл.

— НЕ СМЕЙ! ЭТО ИМЯ! НИКОГДА! НЕ НАЗЫВАЙ! — рычал он.

А потом схватился за саблю.

Я, честно говоря, совершенно растерялся. Совсем не так я представлял нашу встречу. И не ждал подобных трудностей.

Думал, главной моей проблемой будет вспомнить, кто я такой, где нахожусь и зачем. А потом найти способ добраться до Кегги Клегги. Эши Харабагуд, конечно, говорил, что любые желания сновидца в Вечном Сне немедленно исполняются, но я бы совсем не удивился, окажись, что это не всегда так.

Однако мне в голову не приходило, что придется силой заставлять маленькую леди слушать прадедушкин стишок. Был уверен, она обрадуется.

Тем временем Кегги Клегги, которая в настоящий момент предпочитала быть капитаном укумбийской шикки, явно собиралась продемонстрировать мне свои навыки обращения с холодным оружием. Я заранее не сомневался, что саблей капитан владеет в совершенстве. Если уж можешь сам выбирать, кем тебе быть, вряд ли захочешь становиться бестолковым тюфяком, не способным справиться с собственным оружием.

А ведь я, дурак, мог явиться к ней в виде Дрохмора Модиллаха или еще какого-нибудь героя древности. Вызвать на бой, победить, обезоружить, связать по рукам и ногам и тогда уж читать стихи. А теперь уже поздно что-то менять, Эши Харабагуд говорил, что чтение стишка нельзя прекращать. Как всякое могущественное заклинание, прерванное на середине, он мог устроить веселую жизнь — причем не столько мне, сколько Кегги Клегги, которая была объектом его воздействия. Например, проснется — а значит, и проявится наяву — лишь отчасти, только голова или, скажем, левая половина тела. И как в таком виде жить? Ох, даже думать об этом не хочу!

Штука не в том, что мне угрожала настоящая физическая опасность. Тут как раз можно было не слишком беспокоиться. Но храброму капитану вполне могло присниться, что он меня убил или обратил в бегство. Все-таки эта шикка, и море, и острая укумбийская сабля — сновидение Кегги Клегги, она тут хозяйка, как решит, так и будет. И как тогда, скажите на милость, дочитать этот грешный стишок?

Но я, надо признать, молодец — иногда, если припереть меня к стенке. Пока глупая голова в панике обдумывала все вышесказанное и лихорадочно соображала, что делать, я просто сиганул в море. И оттуда продолжил орать:

> Кегги Клегги, сон и смех
> > лучше всех иных потех.
> Кегги Клегги, звон и гром,
> > кто твой ветер, где твой дом?

Всякий раз, когда я произносил имя Кегги Клегги, золотоглазый капитан коротко взревывал от ярости. А на словах «где твой дом?» прыгнул следом за мной.

И не просто прыгнул. Я хорошо знаю этот знаменитый укумбийский прием — прыжок за борт с саблей наголо. Ну, то есть как знаю — из книг и чужих рассказов. Своими глазами до сих пор ни разу не видел. Говорят, в финале прыжка умелый воин может снести две-три вражеские головы одновременно. А уж одну — вообще не вопрос. Чаще всего этот прием применяют против нашего брата угуландского колдуна, который, внезапно оказавшись в неприятной мокрой воде, очень обижается на всех присутствующих и в связи с этим вспоминает несколько дюжин остроумных заклинаний, помогающих не только продырявить вражеский корабль, но и наградить всю его команду хроническим насморком на вечные времена. И их потомков до двенадцатого колена за компанию.

Чтобы спасти свою голову от стремительно приближающейся сабли, всего-то и надо — быстренько нырнуть поглубже. Но заклинание в такой ситуации, конечно, не дочитаешь. В этом, собственно, и состоит смысл атаки.

И что мне было делать?

Вот и я не знал. Если бы хоть на секунду задумался, все бы пропало.

Но я не задумывался. Потому что пока произносил строчку про ветер, вспомнил, какую выволочку устроил мне во сне сэр Джуффин Халли — или все-таки его двойник? Не важно. Важно, что он сердито спрашивал: «Почему ты не поговорил с ветрами?» И это означало, что...

Что ветры могут говорить?

По крайней мере некоторые; по крайней мере во сне. Но я и был сейчас именно во сне, сновидцем и одновременно снящимся, непрошеным гостем в сновидении Кегги Клегги и полновластным хозяином собственного. Значит, если бы я стал ветром, я бы смог продолжать говорить, почему нет.

И я им стал.

Быть ветром — это, оказывается, самое прекрасное, что может случиться с живым существом. Каждое мгновение жизни ветра — наслаждение настолько острое, что ни один человек долго не выдержал бы. Но в том и штука, что, когда становишься ветром, человеком быть перестаешь. И вопрос насчет «выдержал» просто не ставится. Чего тут «выдерживать», когда немыслимое наслаждение — это просто твоя жизнь. Норма. Всегда так было и будет теперь — всегда.

Хвала Магистрам, из меня получился очень ответственный ветер. И прежде, чем умчаться прочь, заливаясь счастливым хохотом, который для человеческого уха звучит как свист, он добросовестно дочитал стишок:

> Кегги Клегги, не зевай,
>   убегай и улетай
> сразу в тридцать семь сторон.
>   Кегги Клегги, это сон!

И тогда все исчезло — море, небо, корабль и золотоглазый капитан с саблей, видевший их во сне. А я осталась. Похоже, у меня все получилось и Кегги Клегги проснулась сейчас где-то в Тубурских горах, так немыслимо далеко от меня, что можно сказать нигде, никогда. Но мне было плевать.

Я думал, ощущал, понимал — даже не знаю, какое определение будет более точным. Может быть, «осознавал»? Значит, осознавал всем своим невесомым, звонким, бесконечным, прохладным телом, что наконец-то действительно проснулся и стал собой, а вся эта дурацкая каша в голове: «Я — нюхач Нумминорих Кута из Ехо» — дурной предрассветный сон; долгий штиль никому не на пользу, больше я так не попадусь.

«Даже если это — не моя настоящая жизнь, а очередное сновидение, пусть все остается как есть, — думал я, взмывая к изумрудно-зеленому небу, которое появилось, повинуясь моей потребности к нему лететь. — Если это ловушка, я согласен в нее угодить. Если мне суждено погибнуть — да будет так. Зато теперь я — это я. И весь мир — мой. А сейчас я увижу море. Пусть оно будет оранжевым, как небо над Капуттой, всегда мечтал такое увидеть — хотя бы во сне».

То есть я не то чтобы совсем уж сдуру тогда попался. В самом начале я мог выбирать. И выбрал остаться ветром — на любых условиях, любой ценой. Сам от себя такого не ожидал.

Я не знаю, как долго был ветром. Да и существует ли время для того, кто заблудился в Вечном Сне? В этом я совсем не уверен.

По моим ощущениям, я был ветром не просто всю жизнь, а бесконечное множество почти бесконечных жизней. Вообще всегда. С другой стороны, когда я пытаюсь вспомнить хоть какие-то события, которые могли бы служить хронологическими метками, понимаю, что не успело произойти почти ничего, даже небо и море всего трижды изменили цвет, повинуясь моей воле, — при моей любви к переменам на это, пожалуй, и получаса хватило бы.

Я просто летал. Знал, что теперь могу увидеть все моря, все горы, все страны и города этого Мира и прочих миров, чем они хуже. Появятся перед моим взором как миленькие, стоит только их позвать. Но зрелища я откладывал на потом — далекое и, несомненно, сладостное. Сейчас мне с лихвой хватало самого процесса бытия — совершенно естественного для ветра, абсолютно невозможного для почти забытого, но все еще живого человека Нумминориха Куты. И потому невообразимо прекрасного для их бесконечной суммы, которой являлся я.

...Однажды я увидел флюгер.

То есть я теперь знаю, что увидел именно флюгер. А ветер, которым я стал, понятия не имел, что это такое. Ничего удивительного, он был молодым ветром, совсем неопытным, еще ни разу не долетавшим до построенных людьми городов, и флюгеров никогда не встречал. А информация, которой владел Нумминорих Кута, нюхач из Ехо, Тайный Сыщик и прочая, и прочая, была задвинута в такие далекие и темные глубины сознания, что проще весь мир заново сочинить, чем вспомнить, как устроен уже существующий.

Поэтому флюгер в форме стрелы, венчающий высоченный столб, торчащий прямо из моря, я назвал про себя «эта замечательная штука». «Эту замечательную штуку» можно было вертеть и крутить в разные стороны то медленно, то быстро. Зато унести ее с собой не получалось, очень уж прочно закрепили ее на столбе, а я был не слишком сильным ветром, не бурей, тем более не смерчем, способным утащить все, что покажется подходящей добычей. Флюгер двигался и одновременно оставался на месте, чутко повиновался каждому моему дуновению, но не желал становиться моим целиком. Ветер, которым я стал, видел такое впервые и был совершенно зачарован.

А я — что я. Я спал.

Я спал и тогда, когда ветер, которым я был, нанизал на стрелу свое ветреное сердце и засвистел, захохотал от веселого, щекотного блаженства. Что для человека смерть, для ветра — просто еще одно удовольствие; впрочем, острее прочих. Настолько острее, что хочется длить его и длить, даже когда металлическая стрела начинает шевелиться внутри тебя уже по собственной воле, громко, неприятно скрежеща, даже когда скрежет превращается в крик, даже когда крик распадается на слова. И только когда смысл слов внезапно становится тебе понятен, опомнившись, пускаешься наутек. Вернее, пытаешься убежать. Но уже не получается.

— Нумминорих! Ты что творишь, засранец хренов, мать твою через коромысло?!

Ну, честно говоря, я очень приблизительно воспроизвожу то, что услышал в свой адрес. Потому что, во-первых, не понял больше половины прозвучавших ругательств, хоть и считал себя когда-то крупным специалистом в этой области, даже научную работу написал. А во-вторых, те, что я все-таки понял, повторить в вашем присутствии не решусь. Хотя бы потому, что — и это уже в-третьих! — Максу, возможно, будет неловко, если вы узнаете, в каких именно выражениях он доходчиво объяснял мне, что я порой бываю подвержен некоторым заблуждениям.

Потому что это, безусловно, был сэр Макс, а не какое-нибудь дурацкое сонное наваждение. Нюхача не проведешь. К тому же я несколько раз проверил подлинность этого видения — как только пришел в себя и убедился, что снова заключен в человеческое тело. И не потому, что помнил о коварстве сонных наваждений. А просто никак не мог поверить, что сэр Макс действительно способен так ругаться. Я сейчас имею в виду даже не его лексикон, а ярость, которую он вкладывал в каждое свое слово.

Внезапно он успокоился. Приветливо улыбнулся и отер рукавом пот со лба — кажется, машинально. Сказал:

— Ну, хвала Магистрам, очухался.

То же самое я подумал о нем самом. Но промолчал. Решил, надо сперва понять, что происходит, а уже потом говорить. Вполне может статься, я таких дел наворотил, что лучше теперь вообще всю жизнь помалкивать. Вроде бы мы только что вернулись из Ави; там у нас все было в порядке, я точно помню, а сейчас я просто спал... Или нет? Впрочем, во сне тоже можно натворить бед, особенно когда только начал всерьез учиться Очевидной Магии, и сразу в таких объемах, что ум за разум заходит.

Ладно. Во всяком случае, Макс меня разбудил. И больше не ругается. Так что, наверное, ничего по-настоящему страшного не случилось.

— Знаешь, что особенно прекрасно? — спросил он. И, не дожидаясь моего ответа, продолжил: — Ты точно такой же идиот, как я. То есть крыша у тебя обычно едет примерно в том же направлении. И чтобы понять, в какую беду ты попал, достаточно прикинуть, что могло бы в аналогичной ситуации случиться со мной самим. А потом умножить на сто — ты все-таки гораздо храбрее.

Я слушал его, чувствуя, как рот мой распахивается все шире — совершенно самостоятельно. Никакой управы на него нет.

— А для того чтобы тебя поймать, надо просто подумать, на что купился бы я. И дать честный ответ, не приукрашивая при этом собственные умственные способности: да на любую дурацкую погремушку, с которой можно увлеченно играть. Но что по-настоящему замечательно — для приведения тебя в чувство достаточно обыкновенной подзаборной брани.

Дело, понятно, не в самой ругани, а в том, что ты не ожидал от меня подобного поведения. Думал, я никогда не сержусь по-настоящему, да?

— Ну, в общем да, — подтвердил я и поразился звучанию собственного голоса. Совсем от него отвык, как будто сто лет молчал. — Слушай, а что случилось-то?

— А это тебе виднее, — усмехнулся он. — Я — так, мимо проходил. Если вспомнишь, расскажи, мне тоже интересно.

Я попробовал вспомнить, но это было очень трудно. Мысли разбегались, внимание рассеивалось, а когда мне удавалось его более-менее собрать, тут же отвлекалось на что-то другое. Например, на осмотр помещения, где мы сидели. Какой-то полутемный трактир; мне показалось, довольно неуютный, в основном из-за запахов — пахло как будто едой, но незнакомой и, похоже, не слишком съедобной. То есть вряд ли я от нее вот так сразу умер бы, зато захворал бы наверняка. Впрочем, пока я был в безопасности: на нашем столе стояла всего одна чашка, и она явно принадлежала Максу, который, хвала Магистрам, не порывался со мной делиться.

Это было хорошо. А все остальное — не очень. Хотя бы потому, что я не узнавал это место. И вспомнить, как сюда попал, не мог. Зато вспомнил кое-что другое и так обрадовался, что чуть со стула не свалился.

— Так ты уже вернулся? — спросил я. — Все-таки удрал из Тихого Города? Так и знал, что ты быстро удерешь!

— Спасибо, — усмехнулся он. — Приятно слышать, что в тебя так верят. Я вроде бы действительно оттуда удрал. Если, конечно, не померещилось. Но не вернулся. В смысле не в Ехо. Это не... В общем, все сложно. Но я жив и здоров. Вернее, скоро буду здоров. Однако жив уже прямо сейчас. И ты тоже. Мы, следовательно, большие молодцы. А ты давай вспоминай свои приключения, пока я тут. Без меня будет гораздо труднее. А я сейчас не самый надежный товарищ. Вот спадет у меня жар под утро — и привет, кукуй тут один.

— Как это «жар спадет»?

Я ушам своим не верил. И вообще ничего не понимал. Но очень надеялся, что Макс меня разыгрывает. От человека, который только что так виртуозно ругался, а потом обратил все в шутку, чего угодно можно ожидать.

— Да так, — он пожал плечами. — Хочешь сказать, ты не знаешь, что у людей иногда бывает жар? Ты же вроде в Школе Врачевателей Угуланда когда-то учился, если я ничего не путаю.

— Так ты болеешь?

— Пока да. Но это несущественно, я живучий. Так что пройдет. Зато мой бред, отягощенный галлюцинациями, пошел тебе на пользу. По-моему, ты тут здорово влип.

— Где «тут»?

Я, похоже, просто потерял управление какой-то важной кнопкой, ответственной за включение способности соображать. И никак не мог еще нащупать.

— Вспоминай! — рявкнул Макс.

И вид у него при этом был такой, что лучше бы уж превратился в какой-нибудь сияющий кошмар, как сэр Джуффин Халли, приснившийся мне, когда...

Ох.

Этой зацепки оказалось достаточно. Одно воспоминание потянуло за собой все остальные. Сэр Джуффин, поездка в Тубур, пропавшая леди Кегги Клегги Мачимба Нагнаттуах, правнучка Эши Харабагуда и сам Эши Харабагуд, вернее его призрак. Долгий путь через горы, лютые весенние ливни, экстатические пляски Лесных Каменщиков, городок Вэс Уэс Мэс, мой учитель сновидений Еси Кудеси, оказавшийся Сонным Стражем, видевшим, как мы уперли шапку Датчуха Вахурмаха, но так и не помешавшим мне уйти в Вечный Сон. И вот я тут, где же еще. Разбудил Кегги Клегги, а сам умотал развлекаться, хотя должен был тоже проснуться. Просто обязан. Куче народу это твердо обещал; себе — в первую очередь.

— Если бы не ты, так и остался бы ветром, — сказал я Максу. — В полной уверенности, будто это лучшее, что могло со мной случиться — во сне или наяву, какая разница. То, что происходит со мной, происходит со мной, точка. Но все-таки...

Тут я понял, что говорю сам с собой. Макса больше не было рядом, и неуютного трактира, где мы сидели, не было тоже. И вообще ничего, даже зыбкой туманной кашицы, из которой так легко и приятно лепить пирожки с чудесными снами в подарок друзьям.

Зато я сам определенно был. Нумминорих Кута, нюхач из Ехо, Хеннин муж, отец Фило и Ниты, тайный сыщик, веселый ветер, который перестал дуть, но мог начать снова — в любой момент. Восхитительная возможность вернуть это сновидение оставалась при мне, и знали бы вы, как трудно было поверить, будто проснуться я действительно хочу больше, чем улететь — теперь уже навсегда.

Но я справился.

Просто поднял руку и помахал, подзывая лестницу из моих детских снов — ту самую, по которой можно удрать откуда угодно. Зачем еще что-то выдумывать? А когда ухватился за нижнюю ступеньку, решил: пусть, пока я лезу, небо будет зеленым, а внизу пусть плещет оранжевое море. Как будто я все еще немножко ветер. Как будто свежий морской ветер, набросившийся на мою лестницу, как на желанную новую игрушку, все еще немножко я. Как будто мы с ним — одно.

Я лез вверх, смеясь от горя и плача от счастья. Я знал, что так хорошо, как здесь, мне не будет нигде и никогда. Я знал, что мне везде будет хорошо — просто как-нибудь по-другому. Я знал, что весь мир теперь мой, а я — его. И так было всегда, мало ли что я не понимал.

— Эй! — крикнул я, повинуясь внезапной потребности поблагодарить главного виновника моих приключений. — Датчух Вахурмах, спасибо тебе за шапку! Это был отличный сон. Самый лучший в моей жизни.

И, вспомнив обстоятельства, предшествующие моему погружению в Вечный Сон, добавил:

— Только я так и не понял, почему ты заступился за меня перед Сонным Стражем. Какой от меня здесь толк?

Никто не ответил, только ветер, раскачивавший мою лестницу, как качели, внезапно утих.

«Я надеялся, ты научишь меня развлекаться. Но ничего из этой затеи не вышло. Ветром я уже был, и не раз, а все остальное вообще не заслуживает внимания», — подумал я.

И только потом понял, что это не мои мысли, а ответ. Сказал:

— Ну извини, пожалуйста.

И полез дальше, досадуя, что оказался таким занудой. Даже засомневался было — а может, задержаться еще ненадолго в этом сне, сочинить что-нибудь по-настоящему интересное для его создателя? Но, хвала Магистрам, быстро сообразил, к чему это приведет.

Совсем примитивная ловушка. И ведь могла сработать!

Лез я, надо сказать, очень долго. Сперва полагал, это нормально, сон-то небось глубокий, как пропасть, и, похоже, не только в переносном смысле. Немудрено, что так долго приходится выбираться. Наконец обнаружил, что руки у меня уже не просто устали и болят, а практически не действуют, да и ноги чувствуют себя ненамного лучше. А ярко-оранжевое море, похоже, все так же близко, как было в самом начале, а небо по-прежнему далеко. Кажется, я просто застрял.

И знали бы вы, как я тогда на себя рассердился.

Вообще-то я очень редко сержусь. И рад бы чаще, да не получается. Но если все-таки удается разозлиться, это, как ни странно, обычно идет мне на пользу. Особенно когда злость обращена на себя.

— Сам виноват, — сказал я вслух. Иногда с собой приходится говорить, как с посторонним человеком, чтобы лучше дошло. — Просто недостаточно сильно хочешь проснуться. Но и спать дальше — тоже не очень. Вот и болтайся теперь, как дурак, пока не решишь, куда тебе все-таки надо — вверх или вниз, дырку над тобой в небе!

Это проклятие, которое соседские мальчишки с наслаждением выкрикивали по любому поводу, с детства казалось мне очень смешным. А мама его никогда не употребляла и мне не велела, говорила, что с ругательствами, произошедшими от давно забытых старинных заклинаний, не стоит шутить. «Не ровен час, в них проснется былая сила, и что вы все тогда будете делать?» — строго спрашивала она. Мне в ту пору ужасно хотелось, чтобы мама оказалась права. Стоило вообразить, как над всеми, кого хоть когда-нибудь обругали, в небе одна за другой появляются дырки, а из дырок начинает литься космос, густой, как шоколад, и звезды валятся на головы, как клецки из супа, сразу хотелось ругаться, не умолкая, чтобы приблизить этот прекрасный момент.

И вот все сбылось. Правда, для одного меня.

В изумрудно-зеленом небе образовалась изрядных размеров дыра, и космос пролился на мою голову, только он оказался совсем не густой. Жидкий, холодный и почти безвкусный, как дождевая вода.

Это и была просто вода.

Еси Кудеси потом утверждал, будто ему пришлось вылить на меня добрую дюжину ведер воды. А ведь ее еще и натаскать сперва надо — немалый труд. «Какое счастье, что тебе хватило ума проснуться у меня во дворе, а не в той пещере, где заснул и шапку оставил, — повторял он. — Туда я и с пустыми руками с трудом заберусь».

Пока он тараторил, я лежал на спине, мокрый до нитки, наслаждался теплом солнечных лучей, звуками человеческой речи и даже острым камешком, коловшим мне бок, без него было бы непросто вот так сразу почувствовать себя совершенно живым. Но камешек здорово ускорил процесс воскрешения.

«Я — нюхач Нумминорих Кута из Ехо», — вспомнил я. И еще какое-то время добросовестно собирал подробности своей жизни. Был вполне удовлетворен результатом, но ликовать не спешил. Никаких доказательств, что я действительно проснулся, все равно не было. То есть были, конечно, просто они перестали казаться мне достаточно надежными. И я начал понимать, что теперь так будет всегда.

С другой стороны, таких доказательств у меня не было и прежде. И ни у кого из людей их нет. Теперь ясно, почему в Мире регулярно появляются философы, готовые не только провозгласить человеческую жизнь пустым сном, но и вызвать на бой всякого, кто осмелится возразить. Для создания подобной концепции даже в Вечный Сон уходить не обязательно, достаточно один раз всерьез задуматься — и прощай, надежная почва под ногами. Навек.

Ну, значит, буду жить теперь без нее. Даже интересно, как у меня получится.

— Кегги Клегги объявилась? — наконец спросил я.

— Ну а как ты думаешь? На следующий же день после игры, которую ты чуть было не испортил. Я сперва не знал, куда от нее деваться! Такая была кроткая барышня, когда учиться приехала, послушная и восторженная, я нарадоваться не мог... А проснулась злющая мегера, полдома мне разнесла, даже прадед ее поначалу утихомирить не мог. Потом кое-как образу мил, даже порядок заставил навести. Они пока у меня живут, тебя дожидаются. Беспокоятся очень, говорят, слишком уж долго тебя нет. А я им — с каких это пор сорок дней стало «долго»? Вот через год можно было начинать за тебя тревожиться. Или, наоборот, порадоваться, что нашел свое место в Вечном Сне и решил послать нас подальше... Сейчас они гулять пошли, но до заката обязательно вернутся. Старик молодец, понимает, что его в темноте слишком уж хорошо видно, и старается людей без особой нужды не пугать.

— Погоди, так они оба у тебя живут? — изумился я. — В смысле призрак тоже? Ты же их на дух не переносишь.

— Ну, когда выясняется, что лучший друг деда и кумир твоей собственной юности стал после смерти призраком, поневоле приходится пересмотреть свое отношение, — почти сердито сказал Еси Кудеси. — Хоть и не понимаю я такого подхода! Вроде бы умер человек, а вроде и нет. Смерть — не то дело, которое можно делать наполовину. С другой стороны, тут каждый сам для себя решает, и не мне судить... Ты-то как себя чувствуешь? Сможешь встать?

Вместо ответа я попробовал. И кое-как сел. Все было неплохо, только голова кружилась. Ну и руки-ноги ватные, как не свои. Но по крайней мере ничего не болело, даже ладони, которые я, как казалось, в кровь стер, карабкаясь вверх.

Спросил:

— А чего я дохлый такой? Это вообще нормально — так просыпаться? Потому что после Вечного Сна?

— Это совершенно нормально, — заверил меня Еси Кудеси. — Но не после Вечного Сна, а когда человек просыпается не там, где заснул. Иными словами, использует сновидение для перемещений наяву. Некоторые вообще сутками потом лежат, не двигаясь. И даже без сознания. Хорошо, что я был рядом, водой тебя полил. Вода очень помогает.

Я кивнул, полностью удовлетворенный. Если нормально, можно и потерпеть.

— Переодеться бы тебе, — сказал Еси Кудеси. — А потом съесть что-нибудь. Давай помогу.

Полчаса спустя я лежал на кухонной лавке, временно переоборудованной под кушетку. В правой руке держал козлиную кость, снабженную великолепным куском сочного мяса, в левой — глиняную чашу, наполненную алым ягодным сидром, пригубив который я почувствовал в себе достаточно сил, чтобы послать зов начальству.

Я был краток. Сказал: «Только что проснулся. Похоже, все получилось. Кегги Клегги, правда, где-то гуляет с прадедом, когда увижу ее собственными глазами, отчитаюсь еще раз. Чтобы уж наверняка».

«Да не обязательно, — успокоил меня шеф. — Она с королем теперь каждый день беседует, как и обещала. Его Величество по этому поводу только что не пляшет. Хотя кто его знает, может, и пляшет, просто не при мне. Думаю, в этом году тебя ждет невиданно щедрая королевская награда. Понимаю, тебе сейчас все равно. Но знаешь что? Через несколько дней ты уже будешь способен ей обрадоваться. И еще куче разных вещей».

«Конечно, — согласился я. — Обрадуюсь, куда денусь. Только вряд ли когда-нибудь снова буду уверен, что это происходит наяву. Впрочем, хорошие сны, безусловно, лучше кошмаров. А королевская награда — определенно, хороший сон».

«Одно удовольствие с тобой разговаривать, сэр Нумминорих, — заключил шеф. — Жду не дождусь, когда увижу тебя живьем. Духоподъемное должно быть зрелище».

«Это означает, что возвращаться надо как можно скорее, кратчайшим путем? — сообразил я. — Жалко. Я-то хотел в обход, через Тарун, очень уж люблю эту страну. Ну да ладно, в следующий раз».

«Приятно иметь дело с человеком, который понимает тебя с полуслова. За это могу дать тебе медицинскую консультацию, как опытный знахарь желторотому практиканту. Если ты скажешь, будто так ослаб, что шагу пока сделать не можешь, это будет звучать довольно правдоподобно. Даже я поверю. И буду продолжать верить примерно в течение дюжины дней. Но если ты и потом не пустишься в обратный путь, я утрачу терпение. И, чего доброго, встану на Темный Путь, чтобы самолично произвести осмотр и надрать пациенту уши. Но дюжину дней смело можешь гулять. Заслужил».

«И это тоже хороший сон, — сказал я. — Совершенно точно не кошмар».

...Но если вы думаете, будто утрата возможности считать хоть что-нибудь явью сделала меня мудрецом, глубоко равнодушным к течению событий, вы глубоко ошибаетесь. По крайней мере возвращения Кегги Клегги с прогулки я ждал с содроганием. Все-таки я силой вытурил леди из Вечного Сна, где ей было очень хорошо. Гораздо веселее, чем наяву, я — и то оценил. И почти позавидовал. А что этот хамский поступок следует считать спасением жизни — дело десятое. Теоретически Кегги Клегги может быть даже благодарна — если Эши Харабагуд сумел ей все растолковать. Но в душе наверняка крепко на меня сердится. Хотя виду, конечно, не подаст. Ох, как же я не люблю такие неловкие ситуации! А ведь нам, наверное, еще вместе домой возвращаться придется. Хорошего мало.

Однако Кегги Клегги совсем не сердилась. А, напротив, вела себя как человек, уверенный, что сердиться должны на него. То есть держалась-то она как настоящая придворная дама: поклонилась, поздоровалась, многословно выразила безграничную благодарность, восхищение моими сновидческими способностями и радость по поводу моего возвращения, а потом завела непринужденный разговор о том, как прекрасен Вэс Уэс Мэс в конце лета и как нам всем повезло с погодой, даже в сумерках можно гулять без теплой шали, просто удивительно.

Но у меня двое детей, и этот виноватый взгляд я очень хорошо знаю. Когда на тебя так смотрят, лучше сразу спросить, что натворили — зачем растягивать мучения напроказившего?

Я и спросил, воспользовавшись привилегированным положением условно раненого героя и моральной поддержкой призрака Эши Харабагуда, который с тех пор, как переступил порог, ни на шаг от меня не отходил и всем своим видом выражал готовность в случае нужды защитить от всех мыслимых зол, включая любимую правнучку.

Но в данный момент любимая правнучка сама явно нуждалась в защите и поддержке. Во всяком случае, услышав мой вопрос, она мучительно покраснела и не расплакалась только потому, что сдерживать слезы придворных дам обучают прежде, чем здороваться согласно этикету. А необучаемых отсылают домой, будь они хоть триста раз протеже самого короля. Таковы суровые дворцовые нравы.

Еси Кудеси, занимавший удобную зрительскую позицию в самом темном углу своей уютной кухни, ухмыльнулся. На моей памяти это была первая и последняя по-настоящему злорадная ухмылка в его исполнении. Вообще-то, тубурским горцам злорадство совсем не свойственно, но кого угодно можно допечь — ежели умеючи.

— Я все объясню, — поспешно сказал призрак. — Мы оба бесконечно виноваты перед тобой...

— Спасибо за поддержку, — церемонно поблагодарила его Кегги Клегги. — Но я должна признаться сама, потому что вина целиком моя. Ты не смог остановить меня лишь в силу своей нематериальной природы; намерения же твои были совершенно очевидны.

Грешные Магистры, да что же она натворила?!

Но леди не спешила каяться. Встала, тщательно оправила свой наряд и вышла из кухни. Похоже, она нашла отличный способ меня погубить. Теперь ей было достаточно где-нибудь спрятаться и просто подождать, пока я самостоятельно умру от любопытства. Ничего не скажешь, изощренная месть за пробуждение от сладких грез.

— Что случилось-то? — спросил я оставшихся.

Но Еси Кудеси укоризненно покачал головой, всем своим видом осуждая мое нетерпение, а Эши Харабагуд печально сказал:

— Ну, видишь, она хочет сама признаться. Подожди чуть-чуть.

Кегги Клегги, вопреки моим опасениям, вернулась буквально минуту спустя с бумажным свертком в руках. Положила на стол, аккуратно развернула, и взору моему открылось ужаснейшее зрелище в мире — груда осколков.

— Я разбила твои таблички с записями, — мрачно объявила она. — Причем не случайно, нарочно. Специально выяснила, где твоя комната, и уничтожила все, что там нашла. Я была здорово не в себе, когда проснулась, считала тебя страшным врагом, лишившим меня гораздо большего, чем просто жизни. Но это, конечно, не извиняет столь дикий поступок.

Я — не придворная дама Его Величества Гурига Восьмого. И соответствующей подготовки никогда не проходил. Но все равно очень удивился, обнаружив, что реву, как ребенок, вкладывая в рыдания столько силы и страсти, что, будь слезы магическим заклинанием, его мощи наверняка хватило бы, чтобы сровнять с землей окрестные горы.

Но горы, хвала Магистрам, уцелели. Все-таки плач — это просто плач. Если что и рухнуло от него, так это стена недоверчивого отчуждения, стоявшая между мной и реальностью. То есть я вдруг — не подумал, не понял, но всем телом почувствовал, что проснулся. Во сне так не рыдают, только наяву, и какие бы контраргументы ни выдвигал разум, тело знает это очень хорошо. А ему виднее.

Так и не перестав плакать, я начал смеяться — просто от радости. От полноты чувств. А когда наконец успокоился, обнаружил, что Еси Кудеси выбрался из своего темного угла и сидит рядом со мной, положив руку на плечо.

— Вот теперь ты проснулся, — сказал он. — Добро пожаловать в... в контекст.

Я молча кивнул. И улыбнулся. И подмигнул маленькой Кегги Клегги, на чьем лице была написана готовность немедленно броситься в пропасть, если вдруг выяснится, что это единственный способ меня утешить.

— Счет один-один, — сказал я. — Сперва я помог тебе проснуться, а сегодня ты мне. Все к лучшему, теперь никто никому ничего не должен, и можно просто жить дальше.

— Теперь я понимаю, насколько ценными были эти записи, — печально откликнулась она.

— Ничего. Просто еще раз сюда приеду. Главное — быстро-быстро насовершать каких-нибудь немыслимых подвигов. Таких, чтобы даже сэру Джуффину стало очевидно, что единственная достойная награда за них — годовой отпуск. Ладно, надо так надо, будут ему подвиги, а мне — еще одно путешествие. И новые записи, лучше прежних.

Я еще ни в одном пророчестве не был так уверен, как в глупостях, которые тогда говорил.

...На этом месте всякий уважающий себя рассказчик должен поставить точку — просто по законам жанра. Подвиг совершен, принцесса спасена из пасти неведомого чудища, герой вернулся цел и невредим, мелкие недоразумения — и те улажены ко всеобщему удовольствию. Но у меня специфический опыт: сказки я рассказываю своим детям перед сном, а засыпают они медленно и неохотно. Поэтому, благополучно добравшись до финала, я обычно обнаруживаю, что точку ставить еще рано, и спешно придумываю продолжение. Чудовище возвращается, желая во что бы то ни стало доесть принцессу, а герой выясняет, что давешнего подвига недостаточно, придется извлекать задницу из мягкого кресла и совершать еще дюжину, ничего не попишешь.

И в жизни у меня похоже выходит. Ну а чего вы хотите от человека, который привык, сдав выпускные экзамены, тут же записываться на вступительные — еще куда-нибудь.

Вот и в Тубуре примерно так же получилось. Хотя, конечно, никаких чудищ я не встретил, да и принцесса, хвала Магистрам, оставалась в полной безопасности.

Первые несколько дней я просто шлялся по Вэс Уэс Мэсу, то и дело заводя новые знакомства и не уставая удивляться добродушию тубурцев. Узнав, что я — бывший ученик, а теперь гость Еси Кудеси, они восхищенно уточняли: «Это же ты шапку перед летней игрой в Чанхантак стащил?» — и немедленно несли угощение. Кража священного предмета, поставившая под угрозу проведение Великой Тубурской Игры, казалась им просто забавной выходкой начинающего сновидца, эксцентричного, как вся талантливая молодежь. В любой другой стране мне пришлось бы спешно удирать от представителей закона, а здесь от меня даже извинений не потребовали, только посмеивались дружелюбно — ну ты учудил!

Потрясающие люди.

На шестой день, устав от застолий и разговоров, я осуществил наконец вылазку в горы, задуманную давным-давно, когда Еси Кудеси внезапно объявил о начале каникул. Сперва осуществлению плана помешал затянувшийся обед в «Горном доме», а потом появился призрак Эши Харабагуда, и все пошло кувырком. Однако покинуть Вэс Уэс Мэс, так и не осмотрев его окрестности, было бы обидно.

Призрак, всерьез принявшийся меня опекать, хотел было составить мне компанию, но проницательная Кегги Клегги почувствовала, что я в кои-то веки хочу погулять в одиночестве, запастись им впрок перед долгим совместным путешествием, и объявила, что желает остаться дома. В такой ситуации выбор Эши Харабагуда был предрешен: правнучку он не оставлял без присмотра ни на минуту, даже в уборную отпускал неохотно, словно всерьез опасался, что она способна ускользнуть в Вечный Сон без всяких волшебных шапок, прямо с горшка.

Впрочем, его можно понять.

Но за мной мертвые прадедушки, хвала Магистрам, пока не присматривали. И я поспешил воспользоваться этим счастливым обстоятельством — собрался на прогулку как в поход, запасся едой и одеялами. Предупредил, что могу заночевать в горах, может, даже пару ночей там проведу, как пойдет. Сказал, беспокоиться не надо, обратную дорогу по запахам отыщу и в пропасть как-нибудь не свалюсь — если уж ночью с таким чудесным проводником, как призрак, уцелел. И вообще, норму приключений на несколько лет вперед я уже благополучно израсходовал, теперь можно просто погулять.

Конечно, к вечеру я забрел так далеко, что возвращаться в город было глупо — хорошо если к рассвету доковыляю. Но и на следующее утро, вместо того чтобы благоразумно повернуть назад, решил сперва добраться до вооон той вершины и поглядеть, какой оттуда открывается вид. А потом можно и обратно... наверное. Может быть.

На четвертый день я все же опомнился. Сообразил, что, если по уму, нам с Кегги Клегги уже домой в Ехо собираться пора, а не то сэр Джуффин и правда заявится за мной самолично. И не в том беда, что уши надерет, как грозился, просто он же кого угодно может взять за шиворот и уволочь Темным Путем, прямехонько в Дом у Моста. Несколько шагов, и ты уже там. Ходить Темным Путем мне вообще-то очень нравится, хотя без сопровождения я пока не умею. Но упустить чудесную возможность добраться пешком до границы, а потом несколько дюжин дней блаженствовать на палубе корабля — ужасно обидно. Так что лучше бы мне не задерживаться, тогда и шеф великодушно продолжит делать вид, будто потратить на дорогу домой почти всю осень — единственно возможный вариант.

В общем, назад я отправился очень бодрым шагом. И самым кратчайшим путем, не отвлекаясь на соблазнительные долины, то и дело открывающиеся моему взору и как назло пролегающие несколько в стороне от маршрута. Грыз на ходу оставшиеся сухари, пригоршнями отправлял в рот спелые ягоды, обильно росшие повсюду, только рвать успевай, подгонял себя обещаниями дивных трапез в Вэс Уэс Мэсе, и это тоже был весьма действенный аргумент.

Остановился, когда окончательно стемнело. Отыскал подходящее укрытие, расстелил одеяла, костер разводить не стал — ночь и так теплая. А что касается ужина, готовить его все равно не из чего. Зато неподалеку я заприметил высокое раскидистое дерево тотти, за сладкими плодами которого приходится карабкаться на самый верх, так что достаются они по большей части птицам. Днем мне было жаль времени, зато сейчас можно и слазать, почему нет.

Однако плодов мне так и не досталось. Потому что, добравшись до дерева, я учуял запах, который сперва заставил меня застыть на месте, а потом броситься вперед, не разбирая дороги. Как и два года назад в центре Ехо, я решил, что где-то поблизости околачивается сэр Макс, и не стал задаваться вопросом, откуда он тут взялся. Это же Макс, чего угодно можно от него ждать. К тому же его появление в Вечном Сне так меня потрясло, что я по сто раз на дню пытался послать ему зов, хоть и знал — бесполезное это занятие, когда собеседник находится в другом мире. И теперь был уверен, что Макс специально объявился в Тубурских горах, чтобы завершить внезапно прервавшийся тогда разговор. Ну, или хотя бы сказать, что выздоровел. При всем своем любопытстве я был готов удовлетвориться этой утешительной информацией.

Но сейчас важно не это. А то, что я припустил со всех ног, даже не вспоминая о Темной Стороне, куда так старался вернуться, пока жил дома. Кроме всего, мне как-то в голову не приходило, что Темная Сторона и соответственно возможность туда попасть есть не только в Ехо. Хотя сэр Джуффин совершенно недвусмысленно говорил: Темная Сторона — изнанка Мира. Всего, целиком. А не какого-то одного города, пусть даже построенного в самом его Сердце. Но это я сейчас такой умный, а тогда не сообразил.

И только когда запах, за которым я гнался, вытеснил благоухание трав, а темнота почти безлунной ночи сменилась сиянием прозрачной земли, я наконец понял, куда попал. И громко заорал от восторга, а потом смотрел, как мой овеществленный крик пестрой птицей взлетает к лимонно-желтому небу, прозрачному, как леденец. Что такое возможно, я, конечно, даже не подозревал, а то бы, пожалуй, поостерегся безответственно орать. Надеюсь, моему ликующему воплю хорошо живется на Темной Стороне Тубурских гор; в любом случае, что сделано, то сделано.

Чем пребывание на Темной Стороне выгодно отличается от сновидения — оказавшись там, остаешься в здравом уме и твердой памяти, как будто просто из дома на улицу вышел — обстановка изменилась, а ты прежний, разве что пьяный от восторга и беззаботный, как в детстве, но в такое состояние и при обычных обстоятельствах вполне можно прийти.

В общем, лихорадочно вспоминать свое имя, занятия, желания, умения и прочий персональный контекст на Темной Стороне ни к чему. Но я все-таки напомнил себе, что являюсь Нумминорихом Кутой, нюхачом из Ехо — со всеми вытекающими последствиями. Эту привычку из меня теперь не выколотишь; оно, впрочем, к лучшему, пусть пока будет.

Это я все к тому говорю, что восторг восторгом, а понимание, что я не могу бродить здесь вечно, потому что мне надо поскорее возвращаться в Вэс Уэс Мэс, а оттуда — домой, в Ехо, никуда не делось. Помню, я подумал: «Ладно, сейчас-то все равно ночь, идти невозможно, а спать еще не хочется, можно немного тут погулять». А потом меня осенила идея получше: может быть, можно добраться до Вэс Уэс Мэса прямо по Темной Стороне? Здесь-то светло, а бездонных пропастей и коварных расщелин при всем желании не доищешься — Темная Сторона этой части Тубурских гор выглядела как бескрайняя череда пологих холмов, поросших светлой травой, густой, как морские водоросли. Знать бы только, в какую сторону идти. Нюх, безошибочно подсказывающий мне дорогу в обычных обстоятельствах, здесь не помощник, а других способов ориентироваться на местности я просто не знаю.

Размышляя об этом, я, конечно, не стоял на месте, а шел вприпрыжку куда глаза глядят, восхищенно пялясь по сторонам и отмечая все новые и новые приметы чудесного: живой огонь под прозрачной древесной корой, прохладный воздушный поток, похожий на разноцветный ручей, шустрые облака, играющие в догонялки всего в нескольких метрах над землей, вместо того чтобы неспешно плыть друг за другом по небу; впрочем, по здешнему небу особо не поплаваешь, даже снизу видно, какое оно твердое. На таком наверняка можно рисовать обыкновенными красками, и хотел бы я быть художником, которому поручили такую работу! Хотя с моей подготовкой за небо все-таки лучше не браться.

Я рассмеялся, представив, как будет выглядеть небо, разукрашенное моей неумелой рукой, а потом вспомнил свою любимую детскую сказку об арварохском принце, который отправился путешествовать по свету в компании друга, совсем юного буривуха. Чем хороши подобные истории — странствия героев могут быть практически бесконечными, а чудеса нашего Мира, подлинные и вымышленные, с лихвой компенсируют незатейливый сюжет. В детстве меня пленила история о том, как, провожая в путь принца и птенца, старый мудрый буривух нарисовал на небе карту, чтобы она всегда была под рукой и путешественники не заблудились. И как же я был разочарован, узнав, что на самом деле небо разрисовать невозможно, будь ты хоть трижды могущественный колдун!

Я с надеждой посмотрел вверх, но карта там, увы, так и не появилась. Подумал: «Ну и ладно. Все равно хорошо. Так хорошо, что вообразить невозможно. Но воображать и не нужно, все уже и так есть».

И вдруг я понял, что карта мне ни к чему. Потому что я и так знаю, в какой стороне находится Вэс Уэс Мэс. И не только он, а вообще все. На Темной Стороне невозможно заблудиться, вот в чем штука. Здесь, на изнанке вещей, каждый знает все, что ему может понадобиться — не больше и не меньше. Трудность в том, чтобы обнаружить в себе это знание и довериться ему, а не отмахиваться привычно, как от ерунды, которая невесть зачем лезет в голову, осложняя и без того непростую интеллектуальную жизнь.

Быть доверчивым дураком вроде меня на Темной Стороне очень выгодно и удобно, вот что я вам скажу.

И я пошел, повинуясь внезапно обретенному внутреннему компасу — вперед, на Темную Сторону Вэс Уэс Мэса. Я заранее знал, что не заблужусь. Был уверен, что и выбраться отсюда смогу в любой момент, как только решу, что пора. Темная Сторона насильно удерживать не станет, она — не ловушка, а счастливая возможность, не отменяющая все остальные, напротив, преумножающая их.

Ну да, я и сам понимаю, что это — восторженные вопли влюбленного неофита, а не серьезный разговор. Но все равно уверен, что изнанка нашего Мира безмерно добра ко всем, кто до нее доберется. А что мои коллеги ходят туда с такими предосторожностями — так это, по-моему, только для того, чтобы оставаться в тонусе, не расслабиться, не махнуть рукой на дела и не завалиться с блаженной ухмылкой под ближайший сияющий куст, упиваясь сознанием собственного бессмертия, таким непривычным и в то же время совершенно естественным для человека.

Идея добраться по Темной Стороне до Вэс Уэс Мэса — одна из лучших, какие когда-либо приходили мне в голову. И не только потому, что для преодоления расстояний там, как оказалось, требуется скорее намерение, чем время и физическое усилие, так что я был на месте уже через несколько часов, причем вовсе не уставший, а бодрый, как никогда. Главное, по дороге я окончательно понял, что быть человеком на Темной Стороне нравится мне даже больше, чем быть ветром в сновидении. По-настоящему больше, без дураков. Без скидок, поправок на обстоятельства и прочего самообмана. Для меня тогда это было очень важно — убедиться, что, пробудившись от Вечного Сна, я не только сделал разумный выбор, но еще и ничего при этом не потерял. Напротив, приобрел сверх всяких ожиданий.

Последнее смутное сожаление, дремавшее в моем сердце, прикинувшись почти сладкой тоской почти ни о чем, незаметно покинуло меня где-то на полпути, просочилось в мягкую прозрачную почву, проросло сияющей травой, сгинуло навек, а я остался.

Вэс Уэс Мэс, вернее место, соответствующее ему на Темной Стороне Тубурских гор, я увидел издалека. И вот удивительно: небо, всю дорогу сиявшее надо мной прозрачной леденцово-желтой твердью, над Вэс Уэс Мэсом было совсем темным, но не ночным, а скорее как перед бурей. И эта темнота выглядела опасной — даже для меня, успевшего к тому моменту твердо уверовать, что опасностей не Темной Стороне вообще не бывает.

Приглядевшись, я понял, в чем дело.

Все вы наверняка не раз видели, как светит, рассеивая мрак, очень большой, мощный фонарь. Теперь представьте себе, что на дворе белый день, а от фонаря исходит тьма, и примерно поймете, как выглядело небо над городком, который я успел полюбить всем сердцем. Подумал: «Как же так? Что это? Зачем?»

Ответ пришел сам собой. Я же говорю, на Темной Стороне знание подобно воздуху. Понадобилось — вдохнул, и оно твое.

— Вот это шапка! — ахнул я. — Вот это добрый сновидец Датчух Вахурмах! Что же он на самом деле натворил? Ох, мамочки.

Скажу честно, у меня не было никакого желания совать нос в эти дела. Хотя бы потому, что я в них ничего не смыслю. Сразу подумал: «Вот бы сэра Джуффина сюда. Уж он-то на Темной Стороне как дома, еще и не такое видел, наверное. И знает, как следует поступать. Ну, или хотя бы знаком с теми, кто знает. Придется его сюда срочно вызывать, как знахаря к больному. Потому что оставлять все, как есть, нельзя».

В этом я был абсолютно уверен. Очень страшной должна быть штука, от которой исходит такой свет. Вернее, тьма. Впрочем, как ни назови, все равно будет неточно.

Но пока я прикидывал, как выберусь сейчас с Темной Стороны и вызову подмогу, ноги сами несли меня по направлению к источнику страшного черного света. Причем не то чтобы против моей воли. Просто воля моя в тот момент была именно такова. И ни разумные соображения, ни сознание собственной некомпетентности, ни даже почти неконтролируемый ужас не отменяли простого и ясного понимания, что действовать придется не кому-нибудь умному и могущественному, а именно мне. И не когда-нибудь, а прямо сейчас. Просто потому что я уже в игре. Пришел, обнаружил непорядок и решил, что так не годится. Этого достаточно.

К счастью, на Темной Стороне действовать и уметь — одно и то же. Я хочу сказать, если уж начал там что-то делать, у тебя непременно получится, даже если раньше ни о чем подобном не помышлял. А то, что не получится, и делать не начнешь, как бы ни планировал.

«Так уж все тут устроено, — думал я, блуждая среди стеклянных стен и туманных садов Темной Стороны Вэс Уэс Мэса. — Неизвестно, уцелею ли сам, но точно ничего не испорчу, а это главное».

Не знаю, что за помещение отвели старейшины городка для хранения Сонной Шапки Датчуха Вахурмаха, но на Темной Стороне оно выглядело как дом, состоящий из одних окон; стекла во всех были покрыты трещинами, но как-то держались в рамах. Аккуратно вынуть одно из них оказалось легче легкого, я даже не порезался и счел это добрым знаком, в котором, честно говоря, нуждался как никогда прежде. Потому что ждал неведомо чего. Невообразимого, ужасающего, смертельно опасного.

Но, пробравшись наконец в дом, увидел, что на полу лежит шапка. А вовсе не какое-нибудь стоголовое огнедышащее чудище, питающееся взбалмошными новичками вроде меня.

Я разглядывал шапку, затаив дыхание. В обычном мире она, помню, не произвела на меня особого впечатления; я даже немного разочаровался, когда взял ее в руки, а ничего похожего на священный трепет не ощутил. Зато на Темной Стороне Сонная Шапка Датчуха Вахурмаха представляла собой воистину великолепное зрелище.

Как и положено Сонной Шапке, она была сшита из лоскутов, только каждый лоскут был как будто сразу весь мир, блистающий, подвижный, полный жизни, света и смысла, совершенно самодостаточный, бесконечный, рожденный до начала времен и созидаемый прямо сейчас, у меня на глазах. И при этом — всего лишь часть невероятно сложной системы, которой являлась шапка. Не знаю, как еще можно описать. Это надо видеть, слышать, чувствовать, вдыхать, а такое возможно, только когда стоишь рядом.

Я — стоял.

А сияющая тьма, черный свет, окутавший мраком небо Темной Стороны Вэс Уэс Мэса и повергший меня в ужас, который был столь велик, что не поместился в теле и теперь потерянно топтался где-то у меня за плечом, — все это было внутри шапки.

«Такая, значит, бывает подкладка у некоторых чудес, — подумал я. — А надо бы наоборот!»

И прежде чем успел сообразить, что из этого следует, взял да и вывернул шапку наизнанку. Тьмой наружу, блистающей жизнью внутрь. И чуть не умер от облегчения, почувствовав, что все сделал правильно. Именно этого от меня и ждали, затем сюда и привели.

Кто ждал, кто привел — отдельный вопрос. Из тех, что навсегда остаются без ответа. Но мне казалось, таково было общее желание волшебной шапки и Темной Стороны. Они давно столковались, точно знали, чего им надо, да помощника все не было — пары человеческих рук, управляемых головой достаточно бестолковой, чтобы не подвергать критическому осмыслению пришедшие в нее безумные идеи, а, напротив, немедленно их воплощать, радостно вопя: «Тьмы снаружи не бывает!» Что, кстати, с точки зрения всякого здравомыслящего наблюдателя, полнейшая чушь.

Однако когда я покидал дом, стекла его окон были целы, а небо над Темной Стороной Вэс Уэс Мэса сияло ровным леденцово-желтым светом, к которому я успел привыкнуть за время прогулки.

И никакой тьмы.

А я по-прежнему не чувствовал себя усталым. Был свеж и бодр, будто только что проснулся. Хотя, если по уму, наоборот — заснул. Я хочу сказать, Темная Сторона по сравнению с нашей повседневной реальностью — почти то же самое, что явь по сравнению со сном. То есть для меня это было именно так, а как для остальных, я, конечно, не знаю.

Ноздри мои меж тем щекотал знакомый аромат. Я принюхался и понял, что так пахнет напиток из ягод и трав, который варит по утрам мой учитель сновидений Еси Кудеси. И совсем не удивился, когда, свернув за угол, увидел вдалеке его дом. Задрал голову к небу, убедился, что оно бледно-лиловое, как и положено на рассвете, и совсем не твердое, что, в общем, не удивительно. Небо и не может быть твердым, это вам любой школьник подтвердит.

— Хорошо погулял? — спросил Еси Кудеси.

Он и правда уже развел огонь в очаге и поставил туда небольшой котелок из желтого металла, который называл «утренним» и использовал только для приготовления своего ягодного отвара.

— Хорошо — не то слово, — сказал я. И продолжил на хохенгроне: — Как будто плыл как будто летел в сияющем переменчивом стремительном ясном. Как будто многое повидал как будто ничего не видел. Как будто ясно знаю невыразимое как будто не знаю даже как будто себя. Как будто многократно родился как будто всюду вечно живу как будто никто как будто нигде теперь.

— Как будто видел как будто тебя стремительно плывущего в ясном сияющем текущем как будто повелевающего живым переменчивым как будто покорного непостижимому тайному, — невозмутимо кивнул мой учитель сновидений. — Как будто небывалое созерцал как будто запомнил не постигая как будто сохранил. Как будто удачлив безмерно как будто навек благодарен сияющему глубокому как будто я.

И протянул мне дымящуюся кружку.

Что и говорить, приятно было обсудить свои приключения на Темной Стороне с человеком, который наблюдал их во сне и остался доволен увиденным. Да еще и на хохенгроне, идеально подходящем для подобных бесед. Но мне хотелось убедиться, что от этого веселья вышел хоть какой-то практический толк. Ну, или не вышел — тогда тем более лучше быть в курсе.

Поэтому я отыскал Эши Харабагуда, почти невидимого при утреннем свете и неописуемо довольного моим возвращением, которое означало, что завтра мы наконец-то отправимся домой. Все-таки пребывание в Вэс Уэс Мэсе его изрядно нервировало; если бы я сразу сообразил, что призрак терпит промедление только из симпатии ко мне, не стал бы так задерживаться. Но я иногда бываю поразительно недогадлив.

— Слушайте, — сказал я, — а вы знаете, где сейчас хранится Сонная Шапка Датчуха Вахурмаха?

Если бы Эши Харабагуд был знаком с сэром Максом, он бы, не сомневаюсь, оценил возможность на собственном опыте постичь смысл восхитительного глагола «офонарел». А так пришлось ему просто удивиться. Но очень сильно.

— Ты что, еще раз Вечным Сном уснуть хочешь? А как же домой? Передумал?.. Или ты решил увезти шапку в Ехо? Посмотреть, что с ней в Сердце Мира станется? Это и мне интересно. А все же нельзя ее отсюда без спроса насовсем забирать. Хотя так было бы лучше для многих...

— Нет-нет-нет-нет!

Поскольку Эши Харабагуд меня не слушал, пришлось отрицательно мотать головой. Я чуть ее не лишился — так старался донести до собеседника невинность собственных намерений. Но своего добился, призрак умолк на полуслове и спросил:

— Тогда зачем тебе?

— Просто хотел, чтобы вы на нее взглянули. Вы, как я понимаю, видите гораздо больше, чем живые люди. Если знаете, где эта грешная шапка, посмотрите на нее и скажите: все осталось как прежде или что-то изменилось? И если да, то что именно. Ну вдруг вы поймете. А?

— Только посмотреть и все? — изумился призрак. — Ладно. Скажи Кегги Клегги, что я скоро вернусь.

...Однако вернулся он лишь к вечеру.

Спросил:

— Откуда ты узнал?

— Приснилось, — сказал я, воспользовавшись тем, что я не призрак и, следовательно, могу врать, сколько влезет. Но тут же устыдился и добавил ровно столько правды, сколько смог: — Как будто эту грешную шапку вывернули наизнанку, представляете? И мне во сне показалось, что это очень хорошее событие. Но я, честно говоря, ничего толком не понял, кроме одного: это был очень важный сон, да дураку достался. Может быть, мне по ошибке приснился сон, предназначенный кому-нибудь из местных старейшин? Ну, например. Так вообще бывает — чтобы сны перепутались?

— Бывает, — авторитетно подтвердил Эши Харабагуд.

— А что случилось? — спросил я. — И с шапкой, и с вами? Вас так долго не было, мы уже не знали, что и думать.

— Вот и я не знал, что думать, — усмехнулся призрак. — Весь день на эту грешную шапку пялился, а так ничего и не понял. Кроме одного: теперь она совсем не та, что раньше. Вряд ли надевший ее сможет попасть в Вечный Сон. Да и есть ли он еще — Вечный Сон Датчуха Вахурмаха? Совсем не факт! Добрая новость. Даже не надеялся узнать ее напоследок.

Мы помолчали. Я-то, конечно, чуть в пляс не пустился с криком: «Получилось! Получилось!» Но держал себя в руках.

С другой стороны, кто знает, что именно получилось? Может, тут не плясать, а плакать впору?

«Ай, ладно, — сказал я себе, — не прикидывайся. Самое главное ты знаешь: тьмы больше нет, а все остальное по-прежнему есть. И если этого недостаточно, чтобы ликовать, то даже и не знаю, чем тебе можно угодить».

— Только учти, если ты намерен стащить шапку и поглядеть, что теперь случается с теми, кто ее надевает, я тебе помогать не стану, — внезапно сказал призрак. — Зато отговаривать могу начать хоть сейчас. Во-первых, тебя уже заждались дома...

— Этого аргумента совершенно достаточно, — улыбнулся я. — Ладно, если начну чахнуть от любопытства, вернусь сюда лет через сорок, попрошусь играть в Чанхантак и посмотрю, что из этого выйдет.

— В Чанхантак еще выиграть надо, — напомнил Эши Харабагуд.

— Ну, за сорок-то лет я наверняка выучусь на настоящего могущественного колдуна, способного победить в любой игре... или хотя бы стащить без посторонней помощи старую шапку — тоже вариант.

— Ну разве что, — с явным облегчением согласился призрак. И напомнил: — Ты бы собирал вещи. Завтра с утра в путь.

А мне и собирать было нечего. Последние одеяла — и те потерял, вернее, бросил на месте своей несостоявшейся ночевки. Оставалось надеяться, что леди Кегги Клегги поделится со мной своей экипировкой. Осень-то уже началась, и ночи в горах холодные.

...Еси Кудеси отправился нас проводить. Я смеялся: что, дескать, пока своими глазами не увидишь, как мы покидаем Вэс Уэс Мэс, не поверишь такому счастью? Но на самом деле был тронут. И думал: а здорово было бы сюда вернуться и еще немного у него поучиться, если, конечно, возьмет. Что, честно говоря, маловероятно, хлопот ему со мной было выше крыши, вон даже с призраком бок о бок пол-лета прожить пришлось. Не зря я, получается, так много заплатил. Как будто заранее предчувствовал, что стану серьезной обузой.

На окраине Вэса я притормозил, сраженный открывшимся мне зрелищем. Два крайних дома были разрисованы, да не как попало, а в лучших тарунских традициях. На одном был изображен диковинный лес, населенный сказочными зверями и птицами, на другом — разноцветный городок с башенками, немного похожий на наш Гажин. Возле третьего, удобно расположившись прямо на крыльце, завтракали совсем юные, а потому ужасно важные мастера, чьи пестрые жилеты и длинные волосы, связанные узлом на затылке, позволяли безошибочно определить жителей северной части Таруна — даже если бы они еще ничего не успели нарисовать.

Я подумал: это очень здорово. Тарун, куда я мечтал, да так и не смог заехать на обратном пути, пришел ко мне сам, пусть и в ограниченном объеме: три художника, два раскрашенных дома. Ничего, мне для счастья достаточно, я не очень жадный.

— Узнаешь? — спросил Еси Кудеси.

Я растерялся.

— Думаешь, мы с этими мастерами знакомы? По-моему, все-таки нет.

— Да при чем тут мастера, — отмахнулся он.

И только тогда до меня дошло. Именно таким — с разрисованными на тарунский манер домами — я видел Вэс Уэс Мэс во сне. В одном из самых первых учебных сновидений, которое должно было постепенно стать кошмаром и научить меня просыпаться по собственному желанию. Но начало-то в любом случае вышло замечательное.

— Мне самому очень понравился тот твой сон, — сказал Еси Кудеси. — Ты же теперь примерно представляешь, как такие штуки делаются: мастер жестко задает только основную сюжетную линию, а детали остаются на усмотрение ученика. И таким красивым наш город никто до тебя не воображал.

— Может, другие твои ученики просто в Тарун никогда не ездили? — предположил я.

— Скорее всего. Я и сам там не бывал. Факт, что разукрашивать дома у нас до сих пор никому в голову не приходило. И как только я увидел твой сон, сразу решил: вот что нам надо! Однако тарунские мастера за работу больно дорого берут. Она того стоит, кто бы спорил, но у нас в городской казне и за полсотни лет столько не соберется, как ни экономь. Думал — ладно, накопим хотя бы на хорошие краски, чтобы первым же ливнем не смыло, и сами разрисуем. Не так красиво, как тарунцы, а все равно глазам радость. И вдруг ты дал мне кучу денег — непомерная плата, стыдно за учебу столько брать. Отказаться было нельзя, а себе оставлять нехорошо. И тут меня осенило. Пошел к старейшинам, сели, посчитали и увидели, что денег как раз хватает, чтобы нанять тарунцев — не мастеров, конечно, но у них, сам видишь, и молодежь отлично рисует. Еще и на краски осталось. Только ночлег и еда за наш счет, но уж с такими расходами город легко справится. Получается, ты сам заплатил за то, чтобы Вэс Уэс Мэс превратился в твой сон. По-моему, это справедливо.

«И гораздо более гуманно, чем вариант с Джангум-Вараханским царством, — подумал я. — Выходит, в некоторых случаях деньги работают лучше, чем могущество».

Но вслух ничего не сказал.

— Я рад, что ты задержался до сегодняшнего дня, — заключил Еси Кудеси. — Очень уж хотел, чтобы ты увидел, на что ушли твои деньги. Но пока мы нашли художников, пока они до нас добрались, все лето прошло. Вот, только начали... Ты чего молчишь-то? Неужели не рад?

— Так рад, что слов нет, — объяснил я. — А на хохенгроне о городах и художниках говорить не умею. Хотя, наверное, это возможно?

Еси Кудеси всерьез задумался, зато в разговор вступил невидимый сейчас призрак Эши Харабагуда.

— А почему нет? Просто представь, что ты видел их во сне.

Универсальный рецепт.

Вполне закономерно, что путешествие, которое так замечательно началось, и прошло — лучше не бывает. Именно поэтому рассказывать о нем толком нечего. Воспроизведите в памяти самые красивые пейзажи, какие вам доводилось видеть, прибавьте к ним воспоминания о простой, но очень вкусной еде, тщательно перемешайте, а потом умножьте, к примеру, на сто, потому что и пейзажей, и пиров в гостеприимных селениях на нашем пути было больше, чем в силах вместить даже самый завиральный рассказ о хорошем отпуске, — и в вашем распоряжении окажется почти точная копия моего отчета.

Путешествие омрачалось лишь настроением леди Кегги Клегги, которое, при всем желании, сложно было назвать радужным. Хотя виду она, конечно, не подавала. Прилежно любовалась окрестными видами, великодушно смеялась шуткам старавшегося развеселить ее прадеда, деликатно пробовала спелые плоды, которые я для нее добывал, и даже венки из цветов иногда плела, памятуя, что это занятие является обязательной частью программы «придворная дама отдыхает от светской суеты на лоне природы»; я все хотел сказать, чтобы бросала эту ерунду, да боялся показаться бестактным.

Но однажды, в самом конце похода, когда мы остановились поужинать и переночевать в Соис Боис Эоисе, откуда до границы с Изамоном всего несколько часов пути, я воспользовался отсутствием Эши Харабагуда, который остался ждать нас в лесу, дабы не травмировать своим видом местное население, и спросил напрямик:

— До сих пор жалеешь, что я тебя разбудил?

Кегги Клегги, надо отдать ей должное, не стала ломать комедию.

— А как ты думаешь? — спросила она.

И уткнулась в тарелку, всем своим видом показывая, что разговор закончен. Что сделано, то сделано.

Но я твердо решил не отступать.

— Я и сам был уверен, всю жизнь буду жалеть, что проснулся. Мне же снилось, что я стал ветром. Представляешь, каково перестать им быть?

Кегги Клегги посмотрела на меня с явным интересом.

— Ветром? Ну ты даешь. Мне бы в голову не пришло. И как тебе понравилось?

— Так понравилось, что, если начну вспоминать, того гляди заплачу, — честно сказал я.

— И сейчас ты признаешься, что все равно ни о чем не жалеешь? Не трудись, это и так заметно. Твоему жизнелюбию можно только позавидовать. Но я — совсем другой случай. Я до сих пор так и не поняла, зачем вам было меня будить. Ну, с тобой все ясно, тебе Гуриг приказал. Или попросил. Когда речь идет о короле, это без разницы. Но Эши-то чего переполошился? Он меня, хвала Магистрам, с детства знает. Мог бы сообразить, что лучше оставить как есть.

— Но... — начал было я.

Кегги Клегги отмахнулась:

— Эши объяснил мне, что Вечный Сон — это такая страшная ужасная опасность, хоть маму зови. И я знаю, что он не врет. Но не понимаю, зачем было так суетиться. Вечный Сон постепенно убивает своих сновидцев? Ладно, и что с того? Жизнь тоже постепенно убивает всех, кто живет. Не вижу принципиальной разницы. Зато во сне интересней. Настолько, что, если бы даже бодрствование сулило бессмертие, я бы вряд ли им соблазнилась.

Я был ошеломлен ее откровенностью. И лихорадочно соображал, что сказать. Но что, собственно, скажешь человеку, которому никогда не было интересно жить наяву?

Вот и я не знаю.

— Но сны-то у тебя остались, — наконец промямлил я. — Ты же не бодрствуешь круглосуточно.

— Еще чего не хватало. Конечно, у меня остались мои сновидения. Просто Вечный Сон был гораздо лучше, вот и все. После него чувствую себя, как будто из столицы в Пустые Земли переехала. То есть выжить там можно, не вопрос. Временами бывает довольно красиво, и сыр из менкальего молока вполне ничего, но тоска же смертная. Вот ты представь!

Кегги Клегги явно давно хотела выговориться. Для столь сдержанной и воспитанной светской дамы — практически недостижимая мечта. И теперь ее было не остановить.

— Ты пойми, — говорила она, — для меня сновидения — это и есть жизнь. А бодрствование — это такие долгие томительные промежутки между снами, которые надо как-то перетерпеть. Поесть, помыться, куда-то пойти, что-то сделать, лишь бы поскорее отстали. И чем старше я становилась, тем больше времени меня принуждали бодрствовать. Взваливали какие-то дурацкие обязанности — то с гостями сиди, то учиться отправляйся, то вообще на службу ко двору пристроили. «Ты девочка, ты должна делать карьеру». Зачем, спрашивается?! Ладно бы с голоду помирали, и я — их единственная кормилица, так нет же. Моя семейка еще не одну дюжину сирот прокормит и даже не почувствует разницы в расходах. Но миски супа в день и возможности всегда оставаться в спальне от них не допросишься.

Похоже, дружный клан Мачимба Нагнаттуахов здорово допек свою главную гордость и надежду. На ее месте я бы, наверное, сам взвыл. А может, и нет. Пока не попробуешь, не узнаешь.

— Если бы я хотя бы родилась мальчиком! — неожиданно сказала Кегги Клегги. — Все-таки вам гораздо интересней живется. И это ужасно несправедливо! Вот мои братья могут делать, что захотят, все на них давным-давно рукой махнули. Дескать, что взять с балбесов. Живы, здоровы, в разбойники не подались — и хвала Магистрам.

— Устаревший какой-то подход, — заметил я. — Так жили разве что аристократы при королеве Вельдхут, да и то по большей части в провинциях. А сейчас все устраиваются, как хотят. Многие мужчины распрекрасно делают карьеру, в том числе придворную. А некоторые женщины, напротив, всю жизнь валяют дурака и отлично себя при этом чувствуют. Или даже не дурака. А, к примеру, просто идут учиться на моряков, — добавил я, вспомнив золотоглазого капитана, которым Кегги Клегги была во сне. — Между прочим, девчонок в Высокой Корабельной Школе на нашем курсе больше половины было. И почти все из знатных семей, вроде твоей. Думаю, их просто задрали родительские разговоры о карьерах и заработках, и они все повернули по-своему.

Кегги Клегги растерянно моргнула. И уставилась на меня обиженными глазами ребенка, который вдруг выяснил, что от трех шоколадных конфет кряду умереть совершенно невозможно, что бы там ни рассказывала бабушка. И теперь прикидывает, как много успел упустить, но пока не догадался, что может начинать планировать будущие безумства.

— А почему ты вообще своих родичей слушалась? — спросил я. — Что бы они тебе сделали? Ну не в подвал же заперли бы, в самом деле! А даже если и в подвал, по-моему, тебя такой ерундой не проймешь. И вообще ничем. Ты же храбрая. И характер у тебя всегда был твердый, я помню.

— Знаешь, по-моему, это была не твердость, — вздохнула она. — А равнодушие. Мне было в общем все равно, как жить наяву, лишь бы спать спокойно давали, хоть полдня. Я даже уроки делала во сне. И путешествовала, конечно. Весь Мир повидала, хоть и не уверена, что именно таким, каков он есть. А еще, стыдно сказать, шлялась по притонам. Ты что, это же был мой самый любимый сон! Как будто я капитан, прихожу в трактир, закуриваю трубку, требую настоящего укумбийского бомборокки, а все вокруг пялятся и думают, какой я, наверное, великий герой. И только я знаю, что я — еще более великий герой, чем кажется со стороны. Но молчу. Потому что гордец, каких свет не видывал.

Кегги Клегги изумленно посмотрела на меня, словно бы не в силах поверить, что действительно все это рассказывает, и вдруг звонко расхохоталась.

— Вот дуууууууура, — стонала она сквозь смех. — Ну и дура же! Ох, не могу!

Я не знал, что и думать. И главное, что делать. Не то успокаивать бедняжку, не то радоваться, что ей наконец стало легче. Впрочем, поскольку успокаивать я не умею, особого выбора, получается, и не было.

— Уверен, с таким родичем, как Эши, тебе семейные сцены не страшны, — сказал я, дождавшись, пока она более-менее успокоилась. — И король тебя, если что, отпустит, куда захочешь. Подозреваю, он и в

Тубур-то тебя отправил, чтобы не скучала во дворце. А вовсе не из каких-то там корыстных соображений. Сонные телохранители у Его Величества и так есть, от отца по наследству достались. Все, между прочим, ученики твоего великого прадеда, лучшие из лучших. Справятся, если что.

— Откуда ты знаешь? — улыбнулась Кегги Клегги. — Король действительно так и сказал — дескать, с Сонными Мастерами тебе веселее будет, чем с дворцовой публикой, вот и поезжай, развейся. А я, так и быть, сделаю вид, будто это для дела надо. Он тебе рассказал?

— Ну что ты. Я с королем вообще ни разу в жизни не беседовал. Просто все говорят, что Его Величество хорошо разбирается в людях, — объяснил я. — И если даже мне понятно, что тебе при дворе делать нечего, то ему — тем более. А в отставку тебя отправлять — оскорбление для всей семьи. Вот и выкручивайся как можешь. Трудно быть королем. Я бы, наверное, через пару лет такой жизни чокнулся.

— А я бы и дюжины дней не протянула, — подумав, решила Кегги Клегги. — Слушай, а ты не помнишь, до какого возраста берут в Корабельную Школу? Мне еще не поздно?

— Никогда об этом не спрашивал. Но у нас на курсе был один дядька, так у него перед самыми выпускными экзаменами внук родился. Поэтому поздно станет еще очень не скоро — если вообще хоть какие-то ограничения есть.

— А ты-то почему не нанялся на корабль? — спросила она.

Я не стал говорить — «потому что женился». Такие вещи всегда трудно объяснять посторонним. Да и вряд ли нужно. Выдал запасное объяснение — тоже, впрочем, вполне правдивое:

— Потому что нюхач.

— Я помню, в Высокой Школе поначалу только и разговоров было, что о твоем носе. И что с того? Тебе корабельные запахи мешают? Что-то воняет совсем уж невыносимо?

— Невыносимо, — вздохнул я. — Только не воняет, а пахнет. Море. Мне от этого запаха так хорошо, словно все городские запасы супа Отдохновения за один присест сожрал. Поэтому на корабль мне можно только пассажиром. Сама скоро убедишься. Кстати, заранее приношу извинения, что стану очень скучным попутчиком. И настолько бездарным собеседником, что как бы ты меня за борт не швырнула от досады.

— Ничего, — сказала Кегги Клегги. — Я буду держать себя в руках. Спасибо, что предупредил.

— Можешь заранее потренироваться на изамонцах, — ухмыльнулся я. — Если за полдня в Цакайсысе никого не зашибешь, значит, и у меня неплохие шансы выжить.

— Что мне твои изамонцы, — высокомерно фыркнула она. — Я вон за столько лет при дворе никого не убила. А по сравнению с некоторыми придворными дамами Его Величества, жители Цакайсысы вполне милые люди. По крайней мере они смешные, а за это многое можно простить.

По дороге к изамонской границе мы развлекались вовсю. Представляли, как будем торговаться с околачивающимися там возницами, которые сперва заломят немыслимую цену в надежде, что мы побоимся ночевать под открытым небом. Предвкушали, как станем совещаться — в кого бы превратить этого негодяя? В жабу? Ох нет, леди не любит жаб! Тогда, может быть, в индюка? Или даже в индюшку, чтобы яйца пришлось нести? Заключали пари, на каком месте у возницы не выдержат нервы и он согласится на обычную плату в пять корон Соединенного Королевства. А может, и до четырех скинет с перепугу. Но тут главное не перестараться: если совсем запугать, удерут, и кукуй потом до завтра.

— Зато! — восхищенно кричала Кегги Клегги, вместе с печалью утратившая все свои светские манеры. — Когда стемнеет! Они! Увидят Эши!

И мы снова принимались хохотать, силясь представить встречу изамонского возницы с нашим призраком и понимая, что воображение тут бессильно. Эши Харабагуд веселился больше всех и, кажется, сожалел, что до сих пор ему не пришло в голову поселиться в Изамоне и устраивать там еженощную охоту на трусишек.

Однако нам не повезло. В смысле, наоборот, повезло. В общем, это как посмотреть. То есть развлечения не вышло, а поездка, напротив, удалась. Молодой возница в скромной по изамонским меркам шапке сразу затребовал пять корон, и мы с Кегги Клегги, растерянно переглянувшись, уселись в его амобилер. Парень оказался спокойным и на редкость неразговорчивым, даже о тайной власти своей прапрабабки над Чангайской династией докладывать не стал, только и сообщил между делом, что один из его предков лично принимал участие в строительстве Цакайсысы. Ничего удивительного, должен же был кто-то построить этот грешный городок, и в одиночку такие дела не делаются.

Переночевать мы решили в «Драгоценном покое великолепного странника» — я подумал, что от добра добра не ищут и проверенное место всяко лучше любого другого варианта. И не прогадал. Мацуца Умбецис, на чьем пальце сверкало подаренное мною кольцо, встретил меня как родного брата и принялся было поздравлять с заключением удачного брака. Но, узнав, что леди Кегги Клегги не является моей супругой, так смутился, словно дело происходило не в Изамоне, где для подобных случаев заготовлено несметное число сальных шуток, чье несомненное достоинство состоит в том, что шокированные слушатели очень быстро забудут о недоразумении — и хорошо, если не свои имена.

Но Мацуца Умбецис только покраснел до корней волос, пробормотал извинения и бросился хлопотать об ужине. Призрак Эши Харабагуда был так тронут его невинностью, что удалился в покои, отведенные его правнучке, с твердым намерением никого нынче вечером не пугать. А ведь как предвкушал!

— Как будто не в Изамон приехали, а в Ландаланд какой-нибудь, — заметила Кегги Клегги, когда мы сели за стол. — Только кухня другая, а нравы те же — простые, деревенские. И на улицах тихо, хотя вечер только начался.

— А кстати, да, — согласился я. — Чтобы в центре Цакайсысы было так тихо — ушам не верю. Уж не эпидемия ли у них?

— Да хранят нас Темные Магистры. Только этого не хватало, — с чувством сказала моя спутница.

На ее лице было явственно написано продолжение: «...именно сейчас, когда моя жизнь только начинается». И знали бы вы, как мне нравилась эта надпись.

— Эй, друг Мацуца, — позвал я хозяина, — в городе все в порядке? Ничего не стряслось?

— Да вроде нет. — Толстяк задумчиво поскреб в затылке, выглянул в окно, с недоумением обернулся ко мне и спросил: — А почему ты беспокоишься? Что не так?

— Слишком тихо, — объяснил я.

— Правда? — удивился Мацуца Умбецис. — А по-моему, нормально. — И, подумав, добавил: — Но если тебе не нравится есть в тишине, я могу выйти на улицу и немного пошуметь.

— Спасибо, — растрогался я. — Но это, пожалуй, лишнее.

И на всякий случай принялся твердить про себя: «Я — нюхач Нумминорих Кута из Ехо...» Потому что вполне возможно, я просто заснул в амобилере. Или еще раньше, в Эоисе, прямо за столом. Или вообще так и не пробудился от Вечного Сна, который любезно стал похож на мою настоящую жизнь — с некоторыми небольшими поправками. И с этим ничего не поделаешь. Но лишний раз вспомнить, кто я такой, не повредит. Опора всякого сновидца — он сам, другой нет и не будет. Хотя иногда так хочется!

— Тоже решил, что спишь? — ухмыльнулась Кегги Клегги. — Вот и я начала сомневаться. Такое впечатление, что они сговорились нас разыграть.

— Сговорились? Все жители Цакайсысы разом? — ужаснулся я. — Тогда точно сон. Причем не мой. У меня не настолько разнузданное воображение.

Но в это время за окном раздался звон бьющегося стекла, а сразу за ним — сердитая брань. Когда монолог стал дуэтом, я перевел дух и принялся наконец за еду.

Однако все это ерунда по сравнению с шоком, который мы пережили на следующее утро по дороге в порт. Город, через который мы шли, был похож на прежнюю Цакайсысу примерно как исцелившийся безумец на свой портрет, сделанный до первого визита знахаря. Те же черты, волосы и фигура, а все равно не узнать, потому что прежде лицо искажали бесчисленные гримасы, а теперь перед нами самый обычный человек, каких много. И если бы мы не помнили его безумным, вообще не о чем было бы говорить.

Вот ровно то же случилось с городом.

То есть Цакайсыса не превратилась внезапно в один из красивейших городов Мира. До этого ей было, мягко говоря, далековато. Для достижения подобного результата пришлось бы не просто закончить уборку улиц и покрасить облупленные стены домов, а сровнять все с землей, чтобы потом спокойно отстроить заново, стараясь как можно дальше отойти от прежнего образца. Но и ничего особо отталкивающего в Цакайсысе больше не было. Мусорные завалы, можно сказать, разобрали, локтями не пихаются, на ноги не наступают, почти не орут. И даже бесивший меня козий запах практически исчез. Как будто все жители города разом помылись каким-нибудь чудодейственным мылом. Или же...

Локтем в бок меня все же разок пихнули — леди Кегги Клегги решила хоть как-то компенсировать недостаток уличной толкотни.

— Слушай, — сказала она, — у них и в порту ремонт. С ума сойти! Надеюсь, капитаны не разбежались с перепугу, побросав свои корабли.

— Это было бы нелогично, — заметил невидимый Эши Харабагуд. — Если уж бежать, то вместе с кораблем. Хотя лично я не понимаю, что такого ужасного может быть в ремонте порта.

— Это потому что вы раньше здесь не бывали, — объяснил я. — И не успели твердо уяснить, что бардак и разруха — не просто нормальное состояние этого города, но сама его суть. Фундамент. Предназначение и судьба. И вдруг фундамента не стало, а Цакайсыса по-прежнему стоит. И оказалось, что утрата сокровенной сути пошла ей на пользу. И если это не чудо, то что тогда.

— Ну и дела, — озадаченно вздохнул он. И неожиданно добавил: — Все-таки хорошо, что я задержался в Мире после смерти. А ведь как не хотел! Я же тубурец, а вы сами видели, как у нас к призракам относятся. Думают, нет хуже судьбы, чем вот так среди живых околачиваться. И я тоже думал, но из-за учеников пришлось забыть о собственных интересах, долг есть долг... А сейчас только рад. Столько всего интересного мог бы упустить! Одно наше совместное путешествие чего стоит. А теперь вот новая загадка. И даже вообразить не могу, сколько их будет еще.

— Тебе правда нравится? — изумилась Кегги Клегги. — Я думала, ты просто притворяешься довольным, чтобы мы тебя не жалели.

— Да ну, какое там — притворяюсь. Невероятно интересная штука — эта ваша человеческая жизнь. Даже с точки зрения призрака.

— Как я за тебя рада! — улыбнулась она. — Хотя, конечно, совершенно не понимаю. Но это как раз не беда.

Зато я наконец кое-что понял. Но не про счастливую жизнь призраков, о которой столь вдохновенно поведал нам Эши Харабагуд. А про изамонцев.

И послал зов сэру Джуффину Халли. Просто не мог утерпеть.

«Вы сами сняли с них проклятие? — не здороваясь, спросил я. — Или кого-то попросили? В любом случае это так здорово! Они, представляете, ремонтируют порт!»

«Кто у нас нынче «они», сэр Нумминорих?»

«Ну как «кто»?! Изамонцы. Я же вчера доложил, что мы уже в Цакайсысе. А тут все кувырком. Вернее, наоборот, наконец-то не кувырком. Порядок в городе наводят. Уже почти навели. И вот, взялись за порт. Я сперва вообще подумал, что так и не проснулся и теперь придется начинать все сначала. Но потом принюхался, и...»

«Принюхался — и что?» — неожиданно заинтересовался шеф.

«Они больше не пахнут больной козой! — торжествующе выпалил я. — Помните, я вам говорил, что изамонцы ужасно воняют? Так слушайте, получается, это был запах проклятия! И если его сняли, это все объясняет. А кроме вас вроде бы некому. Мы же как раз перед моим отъездом говорили о Гургулотте Гаргахай, и я спросил, почему никто до сих пор не снял с изамонцев ее проклятие, а вы сказали, что любите такие задачки, и...»

«И действительно ее решил, — подтвердил сэр Джуффин. — Простенькая оказалась комбинация, всего в два хода. Но проклятие снял не я, а ты. А я, скажем так, просто зарядил оружие, рассказав тебе о нем».

«Это как?!» — обалдел я.

«Предполагаю, что ты, узнав о проклятии, начал симпатизировать изамонцам, — объяснил шеф. — А как еще истолковать твое эксцентричное поведение по дороге в Тубур? Сам же мне рассказывал, что принялся дарить им подарки и чуть ли не усыновлять — просто за то, что хоть немного похожи на людей, несмотря на страшное проклятие. Которое в частности гласит, что доброго отношения к себе изамонцам вовек не дождаться. С древними проклятиями обычно так и случается: стоит кому-то один раз пойти поперек, и все, развеялось, как не бывало».

«Так просто?»

Я ушам своим не верил. То есть не ушам, конечно, а той части сознания, которая отвечает за восприятие Безмолвной речи. Но не верил все равно.

«Ну как тебе сказать. Просто-то оно просто. Да только невозможно. По крайней мере теоретически. На практике-то ты Гургулотту уел. По всему выходит, ты у нас более могущественный чародей, чем она, в противном случае не смог бы нарушить запрет, как бы ни старался. И это хорошая новость — для изамонцев и для твоего начальства в моем лице. Леди Гаргахай, если верить истории, была выдающейся ведьмой. Ну и ты, получается, тоже не совсем зря по земле ходишь».

«Ой, — сказал я. И повторил: — Оооооой» — уже более прочувствованно.

«Сделанного не воротишь. Но, если ты так недоволен результатом, можешь попробовать сам наложить на этих бедняг какое-нибудь новое проклятие, — великодушно посоветовал шеф. — Им не привыкать».

«Нет, что вы. Я очень доволен. Просто мне кажется, вы меня разыгрываете», — признался я.

«Ничего не поделаешь, такая уж у меня репутация. Все почему-то думают, что я вечно хитрю. А я уже давно говорю правду и только правду, прямо как призрак какой-то. Разве что не всю сразу, а порциями. Но это скорее для пользы дела, чем из желания выставить всех дураками».

«Ох», — отозвался я.

«Звучит лучше, чем «ой», — похвалил меня сэр Джуффин. — Но, честно говоря, ненамного. Поэтому будь любезен, свяжись со мной, когда окажешься в состоянии сказать что-нибудь более занятное. Например, название корабля, на котором леди Кегги Клегги Мачимба Нагнаттуах прибудет в столицу. Бедняжке предстоит официальная торжественная встреча — с музыкой, паланкинами и прочими приличествующими ее высокому положению кошмарами. Придется ей потерпеть».

Он распрощался и исчез из моего сознания, а я еще долго стоял посреди необозримой стройки и думал, что если шеф сказал правду и я действительно нечаянно снял проклятие с целой страны, тогда главным героем Изамона по справедливости должен стать Мацуца Умбецис, хозяин «Драгоценного покоя великолепного странника», вопреки всем дурацким проклятиям оставшийся порядочным и рассудительным человеком. Подвиг, превосходящий деяния героев древней истории, которым, к слову, и без всяких там проклятий нечасто удавалось совладать с собственным нравом. И ведь никто никогда о нем не узнает — только если я, состарившись, напишу мемуары, но на это надежды, прямо скажем, немного.

Наверное, со всеми по-настоящему важными событиями и людьми обстоит так же. Никто о них не знает, кроме нескольких случайных очевидцев, у которых к тому же немного шансов понять, чему именно стали свидетелями. И чего в таком случае стоят все наши учебники истории? То-то же.

«Зато, — внезапно подумал я, — как же интересно будет перечитать исторические хроники теперь, когда ясно, что о самом главном там не сказано ни слова!»

Решительно отложив дальнейшее осмысление своего открытия на потом, я огляделся и обнаружил, что остался в одиночестве. Мои спутники уже как-то пробрались через строительные баррикады к причалам, и я бросился следом, сообразив, что леди Кегги Клегги вряд ли знает о преимуществах плавания на каруне. Чего доброго, сговорится сейчас с капитаном какого-нибудь бахуна и даже задаток успеет дать — разбирайся потом. Или хуже того, соблазнится возможностью прокатиться на настоящей укумбийской шикке, которые порой объявляются в Цакайсысе — не столько для того, чтобы сбыть награбленное барахло, сколько ради возможности порезвиться в здешних притонах, полностью соответствующих представлениям среднестатистического пирата о смешном.

Беда с укумбийцами не в том, что пассажиров они не берут, а в том, что никому не отказывают. Даже платы не требуют. Зато всякого поднявшегося на борт они автоматически считают пленником и поступают с ним как заблагорассудится. Кого-то высаживают на первом попавшемся берегу, предварительно разлучив с имуществом, кого-то берут в плен и увозят на свои острова. А могут и за борт швырнуть или, напротив, доставить домой, как обещали — если им все равно по дороге, взять с вас особо нечего, а капитан пребывает в добром расположении духа, по случаю женитьбы младшего сына например.

Я как в воду глядел. У одного из причалов была пришвартована эта грешная укумбийская шикка, и маленькая леди Кегги Клегги уже вдохновенно скакала рядом, явно намереваясь немедленно подняться на борт. И этот красавец, ее прадед, похоже, совершенно не возражал. Впрочем, мертвому герою Смутных Времен простительно — откуда бы ему знать, как у нас теперь все устроено. Призраки морем обычно не путешествуют, он, насколько мне известно, первый такой оригинал.

Схватившись одновременно за голову и за сердце, я понесся к причалу. И только добежав, понял, что тревога отменяется. На борту шикки красовалась надпись «Фило», а сверху на меня глядел, приветливо хмурясь, сэр Анчифа Мелифаро, старший брат моего коллеги. Он, так уж вышло, тоже пират, только не укумбийский, а наш, угуландский. Что, как мы понимаем, гораздо хуже.

Я был так ошеломлен, что все подобающие случаю слова из головы вылетели. Пялился на старого знакомца молча, как деревенский дурачок на карнавале. Я бы там, пожалуй, так до сих пор и стоял, если бы Анчифа не сказал: «Привет». Тогда и я вспомнил, что люди при встрече обычно здороваются. А потом говорят о делах.

Но и тут Анчифа меня опередил.

— Объясни своей подружке, что путешествовать на шикке ужасно неудобно, — попросил он. — Не умею я таким красивым леди отказывать, они из меня веревки вьют. Но, предположим, соглашусь я доставить вас в Ехо — и что дальше? Мне ее даже спать положить некуда. И свою каюту предложить не могу, потому что пришел сюда не просто от скуки, а за пассажиром.

— За пассажиром? Ты?!

Узнай я, скажем, что сэр Джуффин Халли подал в отставку, чтобы открыть кондитерскую для сирот где-нибудь за Собачьим мостом, и то меньше удивился бы.

— Сам потрясен, — кивнул Анчифа. — Меня сэр Кофа попросил. Он, конечно, не самая красивая леди в Соединенном Королевстве, как бы ни переодевался, зато мастер заручиться поддержкой — начиная с отца и заканчивая вашим общим начальством, которому я, как ни крути, многим обязан. Пришлось согласиться. С другой стороны, пассажир мне достался необременительный. Для укумбийца моя шикка — подходящий транспорт. Ни качка, ни теснота его не смутят. И моими развлечениями его не шокируешь. А вот леди на «Фило» делать нечего. К моему величайшему сожалению. Вот был бы у меня бахун! Первый в Мире пиратский бахун — как тебе такая идея?

— На самом деле в старые времена еще и не такое случалось, — сказал я. — Какая разница, быстроходный ли у тебя корабль, когда околдованная жертва будет сколько угодно оставаться на месте, повинуясь твоему приказу... Но ты говоришь, в Цакайсысу за укумбийцем приехал? По просьбе сэра Кофы? Ничего не понимаю. Друг его, что ли? Попал здесь в беду?

— Ага, Кофин приятель, — согласился Анчифа. — Только ни в какую беду он не попал. Просто из Тубура возвращается — как, я понимаю, и вы с леди.

— Так ты за Його Чунгагой приехал? — осенило меня.

— Ну да, — вздохнул Анчифа. — За вашим знаменитым певцом, любимцем просвещенной публики, будь он неладен. Не знаю, зачем Кофе понадобилось за ним именно шикку посылать. Может, надеется, что я сжалюсь и возьму этого артиста в команду? Так ничего не выйдет. Я-то не против, а ребята у меня суеверные. Думают, того, кто во всеуслышание поет о своих подвигах, покидает удача, и рисковать не желают. А мне лишний бунт на корабле ни к чему... А может, Кофа решил прозрачно мне намекнуть, что сны о плаваниях и битвах — отличный выход для того, кто прошел через ритуал Морской Охоты? Дескать, посмотри на бывшего коллегу — выучился спать по двадцать часов в сутки, и все у него теперь хорошо, по крайней мере в Приют Безумных не собирается. Тоже зря: я своей судьбой и так вполне доволен. Не хочу пока ничего менять.

— А может, сэр Кофа просто захотел его порадовать? — неожиданно спросила Кегги Клегги, до сих пор благоразумно помалкивавшая. — Просто так, без задней мысли, без всяких интриг и намеков. Чтобы у человека была эта поездка — несколько дюжин очень счастливых дней. И какая разница, что потом.

— Тому, кто лично знаком с сэром Кофой Йохом, чрезвычайно трудно согласиться с вашей версией, — сказал Анчифа, отвешивая маленькой леди галантный поклон. — Однако мне она все равно нравится больше прочих предположений. Приятно было бы жить в мире, где люди выстраивают столь хитроумные комбинации и ставят на уши всех, кто под руку подвернется, просто для того, чтобы порадовать других людей. Пожалуй, я выберу для себя эту вашу правду и буду ее знать, а прочие объяснения выброшу из головы. Да будет так.

Я перешел на Безмолвную речь и сказал Анчифе: «Этой леди тоже очень надо вернуться домой на шикке. Наверное, даже больше, чем твоему пассажиру. Причину она уже назвала — чтобы было несколько дюжин счастливых дней, и какая разница, что потом. Просто для нее сейчас всякая радость — почти вопрос жизни и смерти. Или даже не почти».

А вслух добавил:

— Лично я могу провести всю дорогу на палубе. Даже на шикке найдется закуток, где можно никому не мешать. Заранее уверен, что Його Чунгага с удовольствием ко мне присоединится. Тогда приготовленную для него каюту можно отдать леди и сэру Эши...

— Кому-кому ты предлагаешь отдать мою каюту? — нахмурился Анчифа. — Сколько еще с вами народу? Ты лучше сразу скажи.

— Никакого народа, только призрак сэра Эши Харабагуда, который сопровождает свою правнучку.

— Просто при свете дня меня не видно, — сказал призрак. — А то бы я давно представился.

— Эши Харабагуд? — ахнул Анчифа. — Тот самый? Который тысячу мятежных Магистров, одновременно напавших на короля, во сне победил?

— Вообще-то их было всего девяносто восемь, — строго сказал призрак. — И я сам в той битве, как видишь, погиб. Но король уцелел, это правда.

— Это сейчас мы с вами взрослые люди и понимаем, что девяносто восемь — очень много, — улыбнулся Анчифа. — Но поскольку истории о ваших подвигах я впервые услышал в детстве, будем считать, что их все-таки была тысяча, этих грешных Магистров. Не разбивайте мне сердце!

— На самом деле их было даже несколько тысяч, — тоном опытного интригана признался Эши Харабагуд. — Это если всех, с кем я имел дело, сосчитать. Не люблю хвастать своими подвигами, но для тебя сделаю исключение. Все равно путь долгий, заняться особо нечем...

— В конце концов, этот Його Чунгага был на своей шикке не капитаном, а простым матросом, — задумчиво сказал Анчифа. — А значит, вполне обойдется без каюты, будь он хоть трижды знаменитость. Поднимайтесь на борт.

Пока трепещущая от счастья Кегги Клегги устраивалась в капитанской каюте, я послал зов сэру Джуффину и сказал:

«Торжественную встречу с паланкинами, похоже, придется отменить. Леди прибудет в столицу на шикке «Фило», и вряд ли сэр Анчифа сочтет уместным свое участие в придворных церемониях. Мы и так его еле уговорили».

«Отличная новость, — обрадовался шеф. — Мы с Кофой как раз поспорили на полсотни корон, встретитесь вы с Анчифой или нет».

«И вы выиграли?» — сообразил я.

«Напротив. Решил, что это был бы перебор. Слишком высокая плотность счастливых совпадений на одно непродолжительное путешествие. Я поставил против вашей встречи с Анчифой и продул спор. Но я люблю проигрывать. Регулярно убеждаться, что жизнь по-прежнему выходит за рамки моих представлений о ней, — это и есть счастье».

«Потому что так гораздо интереснее?»

«Одно удовольствие с тобой говорить, сэр Нум минорих. Все-то ты понимаешь».

Таким образом осуществилась чуть ли не самая дурацкая мечта моей жизни, посетившая меня за ужином в «Драгоценном покое великолепного странника», — случайно встретить Його Чунгагу и вернуться домой в его компании, дружно распевая пиратские песни.

И вот все сбылось. Даже спать пришлось практически в обнимку со столичной знаменитостью — в отведенном нам закутке иначе было не разместиться. Однако песен мы все-таки не пели. Його Чунгага не понаслышке знал о суевериях своих бывших коллег, а потому концертов не устраивал.

Он вообще оказался тихоней, как все начинающие Мастера Совершенных Снов, и выражение лица у него почти всегда оставалось соответствующее: «Где я, кто все эти люди и зачем меня вообще разбудили?» Былой темперамент и суровый нрав проявлялись лишь изредка, во время споров с леди Кегги Клегги. Эти двое вцепились друг в друга с первой минуты и тут же принялись выяснять, что для человека важнее — сон или бодрствование. Його Чунгага с воинственным пылом неофита доказывал первостепенную значимость сновидений; Кегги Клегги, которая и сама всю жизнь придерживалась сходного мнения, сперва возражала только из чувства долга, чтобы порадовать прадеда, но быстро исполнилась азарта, призвала на помощь все свое блестящее образование, включила давно заскучавший без дела логический аппарат и принялась последовательно громить аргументы бывшего пирата, один за другим; они, впрочем, неизменно восставали из пепла по воле своего несгибаемого повелителя, и все начиналось заново.

Я уж на что ко всему равнодушен в море, а и то с удовольствием прислушивался к их спорам, попутно заключая с собой пари — поцелуются или нет? Так, кстати, до сих пор и не знаю, из какого кармана куда деньги перекладывать — укромных мест даже на шикке предостаточно, а специально я, конечно, за ними не следил.

Однако теперь, когда эти двое поженились и тут же умотали в кругосветное путешествие на новенькой шикке, каким-то непостижимым для меня способом извлеченной прямо из сновидения, время и место их первого поцелуя уже не имеют принципиального значения. Факт, что в какой-то момент это случилось, — вот и хорошо. Тем более что мое мнение по этому вопросу разделяет даже Эши Харабагуд. Вскоре после нашего возвращения в Ехо он совершенно перестал тревожиться о судьбе правнучки и отправился в очередное странствие, о которых мне неизвестно ничего, кроме того, что многие призраки полагают их главным смыслом своего бытия.

Но это все было потом. А сперва сэр Анчифа Мелифаро доставил нас прямехонько в Речной Порт столицы Соединенного Королевства, как будто был самым обычным капитаном торгового флота, а не пиратом, объявленным в розыск во всех морских и доброй половине сухопутных держав Мира. Разве что пришли мы туда глубокой ночью и пришвартовались у самого дальнего причала, откуда без опытного проводника, пожалуй, быстро не выберешься. Но мой нос благополучно вывел нас к амобилеру, за рычагом которого сидел сэр Мелифаро, заблаговременно вызванный старшим братом для освобождения захваченных в Цакайсысе пленников, каковыми мы все являлись с точки зрения закона, пока находились на борту гостеприимного «Фило».

А дальше все было совсем просто. И очень хорошо. За исключением моего разговора с начальством — тоже хорошего, но определенно непростого.

Я на самом деле всю дорогу думал, рассказывать сэру Джуффину о своих приключениях на Темной Стороне Вэс Уэс Мэса или промолчать. Потому что, конечно, очень хотелось выложить ему все, и пусть объясняет, что это было. Уж шеф-то наверняка сразу поймет, что я натворил, вывернув наизнанку шапку Датчуха Вахурмаха, и каких последствий теперь надо ждать. Но сэр Джуффин сам однажды сказал, что лучше бы нам обоим воздержаться от разговоров о Темной Стороне. Потому что такие беседы, как он сам выразился, «не прибавят сэру Максу здоровья». Я не понимал, как это может быть связано, да и сам сэр Джуффин, похоже, не особо верил своим опасениям, но в некоторых случаях лучше перестраховаться... Или все-таки нет?

Вот и гадай, как быть.

Однако мои мучения прекратились, как только я толкнул калитку и вошел в сад.

— Эй, — из беседки раздался голос сэра Джуффина, — я тут.

Ничего себе сюрприз.

— Иди сюда, — сказал он. — Твои все равно уже спят. Или еще? Хороший вопрос. Думаю, зависит от того, какое событие ближе к настоящему моменту — засыпание или пробуждение. Вечер или утро? Кстати, всегда было интересно, в какой момент ночь начинает считаться утром. Через три часа после полуночи? Четыре? Или все-таки пять? Нет ответа.

— Наоборот, — улыбнулся я. — Ответов слишком много. Самая разумная версия, по-моему, у астрологов старой школы: утро начинается на рассвете, и точка. Но с ними почему-то никто не согласен. Сэр Клема Кубицис, основоположник новой школы астрологии, предлагает вообще забыть о солнце и ориентироваться исключительно на время захода луны — представляете, как это может запутать дело? А знаменитый хоттийский математик Тухта Бурбун утверждает, будто утро начинается сразу после полуночи. И ужас даже не в том, что старик определенно спятил, а в том, что его идея снискала сторонников не только в Старом Хоттийском Университете, где вся профессура почитает Тухту, как арварохцы своего Мертвого Бога, но и среди наших молодых ученых. Боюсь, договориться по этому вопросу люди не смогут никогда.

— Как страшно жить, — содрогнулся шеф. — Будь добр, постарайся пореже рассказывать мне о нравах научного мира, пощади ранимую душу невежественного старика.

— А почему вы меня тут встречаете? — спросил я. — Что-нибудь случилось?

— Ничего такого, о чем тебе было бы неприятно услышать. Просто я понял, что давненько не сидел в засаде, а твой сад — отличное место для разминки. Кстати, скажи спасибо, что я не повторил любимый трюк твоего сына и не свалился тебе на голову с ближайшего дерева. Хотя соблазн был велик.

— Но вы же могли просто сказать, чтобы я срочно мчался в Дом у Моста. И я бы приехал как миленький, работа есть работа.

— А у меня к тебе не служебный разговор. А личный. Долго думал, как бы его обставить, и решил, что лучше всего зайти к тебе в гости. В этой беседке мы можем разговаривать более-менее на равных. Я, конечно, по-прежнему старше и опытней, но хотя бы не начальник. Зато ты тут — хозяин территории. Более близкой к равновесию позиции нам не достичь.

«Я — Нумминорих Кута, нюхач из Ехо», — привычно подумал я. И почувствовал себя несколько более уверенно. Потому что вообще-то наш разговор постепенно начинал походить на сон — все еще относительно связный, но уже приправленный изрядной порцией бредовых искажений смысла.

— Эй, не так все страшно, — рассмеялся сэр Джуффин. — Я тебе не снюсь. И с ума пока не сошел, если ты об этом подумал. Просто хочу поговорить о твоей прогулке по Темной Стороне Тубурских гор. Несколько дней честно придумывал обстоятельства, в которых наш разговор будет как можно меньше похож на беседу учителя с учеником, и понял, что твоя беседка — наилучший вариант.

— Ох, — с облегчением выдохнул я. — Мне бы и в голову не пришло, что место встречи так много значит... Но как вы узнали? На таком расстоянии?!

— Ты и сам мог заметить, что на Темной Стороне расстояния не имеют столь принципиального значения, — отмахнулся он. — Мне кажется, они существуют там лишь потому, что мы не способны вообразить пространство, в котором вовсе нет расстояний... Возможно, со временем ты настолько освоишься на Темной Стороне, что станешь замечать чужое присутствие. Или так и не станешь — если тебе будет все равно, кто еще там шляется. Но сейчас это не важно.

«А ведь точно, — подумал я, вспомнив, как обстояли мои дела на Темной Стороне. — Если захочешь знать, кто из твоих знакомых тоже тут сейчас гуляет, так сразу и узнаешь, а если не задаваться специально таким вопросом, то и ответа не получишь».

Но говорить все это не стал, только восхищенно кивнул. Все-таки это совершенно невероятное ощущение — понимать с полуслова сэра Джуффина Халли, да еще когда он рассуждает о всяких непостижимых вещах. Никогда, наверное, к этому не привыкну.

— Буду краток: я видел, что ты сделал с шапкой Датчуха Вахурмаха, — сказал шеф. И, прочитав в моих глазах вопрос, рассмеялся: — Да, я слежу за тобой на Темной Стороне. А как ты думал? Учить я тебя не могу и помогать без крайней нужды не стану. Но от удовольствия подглядывать ни за что не откажусь. Очень уж интересно.

— Ну так это здорово, — улыбнулся я. — В смысле что вы видели. И наверное, знаете, что именно я сделал с шапкой? Потому что я сам так и не понял. Только почувствовал, что это было правильно. Но с чьей точки зрения правильно? Для кого? И самое главное, как это отразится на нашей жизни? То есть не на нашей с вами, а на жизни жителей Вэс Уэс Мэса и других тубурцев, которые несколько раз в год разыгрывают право уснуть в этой шапке. Что им теперь будет сниться? Куда они попадут? Вот о чем я беспокоюсь.

— Поздно беспокоиться. Что сделано, то сделано. И оно не могло не быть сделано — вот о чем тебе следует знать. Чувство ответственности за свои поступки — прекрасная штука. Но при этом надо ясно понимать, где проходит граница между нашей волей и повиновением силе, которая желает проявиться через нас. Впрочем, могу тебя успокоить, сэр Нумминорих, причем раз и навсегда. Ты никогда не натворишь настоящих бед. Таково уж твое устройство. Тебе мама в детстве сказки рассказывала?

От такого вопроса я окончательно растерялся. При чем тут сказки? Но кивнул.

— Моя мне тоже. О мудрых странствующих принцах, ужасных демонах-людоедах, говорящих животных и добрых колдунах. Когда я вырос, понял, что и мудрых принцев, и демонов разных пород, и говорящих животных в жизни полным-полно, а вот добрых колдунов не бывает. Человек, посвятивший себя магии, должен быть не добр и не зол, как не добр и не зол наш Мир. И при этом чуток, переменчив и пластичен, как сама жизнь. То есть в идеале колдун должен быть всяким — одновременно. Не уверен, что объясняю достаточно внятно, но, поскольку ты, хвала Магистрам, не мой ученик, я в кои-то веки не обязан быть правильно понятым.

— Но я, кажется, все-таки вас понимаю. Это ничего?

— Вполне можно пережить, — ухмыльнулся шеф. — Так вот, сэр Нумминорих, все это я говорил только затем, чтобы признать: я заблуждался. И мои учителя — тоже. Добрые колдуны все-таки бывают, и ты тому живой пример.

— Я?!

— Ага. По всему выходит, что ты физически не способен совершить то, что условно считается «злом». И вовсе не потому, что думаешь, будто это нехорошо. Убеждения-то в нашем деле недорого стоят. Никто не знает, на что способен, пока сила не начнет действовать его руками; все, что можно сделать в такой ситуации — согласиться с существующим положением вещей. Ну, или лечь и умереть, но это очень скучный выход.

Я смотрел на шефа, откровенно распахнув рот. Ждал продолжения.

— Однако, наблюдая за тобой, я пришел к выводу, что ты, скажем так, инструмент с ограниченными возможностями. И при этом гораздо более могущественный, чем мне до сих пор казалось. Я только недавно понял, почему так долго заблуждался на твой счет: просто ты стеснительный. Вот и скрывал свои способности от всех, кто мог их заметить. Бессознательно, конечно. Но какая разница.

— Ой, — сказал я, отмечая таким образом этап беседы, на котором утратил дар речи.

— На этот раз я, пожалуй, с тобой соглашусь, — совершенно серьезно подтвердил сэр Джуффин Халли. — Действительно «ой», лучше и не скажешь. Зато, по-моему, очень смешно получилось: сэр Нумминорих Кута, сказочный добрый колдун, вывернул наизнанку Сонную Шапку Датчуха Вахурмаха и навсегда изменил Мир.

— Но как?

— Я еще толком не разобрался, — признался он. — Ну, то есть победители игры Чанхантак будут теперь отправляться в путешествие между Мирами, с ними как раз все ясно. Попасть в какой-нибудь другой Мир и прожить там удивительную жизнь, в полной уверенности, что это просто чудесный сон, а значит, можно ничего не бояться — по-моему, прекрасная судьба. Сам бы о такой мечтал, родись я простым тубурским горцем без ярко выраженного призвания к Истинной магии.

— Ничего себе, — вздохнул я.

Ну, по крайней мере не «ой». Можно сказать, интеллектуальный прорыв.

— В любом случае это гораздо лучше, чем Вечный Сон, — заметил шеф. — Собственно, любой вариант — лучше. Ты видел эту грешную шапку на Темной Стороне, ты знаешь.

Еще бы.

— Интересно, что за игра сейчас начинается? — задумчиво сказал сэр Джуффин. — По моим расчетам, после того как ты вывернул шапку наизнанку, все должно было измениться. Не только сокровенная суть этого наваждения, но и его технические, так сказать, аспекты. То есть раньше наш Мир поставлял сновидцев. А теперь, выходит, мы станем обеспечивать сновидениями? Хотел бы я знать — кого? И каким образом это отразится на нашей жизни? Или же простая логика тут не работает? И это значит, что следует ждать чего-то абсолютно невообразимого?.. Эй, сэр Нумминорих, не делай такое трагическое лицо. Я же сказал: ты у нас добрый колдун. И значит, Мир от твоих проделок не рухнет. А все остальное преодолимо. И при этом чрезвычайно интересно.

— Это да, — согласился я. И, внезапно спохватившись, спросил: — Хотите камры? У нас на кухне всегда изрядный запас, только разогреть.

— Пожалуй, не надо, — решил сэр Джуффин. — Самое главное я тебе уже сказал, прочее подождёт. Пойду посплю немного. До рассвета осталось всего три часа, но это лучше, чем ничего... Хочешь добрый совет?

Я растерянно кивнул.

— Если кто-нибудь когда-нибудь предложит тебе место начальника Тайного Сыска, ни за что не соглашайся. Хоть на край света беги, лишь бы не припахали. Совершенно неподходящая работа для сновидца. Картёжники и наёмные убийцы — и те дольше спят. Я проверял.

— Вы серьёзно? Или опять надо мной смеётесь?

— Конечно смеюсь. Но имей в виду, именно насмехаясь над ближними, я обычно серьёзен, как никогда. Вот и делай выводы.

Он поднялся, собираясь уходить, и тогда я наконец решился задать вопрос, который мучил меня все это время. Я задавался им, даже карабкаясь по лестнице из Вечного Сна, даже гуляя по Тёмной Стороне Тубурских гор, даже вдыхая свежий морской ветер на палубе «Фило». Но ответа так и не нашёл.

— Скажите, а в том сне, когда вы меня ругали, что с ветрами не побеседовал, — это всё-таки были вы? Или нет?

— А ты сам как думаешь? — весело спросил шеф.

— Готов спорить, что именно вы. И в то же время точно знаю, что нет. Чокнуться можно от такого противоречия!

— Тем не менее именно оно и есть правда. А любое из утверждений по отдельности — полная чушь. На самом деле все очень просто, сэр Нумминорих. Проще не бывает. Тебя же учили делать сны-подарки? Вроде бы с этого как раз и начинается практика Мастера Совершенных Снов. Я не ошибаюсь?

— Не ошибаетесь. Так это был сон-подарок?

— Ну да. Просто не о приятном отдыхе на лоне природы, как принято между друзьями, а о сердитом начальнике. Такой вот оригинальный сюжет. Но я только задал основную тему, а за все детали, начиная с моего кошмарного облика и заканчивая безобразным поведением, скажи спасибо своему воображению. Между прочим, сам мог бы сообразить, что к чему, когда получил соответствующий опыт. То есть еще в начале лета.

— Мог бы, конечно. Просто не знал, что вы тоже учились на Мастера Совершенных Снов. Даже не могу представить вас в этой роли.

— А я и не учился. То есть учился, но не в Тубуре. И не подушки для сна мастерить, а совсем другим фокусам. Но, видишь ли, традиции-то разные, а природа сновидений неизменна, какими бы словами мы о ней ни говорили. Поэтому в итоге все мы учимся одним и тем же вещам, просто разными способами. И разумеется, с разными целями. Но какое дело сновидениям до наших дурацких целей, сам подумай.

Потом он все-таки попрощался. Перешагнул порог беседки и исчез — отправился Темным Путем домой, на Левый Берег, спать. И я тоже пошел домой спать — по садовой тропинке, спотыкаясь о раскиданные тут и там детские игрушки.

Уверен, нашим сновидениям не было никакого дела не только до наших целей, но и до путей, которыми мы к ним добирались.

—**Н**у вот на этом месте, по-моему, вполне можно закончить, — говорит Нумминорих. — А теперь дайте мне, пожалуйста, попробовать этот ваш удивительный напиток, платой за который считается мой рассказ. Я так увлекся, что совершенно о нем забыл. Наверное, зря.

— Это мы так увлеклись, что забыли налить тебе кофе, — говорит Франк. — Прости. Еще никогда со мной такого не случалось.

А Триша просто сидит, схватившись руками за голову. Хороша хозяйка! Стыдно-то как.

— Это еще ладно бы, — ухмыляется Макс. — Я-то кофе заранее запасся. И что ж? Почти полная чашка. Остыл давным-давно. Я его, выходит, выпить забыл. А это уже ни в какие ворота.

— Значит, из меня получился неплохой рассказчик, — улыбается Нумминорих. — Вам не было скучно, это главное. А кофе можно подогреть.

— Вообще-то греть кофе — это кощунство, — строго говорит Франк. — С другой стороны, вылить рука не поднимется. Даже не знаю, как быть.

— Давайте его сюда. Если верить моему начальнику, я — добрый колдун. Значит, ничего не испорчу.

Как раз недавно научился согревать остывшую еду и напитки одним прикосновением. Потрясающе полезный фокус, кучу времени экономит. И с жаровнями не надо возиться, и ничего не вскипит, не пригорит, как на огне. Сердце Мира отсюда, конечно, далековато, но, по-моему, это не так важно, как принято думать.

— *«Не так важно, как принято думать»*, — вздыхает Макс. — *Слышали бы тебя сейчас ссыльные мятежные Магистры, которые, даже до Куманского Халифата не добравшись, на стенку от бессилия лезут.*

— *Офонарели бы, да?*

— *Не то слово, дружище. Кстати, тебе, наверное, будет приятно узнать, что в самые черные времена мне иногда снились потрясающие сны — о прогулках в горах, морских путешествиях и прочих славных вещах. Абсолютно не похожие на прочий тягостный бред, во власти которого я тогда почти непрерывно находился — и наяву, и во сне. Я, конечно, понятия не имел, откуда они берутся, но был за них бесконечно благодарен, как утопающий за глоток свежего воздуха. А это, оказывается, были твои подарки.*

— *Совсем не факт*, — улыбается Нумминорих. — *Скорее всего, хорошие сны тебе просто так снились. Я потом со многими знающими людьми об этом говорил, и все они уверены, что отправить сон-подарок в другой мир невозможно.*

— *И это говорит человек, только что успешно подогревший мой кофе, применив Черную магию девятнадцатой, если не ошибаюсь, ступени. Не просто вдалеке от Сердца Мира, а в реальности, где ни этого «сердца», ни самого Мира, ни соответственно угуландской Очевидной магии нет вовсе.*

— *Тоже правда,* — *задумчиво кивает Нуммино-рих.* — *Думаю, мы просто пока очень мало об этом знаем. Не только мы с тобой, а вообще все.*

— *И не только об этом, а вообще обо всем,* — *подхватывает Макс.* — *В том числе о себе. Я, к примеру, до сих пор в шоке от того, что так вовремя явился тебе в Вечном Сне. И столь эффектно выступил, что ты процитировать не решился. И при этом ни черта не помню — представляешь, как обидно? Единственное спасение — повторять ваше с Джуффином любимое заклинание.*

— *Какое заклинание?*

— *«Зато интересно».*

Громче всех почему-то смеется Франк. А отсмеявшись, убирает со стола песочные часы.

Легли уже под утро, проводив гостя, внезапно объявившего, что спать в ином Мире — отдельное искусство, изучать которое следует со всей серьезностью и самоотдачей, а ему бы сейчас просто отдохнуть. Ну и отправился домой кратчайшим путем, через сад, до туманной стены, и еще несколько шагов по тропинке, даже успел оттуда крикнуть — дескать, все в порядке, судя по запаху, Хурон совсем рядом, теперь точно не заблужусь, — и только потом окончательно исчез. И Триша чуть не расплакалась от огорчения, хотя о чем тут печалиться. Все гости когда-нибудь уходят. А потом возвращаются. Глупо не вернуться в «Кофейную гущу», когда уже знаешь, что она есть на свете, — все так говорят.

Поэтому легли уже под утро, и, если бы не Франк, первые клиенты остались бы без кофе и завтрака, потому что Триша поднялась только в полдень. Выглянула в окно, ужаснулась и бросилась в кофейню с криком: «Я все проспала!»

— *Проспала,* — *согласился Франк.* — *Ну и что с того? Я-то тут.*

— *Ты-то тут. А я тебе не помогаю.*

— *Я тебе тоже иногда не помогаю,* — *напомнил Франк.* — *Бывает, на целый день ухожу. Но ты же как-то справляешься. А чем я хуже?*

И правда.

— *Значит, ничего страшного?* — *на всякий случай уточнила Триша.*

— *Абсолютно ничего. Но если ты уже проснулась, ставь джезвы на плиту. Видишь людей на улице? Явно наши новые клиенты. Сердцем чую.*

Несколько секунд спустя двое мужчин средних лет и молодая женщина с загорелым лицом опытной путешественницы действительно переступили порог «Кофейной гущи». Огляделись, одобрительно принюхались, спросили, что сегодня подают на обед, и уселись за дальний стол у окна. Вообще-то это любимый стол Макса, и его никто никогда не занимает. Люди, конечно, не кошки, но такие вещи обычно чувствуют, даже объяснять никому ничего не надо.

«А эти взяли и уселись, — *растерянно подумала Триша.* — *И как-то неловко теперь говорить, что лучше бы им перейти за другой стол. Еще, чего доброго, обидятся. И Макс сейчас проснется, придет кофе пить. Наверное, ужасно рассердится, что его место занято... Или нет?»*

— *Вот это да!* — *сказал Макс.*

Он так тихо подкрался, что Триша его не заметила. Хотя обычно Макс еще через сад идет, а уже ясно, что он рядом. *И не потому, что как-то особенно топает или сопит. Просто такой уж он человек, что его присутствие совершенно невозможно игнорировать. Как невозможно игнорировать яркий солнечный свет, внезапно наступившую темноту, ветер, ворвавшийся в открытое окно, и другие столь же очевидные вещи. Но, получается, не всегда?*

Триша подбородком показала на компанию за столом и сделала скорбное лицо, чтобы Макс понял: она сожалеет, что так вышло. Но что прикажешь с ними делать?

— Это хорошо, — *прошептал он так тихо, что Триша скорее угадала, чем услышала.* — Очень хорошо. Налей-ка мне кофе, я тут с вами пока посижу. Если не очень мешаю.

— Совсем не мешаешь, ты что.

А Франк только головой покачал укоризненно — дескать, вот выдумал! Как ты можешь нам помешать?

А ведь еще совсем недавно они за стойку никого не пускали, даже любимую соседку Алису — порядок есть порядок. Или не так уж недавно? Похоже, управлять ходом времени гораздо легче, чем его отслеживать — по крайней мере в «Кофейной гуще».

— Ну ладно, до Шамхума мы с грехом пополам добрались, — *громко сказал один из мужчин.* — И что теперь? Ты говорила, знаешь дорогу.

— Конечно, знаю, — *откликнулась женщина.* — Спустимся вниз, в долину, а оттуда, можно сказать, все дороги ведут в Лейн. Но лично я предпочитаю ту, что через Клевенклохх. Она не кратчайшая, зато какие там пекут крендели! Нигде таких больше нет.

— Да погоди ты со своими кренделями. Меня пока гораздо больше интересует, как мы будем спускаться в долину.

— Так на канатной дороге же! Чем ты меня вчера слушал? Она тут где-то рядом, буквально за углом, я помню...

— Не совсем за углом, — вмешался Франк. — Но действительно рядом. Сейчас покажу.

Достал из-под стойки карту и пошел к гостям.

Триша смотрела на него, открыв рот.

Карта! Нет, вы только подумайте, карта Города! Ее же никогда не было — не только у них с Франком, а вообще. Многие гости спрашивали, и Франк над ними посмеивался — ишь чего захотели. Я бы и сам на эту карту посмотрел, интересное, должно быть, зрелище. Да только нет ее. И быть не может. За переменчивыми зигзагами наших улиц ни один рисунок не угонится, хоть трижды его заколдуй.

А теперь карта, получается, есть? Как же так?

— Как же так? — шепотом спросила она Макса.

— А ты помнишь, что карты раньше не было? — обрадовался он. — Вот молодец! Всегда знал, что ты — идеальный свидетель. Всегда.

И громко сказал Франку:

— Надо бы ее уже повесить. Все постоянно спрашивают, как пройти в центр и где тут у нас канатная дорога. Хочешь, я сделаю?

— Давай. Кому этим и заниматься, если не тебе.

— Гвозди! — спохватилась Триша. — Гвозди и молоток! Я же сама их вчера спрятала, решила, что в ящике с кухонными ножами им не место. Я принесу!

И вприпрыжку понеслась в кладовую.

В кладовой хорошо, там можно запереть за собой дверь, перевести дух и даже немножко поплакать — знать бы еще о чем. А поплакав, наконец, обрадоваться — тоже неизвестно чему. Но радость — она сама по себе смысл, другого не надо.

А когда Макс забил последний гвоздь, укрепив на стене «Кофейной гущи» подробный план Шамхума, сперва старательно нарисованный от руки, а потом отпечатанный в типографии, помогавшая ему Триша отошла на несколько шагов, чтобы оценить результат общей работы, и не ощутила ничего, кроме радости. Здорово получилось. Лучше не бывает.

— Я все помню, — сказала она Максу. — И понимаю, что это значит — карта и надпись большими зелеными буквами «Шамхум». Очень хорошо, зря я боялась. Но слушай! Что будет теперь?

— Понятия не имею, — улыбнулся он. — Увидим. Одно обещаю твердо: ты узнаешь обо всем первой. Где я еще такого свидетеля найду.

На этот раз Трише не пришлось ни подслушивать, ни подглядывать, ни даже просить, чтобы разрешили тихонько посидеть в кухне, где происходит очередной самый-интересный-в-мире-разговор. Все как-то само сложилось.

Гость по имени Джуффин Халли явился не за полночь, как обычно, а в разгар вечера. Франк уже отправился по каким-то своим делам, но дверь «Кофейной гущи» еще была распахнута настежь, Фанни и Марк только что ушли, незнакомая женщина, чья дорожная сумка стояла в углу, разглядывала карту, делая пометки в блокноте, Макс о чем-то шептался с Алисой за самым дальним столом, а Триша месила тесто на завтрашние пироги, одним глазом приглядывая за булькающим на медленном огне ягодным соусом, которому предстояло вариться аж до полуночи, — ничего не поделаешь, придется за ним следить.

— Все твои планы на вечер отменяются, — с порога объявил он Максу. — Желаю играть. И это не каприз избалованного самодура, а практически вопрос жизни и смерти. У меня внезапное обострение хронического игорного синдрома, страдания мои неописуемы, последствия необратимы, все столичные знахари от меня отказались, на тебя последняя надежда.

— А как же Абилат? — рассмеялся Макс. — Неужели и он бессилен?

— А что Абилат? Знахарь он неплохой, но играть не умеет. А хороший партнер — единственное лекарство, которое может мне помочь.

— На моей памяти ты не раз срочно вызывал меня по разным пустяковым делам, а потом как-то само собой получалось, что заодно можно и в крак дюжину-другую партий сыграть — если уж все равно так вышло, что мы встретились и у тебя в кармане совершенно случайно обнаружились карты, такое вот чудесное совпадение, ну! И я, честно говоря, вообразить не могу, чего ты должен на самом деле хотеть в ситуации, когда крак — просто предлог.

Джуффин всерьез задумался.

— Можешь, — наконец решил он. — Все ты прекрасно можешь вообразить, не скромничай. Ну что, я сдаю?

— *Прости, — сказал Макс Алисе. — Свинство с моей стороны вот так на середине разговор обрывать. С другой стороны, сама видишь, я стал жертвой стихийного бедствия. Считай, что меня унес смерч.*

— *А я стояла совсем рядом и осталась цела, — усмехнулась она. — Такая удача — неплохое завершение вечера.*

Сперва Джуффин и Макс просто играли, и Триша, чье чувство такта, требовавшее оставить их наедине, вступило в неразрешимое противоречие с интересами соуса, почти поверила, что никаких страшных тайн сегодня не будет разглашено и даже мелкие секреты останутся нераскрытыми, когда Джуффин сказал:

— *Чего ты действительно не можешь вообразить — это насколько я рад, что до тебя наконец добрался Нумминорих и поведал о своих художествах. Давно хотел кое-что рассказать, да не знал, как подступиться. Потому что, с одной стороны, у нас проблемы. А с другой, это вовсе не проблемы, а просто новое развлечение. А с третьей, проблемы объективно существуют. Но с четвертой, они явно не у нас. А с пятой, люди, чьи проблемы так меня забавляют, все-таки живые — пока. И вот это самое «пока» не дает мне покоя. Хотя — с шестой или какой там уже по счету стороны — все это совершенно точно находится вне зоны моей компетенции... Слушай, а ты так никогда и не скажешь, что я тебя заинтриговал?*

— *Стисну зубы и буду терпеть. Потому что, пока ты так увлеченно рассказываешь, у меня есть шанс отыграться.*

— А вот это, увы, иллюзия. С каких это пор болтовня мешала мне следить за игрой?

— Тем не менее эта партия за мной. Поэтому продолжай, пожалуйста. Слушал бы тебя и слушал.

— Обойдешься. Теперь начинай меня расспрашивать. Клещами выдирай из меня информацию. А я буду загадочно ухмыляться в усы, которые, по-хорошему, следовало бы предварительно отрастить. Ну да ладно, и так сойдет.

— Если я сейчас лопну от любопытства, пожалуйста, не забывайте время от времени помешивать мой соус, — попросила Триша. — А в полночь снимите кастрюлю с огня. Ужасно обидно будет, если соус испортится. Я его весь вечер варю.

«Пусть теперь сами решают, говорить дальше или подождать до полуночи, — подумала она. — А то, может быть, надеются, что я сейчас тактично уйду? Вот и тянут. А я не могу уйти, у меня соус».

— Видишь, до чего ты, злодей, ребенка довел? — грозно спросил Макс. — Рассказывай давай. А то действительно лопнет от любопытства. И тогда мне придется бросить игру и заняться соусом, согласно Тришиному завещанию.

— Вот это серьезный аргумент. Ладно, тогда слушайте оба. После того как сэр Нумминорих вдохновенно вывернул наизнанку эту грешную волшебную шапку, произошло следующее: наш Мир стал сниться обитателям самых разных мест, скажем так, несколько чаще, чем раньше. То есть гораздо чаще. У меня такое впечатление, что открылся какой-то прямой маршрут для всех желающих, и мы теперь снимся чуть ли не каждому, кто даст себе труд укрыться одеялом и закрыть глаза. Хотя это уже, конечно, преувеличение. Но не такое большое, как хотелось бы.

— Так это же здорово, — улыбнулся Макс. — Какие прекрасные сны про Ехо снились когда-то мне самому! Ну, то есть, как выяснилось, не совсем мне. Но какая разница, если я их помню. Лучшие сны в моей жизни. Будь моя воля, вообще никогда не просыпался бы... Впрочем, им же, наверное, снится исключительно этот городок в Тубурских горах? Вэс Уэс Мэс, где хранится величайшая шапка всех времен. Ничего, если верить Нумминориху, там тоже неплохо. Особенно с тех пор, как тарунские подмастерья все дома разрисовали. И даже как минимум один трактир имеется, «Горный дом», есть чем заняться заскучавшему сновидцу.

— Да погоди ты, не тараторь. Во-первых, снится им не только Вэс Уэс Мэс, а, как я понимаю, вообще все подряд, включая Арварох и Пустую Землю Йохлиму. Но чаще всего почему-то Ехо. Думаю, дело в Сердце Мира. Все-таки оно — идеальный магнит для любых чудес. В том числе и для сновидцев. Особенно для тех, кто уходит в сновидение с твердым намерением сгинуть там навек.

— Ага, — хмыкнул Макс. — Наши, стало быть, люди. Можно сказать, братушки. Но в чем проблема-то? Их смутные тени бродят по улицам Ехо и бузят?

— И так тоже бывает. Хоть и нечасто. В любом случае хлопот с ними не больше, чем с любыми приезжими. А удовольствия больше — такие типы попадаются, видел бы ты! Проблемы, как я уже сказал, не у нас. А у самих сновидцев.

— Мне бы их проблемы.

— Не советую. Лечь спать, увидеть прекрасный сон, прожить там несколько безумно интересных дней, а потом благополучно умереть в своей постели — не самая завидная судьба. Хотя бывает и хуже, не спорю. Например, кошмар с аналогичным результатом.

— Так, стоп. Погоди. Вот с этого места, пожалуйста, подробней. Потому что я перестал понимать. С какой стати им умирать?

— А с такой, что почти никто не погружается в сон целиком, со всеми потрохами. О тех отдельный разговор. Мало кому удается использовать сновидение для полноценного путешествия между Мирами. Если у кого-то вдруг получилось, мои поздравления. И любая разумная помощь, не вопрос. Но у нас подобного почти никогда не случалось, да и сейчас вряд ли приобретет сколь-нибудь серьезные масштабы. Вот у вас, в Шамхуме, таких счастливчиков полно. То есть было полно — раньше. А теперь и эта лавочка прикрылась, кто не успел, тот опоздал. Пока твой город оставался своего рода наваждением, попасть сюда было почти так же просто, как умереть во сне. Ну что ты так на меня смотришь? Я же не сказал «одно и то же». Хотя, с точки зрения родных и близких некоторых ваших горожан, разницы действительно никакой.

— Конечно, ты прав, — кивнул Макс. — Но вернемся к вашим гостям. Им-то с какой стати помирать? Заснул, увидел прекрасный сон, проснулся, повыл на луну, побился головой о стенку и живи себе дальше, кто не дает. Примерно такая обычно программа. Нет?

— *В большинстве случаев так и есть. Но некоторым, видишь ли, у нас очень нравится. Так что просыпаться они не хотят. Видимо, битье головой о стенку, остроумно предложенное тобой в качестве альтернативы смерти, не входит в число их любимых занятий. И при этом у ребят достаточно силы, чтобы осуществить принятое решение. То есть не просыпаться. Но для того чтобы переместиться в приснившуюся реальность целиком, ее все же не хватает. Да и не обойдешься в таком деле одной силой. Без специальных умений или хотя бы сведущих помощников шансов мало. А откуда бы им взяться? Поэтому наш сновидец проживает пару-тройку дюжин замечательных дней, а потом умирает от истощения. И если ты думаешь, что его смятенный дух навсегда остается с нами хотя бы в виде призрака, — увы, это не так.*

— *Как жаль*, — вздохнул Макс. — *И почему все так сложно?*

— *Полностью разделяю твое сожаление. И даже возмущение — отчасти. И если мне когда-нибудь предложат заняться обустройством новенькой, с иголочки вселенной, у меня найдется немало идей, которыми даже ты наверняка будешь доволен. Тем не менее вот прямо сейчас нам приходится иметь дело с уже готовым, не нами придуманным мироустройством. И все, что приходит мне в голову, — попробовать помочь этим беднягам.*

— *Чем, интересно, им можно помочь?*

— *Ну как «чем»? Да хотя бы вовремя разбудить. По крайней мере останутся живы. Беда в том, что времени на такое хобби у меня нет совершенно. Их ведь сперва еще отыскать надо. Отличить от других в городской толпе. Не то чтобы это было трудно, но я, увы, не могу позволить себе целыми днями шляться по Ехо. Разве что с Кофой должностями махнуться — так он не согласится, ты что.*

— *Ну так пусть он их и ловит*, — флегматично предложил Макс, всем своим видом демонстрируя, что полагает поставленную задачу сугубо теоретической и не слишком интересной.

— *У Кофы другая специализация, ты сам прекрасно знаешь. Если и вычислит пару-тройку странных типов — что он будет с ними делать? В Дом у Моста волочь? А толку-то. Их будить надо. То есть не просто трясти за плечо с криком: «Подъем!» — а отправлять домой. Проверенным маршрутом и желательно с хорошим проводником. Или помогать перебраться целиком — тем немногим, кто на это способен. И кому действительно нужно позарез, а не просто вожжа под хвост попала, потому что девушки не любят. Или юноши — один хрен. А сперва еще отличить одних от других — тоже непростая задача. Поэтому пусть сэр Кофа занимается своими делами. А эта работа, по-моему, как раз для тебя. Кому и возиться с заблудшими сновидцами, как не самому реалистическому из моих сновидений?*

— *Остроумная концепция, не спорю. И ребят жалко — такой хороший сон, и вдруг умирать зовут, а ты еще даже ничего толком понять не успел. Ужасно обидно. Только я-то не в Ехо. И не врал тебе, когда говорил, что...*

— *И я тоже тебе не врал, когда говорил, что не считаю эту проблему неразрешимой. Просто решать ее нужно не абстрактно, а практически. И не здесь, а на Темной Стороне, которая, как ни крути, и есть твоя настоящая родина. Вернее, твоего тела.*

— *Именно тела? Как такое может быть?*

— *Ну как-как. Обыкновенно. Откуда-то оно взялось, верно? Теплое, плотное, вполне материальное, только, пожалуй, слишком уж живучее — что, как показала жизнь, к лучшему. Любой человек, даже очень могущественный колдун, на твоем месте уже дюжину раз умер бы, это я тебе как специалист говорю. Я, видишь ли, как всякий юный кудесник, довольно плохо понимал, что творю... Ну и чего ты теперь ржешь? Я, конечно, довольно остроумный собеседник, но не настолько, чтобы хрюкать, разбрасывая карты по столу.*

— *«Юный кудесник» меня доконал, — стонет сквозь смех Макс. — Это уже как-то слишком прекрасно. Перебор!*

— *И между прочим, чистая правда. Не так уж долго я живу на свете. Всего семь сотен лет с небольшим. Для колдуна таких масштабов и возможностей это действительно очень мало. Времени не было разобраться, что я на самом деле могу и как это у меня получается. Поэтому, к примеру, твоя природа стала мне окончательно понятна только после разговора с Нумминорихом. Он рассказал тебе, что ты пахнешь как Темная Сторона?*

— *Ну да. Только я не понял, что это означает. И, честно говоря, уже настолько привык к тому, что у меня все не как у нормальных людей, что даже внимания не обратил на эту новость. Странностью больше, странностью меньше — какая разница?*

— *Тоже правда. В твоем положении это разумный подход. Однако некоторые фундаментальные вещи о себе все-таки лучше знать. Ты создан из той же материи, что Темная Сторона. Она, можно сказать, позволила отщипнуть от себя кусочек, чтобы слепить тебе хорошее, качественное тело, одинаково подходящее не только для каких-нибудь запредельных чудес, но и для нормальной человеческой жизни. Кофе вот свой ненаглядный, к примеру, можешь пить, сколько влезет. И все прочие удовольствия прилагаются. Включая девушек и пироги.*

— *Хорошая у меня родословная, кто бы спорил.* — Макс больше не смеялся, даже раскиданные карты собрал и принялся рассеянно тасовать. — *Тело, полученное от Темной Стороны Мира,* — *это даже круче, чем королевская кровь. Но что из этого следует?*

— *Строго говоря, вообще все. Начиная с того, что жить тебе все-таки лучше поближе к дому, как всем блудным сыновьям, которым пришло время браться за ум. И заканчивая способом туда вернуться. Ты сам говорил, что решил больше никогда не возвращаться в Ехо, потому что обиделся. Да так твердо решил, что сам себя ненароком заколдовал. Теперь, даже если захочешь вернуться, не сможешь. Желаешь бесплатный рецепт от лучшего знахаря на обоих берегах Хурона? Слушай. Несколько глотков моей крови ради маскировки, ностальгическая прогулка по Ехо* — *четверть часа, не больше, чтобы снова дурно не стало. Потом бегом на Темную Сторону и расколдовывайся там до полной и окончательной победы здравого смысла над зловещими чарами. Насколько я помню, тебе там достаточно просто желание вслух*

*высказать. И теперь, наконец, понятно, почему так.
Хотя на месте Темной Стороны я бы поостерегся
вот так баловать младенца. Но это уж точно не мне
решать.*

— *Звучит как волшебная сказка, — вздохнул Макс.*

— *Тем лучше. Зловещих мифов и ужасающих легенд
в твоей жизни и так было предостаточно. И никуда
тебе от них не деться, ты и сам — вполне себе злове-
щий миф, а от себя не сбежишь.*

— *Ну я-то, как видишь, сбежал. — Макс сделал
выразительный жест рукой, словно хотел обнять
полутемный зал «Кофейной гущи» и весь ночной город
за окнами. — Шамхум — отличное убежище, в том
числе от себя. Мой город.*

— *Твоя правда. Твоя работа здесь закончена, но,
если захочешь остаться, у тебя, не сомневаюсь, получится. И жизнь твоя здесь будет безмятежной и
долгой. Возможно, почти бесконечной — где это ви-
дано, чтобы создатель реальности умирал у нее на
глазах? А я тебе вечных каникул не обещаю. И не
только бессмертия, а элементарных гарантий безопасности не посулю. Даже если бы хотел обмануть,
такую откровенную ерунду говорить не стал бы.
Положа руку на сердце, мне почти нечего тебе предложить. Никаких достойных внимания соблазнов —
кроме пресловутых ностальгических прогулок по Ехо,
но ты научился без них обходиться. И даже не тос-
ковать — а это уже высший пилотаж. У меня есть
только один серьезный аргумент в пользу твоего возвращения: ты нам нужен. И не только для того, чтобы спасать заблудших сновидцев. Хотя дело есть дело,
и оно, конечно, прежде всего.*

— Аргумент веский, — спокойно сказал Макс. — Но знал бы ты, сколько у меня контраргументов. Отличная коллекция, я ею горжусь.

— Не сомневаюсь. Но ты все-таки подумай.

— Думать как раз никакого смысла. Разве что монетку кидать. В ситуации, когда не можешь понять, чего на самом деле хочешь, то что надо.

— Или, скажем, в карты сыграть, — усмехнулся Джуффин. — Степень осмысленности принятия решения примерно та же, зато процесс гораздо увлекательней. Таких больших ставок у нас в игре еще не было. Выиграю — беру тебя в плен на ближайшую сотню лет. А потом, в случае чего, еще раз сыграем. Соглашайся, ну!

— Еще чего, — нахмурился Макс. — Я пока не сошел с ума — на свою жизнь с тобой в карты играть.

— Ладно, как скажешь, — равнодушно согласился Джуффин.

Даже Триша поняла, с каким трудом он скрывает разочарование.

Макс торжествующе вздернул подбородок — дескать, вот такой я молодец, все повернул по-своему. И вдруг, махнув рукой, рассмеялся и принялся сдавать карты.

— Ну смотри. Я же, чего доброго, поддаваться начну. Испорчу хорошую игру. Оно тебе надо?

Литературно-художественное издание

16+

Хроники Ехо

Макс Фрай

ТУБУРСКАЯ ИГРА

Ответственный за издание И. Данишевский
Ведущий редактор Е. Кравченко
Дизайн обложки Е. Ферез

Подписано в печать 09.12.2015 г.
Формат 84×108 $^1/_{32}$. Усл. печ. л. 21,84.
Тираж 4000. Заказ № 1783.

ООО «Издательство АСТ»
129085, Москва, ул. Звездный бульвар, д. 21,
строение 3, ком. 5

"Баспа Аста" деген ООО
129085 г. Мәскеу, жұлдызды гүлзар, д. 21, 3 құрылым, 5 бөлме
Біздің электрондық мекенжайымыз: www.ast.ru
E-mail: astpub@aha.ru

Қазақстан Республикасында дистрибьютор және өнім бойынша арыз-талап-
тарды қабылдаушының өкілі «РДЦ-Алматы» ЖШС, Алматы қ., Домбровский
көш., 3«а», литер Б, офис 1.
Тел.: 8(727) 2 51 59 89,90,91,92, факс: 8 (727) 251 58 12 вн. 107; E-mail:
RDC-Almaty@eksmo.kz
Өнімнің жарамдылық мерзімі шектелмеген.

Өндірген мемлекет: Ресей
Сертификация қарастырылмаған

Отпечатано в ОАО «Можайский полиграфический комбинат»
143200, г. Можайск, ул. Мира, 93.
www.oaompk.ru, www.оломпк.рф тел.: (495) 745-84-28, (49638) 20-685